Atr
su
Momento
divino

Atrévase a Vivir
una Vida de Aventura

Erwin Raphael McManus

EDITORIAL
UNILIT

SEPA
Spanish
Evangelical
Publishers
Association

Publicado por
Editorial Unilit
Miami, Fl. 33172
Derechos reservados

© 2004 Editorial Unilit (Spanish translation)
Primera edición 2004

© 2002 por Erwin Raphael McManus
Originalmente publicado en inglés con el título: *Seizing Your
Divine Moment*
por Thomas Nelson Publishers, Nashville, TN, USA.
Todos los derechos reservados.

Proyecto conjunto con la agencia literaria Yates & Yates, LLP,
Literary Agents,
Orange, California.

The Perils of Ayden © 2002. Todos los derechos reservados.
Usado con permiso de Erwin Raphael McManus.

Traducción y edición: *Grupo Nivel Uno Inc.*
Adaptación de diseño interior: *Grupo Nivel Uno Inc.*

A menos que se indique lo contrario, las citas de las escrituras
son de la versión DIOS HABLA HOY de Sociedades Bíblicas
Unidas, indicado como (DHH) y de la versión Reina Valera 1960,
indicado como (RV).
Usadas con permiso.

Producto 496738
ISBN 0-7899-1145-0
Impreso en Colombia
Printed in Colombia

PARA KIM

En un momento, dos se convirtieron en uno.
Dos vidas se convirtieron en un solo corazón.
Dos rutas se convirtieron en un solo camino.
Dos viajes se convirtieron en una misma aventura.
Contigo, un momento se ha convertido en toda una vida.

ÚNASE A Erwin Raphael McManus & atrape Su MOMENTO DIVINO

Es fácil leer un libro, pero es verdaderamente difícil aplicar continuamente lo aprendido en todos los aspectos de nuestras vidas. Entendemos lo difícil de esta lucha, y queremos hacer todo lo posible por ayudarle a continuar su viaje hacia una vida abundante, llena de aventura.

Avance un paso más, visitando SeizingYourDivineMoment.com, y reciba unan copia gratis de *Coraje para Vivir la Aventura*. Erwin ha elegido esta lección específicamente para ayudarle a usted a forjar un camino hacia una vida de aventura espiritual.

Visite www.SeizingYourDivineMoment.com y obtenga su lección de audio ¡GRATIS! Disponible en Internet o en audiocasete/CD

Coraje para Vivir la Aventura está disponible en Internet en formato de audio, o si prefiere agregar esta lección a su biblioteca de crecimiento personal, le enviaremos una copia en audiocasete o CD, con un cargo de envío mínimo (Disponible solo en inglés).

También de ERWIN MCMANUS
Finalista para el premio Medallón de Oro,
Una Fuerza Imparable:
Atreviéndonos a ser la Iglesia que Dios tenía en sus planes.

www.anunstoppableforce.com

CoNteniDo

Agradecimientos

HAY MOMENTOS QUE SON TAN GRANDES QUE UNO NO PUEDE atraparlos si está solo. Este libro es uno de ellos. Muchas personas estuvieron a mi lado mientras vivía este momento, y permanecieron junto a mí hasta que completé la misión. Este proyecto resultó de la fusión de varios equipos trabajando al unísono. Quisiera agradecer a *Thomas Nelson Publishers* por creer en mi mensaje y darle cuerpo. Gracias, Mike Hyatt, Brian Hampton, Laurie Dashper y todos los que me acompañaron con tanta calidez en Nelson. Gracias también a mi amigo y agente Sealy Yates. No sé de dónde tomas la energía, pero ciertamente tu pasión fue el viento que impulsó este proyecto hacia el éxito. Todos los días en Los Ángeles vivo en medio de un río de creatividad que se llama *Mosaic*, sin esta comunidad tan excepcional, mis sueños serían tan solo pensamientos, sin llegar jamás a convertirse en realidades. Estaré siempre en deuda con los de mayor edad, el equipo de liderazgo, el personal y la congregación de esta maravillosa comunidad de fe e imaginación. Quisiera también agradecer especialmente a Dave Auda, de *Mosaic*, quien me inspiró para escribir sobre este tema; a Holly Rapp, quien me impulsa a convertirme de narrador en autor; y a Noemi Martínez Bary, quien elevó las palabras al estado de imágenes. Dedico este libro a mi compañera de vida, Kim, y no hay parte de mi vida en la que no estén mis hijos, Aaron, Mariah, y nuestra hija en el Señor, Paty. Ellos viven este libro conmigo de muchas maneras.

Finalmente, no hay palabras para expresar la gratitud que siento hacia el Dios que nos creó. ¡Qué regalo nos ha dado! Nos creó para vivir, y no simplemente para creer. Seguirle a él es experimentar, explorar, descubrir. Gracias, Señor Jesús, no solo por lo que eres, sino por aquello para lo que nos creaste. Así que, no perdamos ni siquiera un momento. Miremos hacia adelante y busquemos el premio que espera por nosotros. Se necesitarán nuevos ojos para ver este camino, pero una vez andando, conoceremos la fascinación y el entusiasmo de atrapar nuestro momento divino.

Liberando el Espíritu de la Creatividad,
Erwin Raphael McManus

Antes del Impacto

El temblor se siente, no se oye, ni se ve.
Llega hasta nosotros a través de la planta de nuestros pies,
y alcanza la profundidad de nuestra alma.
Solo entonces, se abren los ojos de nuestro corazón.
Hablan de un cambio que está por llegar.

—Kembr, *The Perils of Ayden*

Por lo tanto, ninguno de los que acompañaban a Saúl y Jonatán tenía espada o lanza el día de la batalla. Solo ellos dos las tenían. Mientras tanto, un destacamento filisteo avanzó hacia el paso de Micmás.

—1 Samuel 13:22-23 (DHH)

Cierto día Jonatán, el hijo de Saúl, dijo a su ayudante:

—Ven, crucemos el río y ataquemos al destacamento filisteo que está al otro lado. Pero Jonatán no dijo nada de esto a su padre, que había acampado en el extremo de una colina y estaba debajo de un granado, en un lugar donde trillaban trigo, acompañado por una tropa compuesta de seiscientos hombres. El encargado de llevar el efod era Ahías, que era hijo de Ahitub y sobrino de Icabod, el hijo de Finees y nieto de Elí, el sacerdote del Señor en Siló.

La gente no sabía que Jonatán se había ido. Mientras tanto, él trataba de llegar hasta donde se encontraba el destacamento filisteo. El paso estaba entre dos grandes peñascos, llamados Bosés y Sene, uno al norte, frente a Micmás, y el otro al sur, frente a Guibeá. Y Jonatán dijo a su ayudante:

—Anda, vamos al otro lado, hasta donde se encuentra el destacamento de esos paganos. Quizás el Señor haga algo por nosotros, ya que para él no es difícil darnos la victoria con mucha gente o con poca.

—Haz todo lo que tengas en mente, que estoy dispuesto a apoyarte en tus propósitos —respondió su ayudante.

Entonces Jonatán le dijo:

—Mira, vamos a pasar al otro lado, a donde están esos hombres, y dejaremos que nos vean. Si nos dicen que esperemos a que bajen hasta donde estamos, nos quedaremos allí y no subiremos adonde ellos están. Pero si nos dicen que subamos, lo haremos así, porque eso será una señal de que el Señor nos dará la victoria.

Así pues, los dos dejaron que los filisteos del destacamento los vieran. Y estos, al verlos, dijeron: «Miren, ya están saliendo los hebreos de las cuevas en que se habían escondido». Y en seguida les gritaron a Jonatán y a su ayudante:

—¡Suban adonde estamos, que les vamos a contar algo!

Entonces Jonatán le dijo a su ayudante:

—Sígueme, porque el Señor va a entregarlos en manos de los israelitas.

Jonatán subió trepando con pies y manos, seguido de su ayudante. A los que Jonatán hacía rodar por tierra, su ayudante los remataba enseguida. En este primer ataque, Jonatán y su ayudante mataron a unos veinte hombres en corto espacio. Todos los que estaban en el campamento y fuera de él se llenaron de miedo. Los soldados del destacamento y los grupos de guerrilleros también tuvieron miedo. Al mismo tiempo hubo un temblor de tierra, y se produjo un pánico enorme.

Los centinelas de Saúl, que estaban en Guibá de Benjamín, vieron a los filisteos correr en tropel de un lado a otro. Entonces, Saúl dijo al ejército que lo acompañaba:

—Pasen revista para ver quién falta de los nuestros.

Al pasar revista, se vio que faltaban Jonatán y su ayudante. Y como ese día, el efod de Dios se hallaba entre los israelitas, Saúl le dijo a Ahías:

—Trae aquí el efod de Dios.

Pero mientras Saúl hablaba con el sacerdote, la confusión en el campamento filisteo iba en aumento. Entonces Saúl le dijo al sacerdote:

—Ya no lo traigas.

En seguida Saúl y todas sus tropas se reunieron y se lanzaron a la batalla. Era tal la confusión que había entre los filisteos, que acabaron matándose entre sí. Además, los hebreos que desde hacía tiempo estaban con los filisteos y habían salido con ellos como parte de su ejército, se pasaron al lado de los israelitas que acompañaban a Saúl y Jonatán. Y cuando los israelitas que se habían refugiado en los montes de Efraín supieron que los filisteos huían, se lanzaron a perseguirlos y a darles batalla. El combate se extendió hasta Bet-avén, y el Señor libró a Israel en esta ocasión.

—1 Samuel 14:1-23 (DHH)

Ayden se sentía todavía como un novato cuando Maven le presentó su primera elección.

¿No debía primero adquirir cierta experiencia con asuntos de menor importancia?

¿Por qué querría alguien tan sabio como Maven confiarle algo tan preciado?

¿Era verdad que las riquezas de todos los hombres, de todos los reinos, dependían de él? ¿Que el bien se hallaba ahora a merced de su decisión?

¿Y cómo podría capturar todo el tiempo en un único momento?

Aun así, no rechazó la invitación. Esta elección no sería suya, porque al nacer, había recibido tanto privilegios como responsabilidades.

El viaje le había escogido a él, pero ahora él podría elegir la aventura.

Elegir es conocer el placer de la libertad, ¿o es la libertad del placer?

—Inscripción 203 / The Perils of Ayden

1

Elecciones

elija vivir

UNA NOCHE, MUY TARDE, ME HALLABA CAMINANDO POR UNA CALLE oscura en la ciudad de San Salvador, bajo la protección de un guardia que me acompañaba de regreso hasta mi casa. Tendría yo unos seis o siete años. De algún modo, había escapado a la estricta vigilancia del hogar de mis abuelos, y había llegado hasta las peligrosas calles. Más tarde, Papi Hermelindo y Mami Finita intentaron esperar despiertos con una cámara fotográfica para documentar mi escapada. De nada servía hacerme preguntas, porque no recordaba nada acerca de este suceso. Yo era sonámbulo, y visitaba lugares en mis sueños, aquellos que mi cuerpo anhelaba recorrer. Todo lo que podía recordar era que podía volar, que iba a lugares que jamás había visto, pero que intuía íntimamente merecedores de mi interés como explorador. Al despertar, habitualmente sentía algo de frustración. Había una gran diferencia entre mis sueños y la realidad... entre mis sueños y la vida. ¿Cómo podría competir el mundo real con lo que mi imaginación creaba? La vida no era mala, pero por cierto, no podría jamás equipararse con mis sueños.

Esto no terminaba allí. No se trataba únicamente del hecho de que los sueños hacían que dormir fuese más atractivo que vivir. Los sueños invadían mis horas de vigilia también. No me bastaba con ser sonámbulo; también soñaba durante el día. Era un ciudadano, quizás hasta un cautivo, de mi imaginación. Los lugares a los que podía ir, las cosas que podía hacer, la persona en quien me convertía, eran mucho más potentes que lo que vivía cuando estaba despierto. Aun cuando buscaba lo seguro, sentía que había en mí un aventurero que clamaba por la libertad.

Mientras crecía, utilizaba la lectura para sustentar mis sueños. Alimentaba mi anhelo por unirme a una gesta que me llevara de viaje, como héroe perenne e invencible. Se tratara de una odisea de la antigüedad, o de una empresa del futuro, encontraba aventura en cada emprendimiento. En lugar de aplacar mi sed de aventura, todo esto la incrementaba.

Había una voz dentro de mi cabeza que gritaba: «¡No te duermas mientras sueñas!»

¿Alguna vez ha oído usted esa voz? Es algo tentador que le llama a abandonar la monotonía de la vida y a comenzar una aventura. Amenaza con abandonarnos en lo mundano si nos negamos a arriesgar todo lo que tenemos en pos de lo que podría ser. Si la ignoramos, la voz se acalla. Pero de tanto en tanto, como sirena persistente, canta y nos atrae nuevamente hacia sí.

La joven princesa espera, indefensa, en lo alto de la torre. Con la esperanza de que su príncipe la rescate. La Biblia nos presenta breves vistazos de mujeres como Débora, Rut y Ester, que con coraje pasaron de la comodidad y la seguridad a vivir un viaje inspirado por Dios. Si la princesa se parece a mi esposa, Kim, sueña con más que meramente escapar de la torre para seguir dentro del castillo. Estoy convencido de que espera por un príncipe que comparta con ella una vida, una aventura.

Hace años que Kim y yo vivimos juntos este viaje, y estoy seguro de que en los corazones de los hombres y las mujeres, existe este anhelo de vivir de gesta en gesta. Todos somos atrapados por el temor de llevar una vida insignificante, y todos oímos la voz que nos dice que podemos vivir nuestro sueño. De algún modo, sabemos que ir a lo seguro solo acabará por ubicarnos en el lugar del perdedor. Por definición, una *aventura* es «un emprendimiento o empresa de naturaleza riesgosa». Y la vida, como Dios la ha planeado para nosotros, no es menos que una aventura. Implica grandes riesgos, y también altos costos. Jesús lo resumió diciendo: «El que quiera salvar su vida, la perderá; pero el que pierda la vida por causa mía, la salvará» (Lucas 9:24). Jesús nos llama a vivir una vida plena de aventura. Esta comienza en el momento en que elegimos seguirle a él. Es nada menos que pasar de existir a vivir. A pesar de que no se nos traslada en el tiempo y el espacio, se nos transporta a una dimensión completamente diferente. Jesús nos dice que él es la puerta de entrada a esta vida, y a la gesta que le sigue. En Juan 10:9, declara: «Yo soy la puerta: el que por mí entre, se salvará. Será como una oveja que entra y sale y encuentra pastos. El ladrón viene solamente para robar, matar y destruir; pero yo he venido para que tengan vida, y para que la tengan en abundancia».

> De algún modo, sabemos que ir a lo seguro solo acabará por ubicarnos en el lugar del perdedor.

Cuando nos acercamos a Cristo, encontramos abiertos los campos de la vida. Se nos transporta de un reino a otro. Ya no necesitamos temer al ladrón que entra a robar, matar y destruir. Comenzamos una gesta para arrebatarle todo aquello que mantiene cautivo y entregárselo a Dios.

Todo lo que exploraremos en las páginas que siguen es el eco de la invitación que Jesús hace para que vayamos a él y le sigamos. Nos está invitando a vivir una aventura divina. Nos llama a ser pioneros, exploradores y guerreros espirituales. Responder a esta invitación es aceptar que seremos viajantes que abandonan la seguridad de permanecer en un lugar determinado. Seguirle a él implica elegir ser para siempre extranjero en este mundo. Jamás seremos ciudadanos de este planeta que llamamos Tierra.

VIAJEROS DEL TIEMPO

Siempre me ha fascinado el concepto que H. G. Wells desarrolla en su obra *La Máquina del Tiempo*. Al menos en lo que llevo de vida, su imaginación se ha mostrado como ajena al tiempo. *La Máquina del Tiempo* ha pasado de las páginas impresas a la pantalla chica, y finalmente a la pantalla grande. Imagino que H. G. Wells impulsó a una generación entera a sentir la fascinación de viajar en el tiempo. Los viajes en el espacio se convirtieron en realidad en estos últimos cincuenta años, pero viajar en el tiempo parece mantenerse como algo que nos eludirá siempre, excepto por un detalle importante... todos somos viajeros del tiempo. A pesar de que no estamos preparados para sobrevivir en el espacio sideral, sí lo estamos —y perfectamente— para poder viajar en el tiempo. Viajar de momento en momento nos es tan natural como respirar. Por supuesto, hay limitaciones. No podemos viajar hacia el pasado, y solo podemos estar en un momento a la vez. Pero aun así, seguimos siendo viajeros del tiempo, dejando como estela una historia, entrando como pioneros en el futuro.

En la interpretación más reciente de H. G. Wells, aparece una cuestión con especial énfasis: incluso con una máquina del tiempo no puede modificarse el pasado. Solo se puede cambiar el futuro. Madeleine L'Engle me hizo sentir la esperanza de que de algún modo encontraremos alguna arruguita en la senda del tiempo, pero hasta hoy, en mi experiencia he observado que esta senda es completamente llana, directa y continua. Lo cual nos demuestra la importancia de atrapar nuestro momento divino.

TÓMESE UN MOMENTO

Si pudiera atrapar un momento en su vida, ¿cuál elegiría? ¿Algún momento de su pasado, quizás? ¿Un momento de arrepentimiento? ¿Cuántos de nosotros jamás hemos pasado siquiera un instante pensando en los momentos perdidos? ¿No tomamos conciencia acerca de que los momentos perdidos, por los que nos arrepentimos, son exactamente eso: momentos perdidos? Si usted pudiera tomar un momento, atraparlo y exprimirlo para obtener de él todo su jugo vital, ¿no debiera este momento estar en el futuro en lugar de en el pasado? ¿Y qué sucedería si supiera que frente a usted hay un momento que cambiará su vida para siempre, un momento enriquecedor, con potencial, un momento con un sinfín de posibilidades? Si supiera que hay por delante un momento divino, en el que Dios se encontrará con usted para cambiar definitivamente todo, para que nada vuelva a ser igual, ¿qué haría? Y si hubiera un momento definitorio, en el que las elecciones que hiciera determinaran el curso e intensidad de su futuro, ¿cómo trataría usted a ese momento? ¿Cómo se prepararía para él? ¿Cómo lo identificaría?

Los momentos son numerosos, tantos como las estrellas en el cielo o los granos de arena en el mar. Cada uno de ellos puede llegar a ser su momento divino más importante. Dentro de esa cantidad de momentos, hay un puñado que se convertirá en el conjunto de momentos definitorios de su vida. Incluso cuando un momento parezca mundano, lo milagroso puede estar esperándonos allí. Rara vez conocemos la importancia de un momento desde el comienzo. Cuando perdemos uno, llegamos luego a la conclusión de que ha sido una oportunidad perdida.

Incluso cuando un momento parezca mundano, lo milagroso puede estar esperándonos allí.

Cuando soñamos, vemos momentos por venir. Y sin embargo, por el único que podemos responder es por el que está frente a nosotros ahora. Este es su momento. El desafío para usted no está en atrapar momentos divinos, sino en atrapar su momento divino. La Biblia nos presenta la imagen de un abrir y cerrar de ojos, para indicar momentos. En otras palabras, no pestañee, o podrá perder su momento divino.

Me referiré brevemente al concepto de momento en el capítulo «Momentum» de mi libro anterior *Una Fuerza Imparable*. Hice la siguiente observación:

> Creo que necesitamos pasar un día junto a Monet. Él tenía una percepción muy clara acerca de lo que un momento esconde. La mayoría de nosotros piensa que un momento es algo estacionario, quieto, que no cambia. Queremos capturarlo y detenernos allí. Si hay un momento que desea conservar o recordar, toma una fotografía.
>
> Lo genial de Monet es que él veía el momento como lo que verdaderamente es. Es como si leyera el diccionario y viese que la esencia de las palabras *momento* y *moción* son

una misma cosa. Monet era un maestro de la luz y el movimiento. Sus pinturas son borrosas y oscuras, pero hermosas
y plenas de visión. Si pudiésemos ver la vida a través de
sus ojos, la veríamos como realmente es. Nuestra capacidad para ver el mundo como verdaderamente es ha sido
corrompida por la cámara. Al girar el lente o pulsar un
botón, estamos quitándole el efecto borroso. Vemos la vida
enmarcada en cuadros inmóviles, pero en realidad, la vida
está en continuo movimiento.

Los momentos se mueven de manera sincronizada, a tiempo. Pero
el tiempo no espera a nadie. Y aunque pareciera que el tiempo se
está quieto, esto no es así. Como
los pétalos de una rosa, los momentos caen al suelo cuando ya
no hay vida en ellos. Son algo para atesorar... y no solo los momentos que ya hemos vivido,

Los momentos se mueven de manera sincronizada, a tiempo.

sino los que ahora vibran llenos de vida. Puedo decir con toda confianza, que este es su momento. Puede haber muchos más momentos en el futuro, y aunque los más significativos aún estén por venir,
el momento en que se encuentra ahora mismo está listo para que
usted le atrape.

SOLO UN MOMENTO

La palabra momento, proviene —entre otras— de la palabra griega
atomos. Es fácil ver que *átomo* y *atómico* provienen de *atomos*. Esta
es la imagen perfecta de lo que esconde un momento. La imagen
de un átomo nos recuerda cuán fácilmente podríamos perder un
momento, o incluso subestimarlo. Un átomo simboliza la unidad
más pequeña de un elemento. Se le consideraba como una unidad
irreducible. La idea era que no se podía obtener nada que fuera más
pequeño, lo que explica la importancia de no perder un momento.
Como los átomos, los momentos son insignificantes en tamaño,
pero innumerables. Es fácil pasarlos por alto o ignorarlos.

Al mismo tiempo, tenemos la imagen de lo atómico que esconde un momento. En lo atómico, hay capacidad nuclear a causa de
la rápida liberación de energía en la fisión de núcleos atómicos.
Hay una energía desproporcionada con relación al tamaño. La fisión
es el acto o proceso de descomponer en partes. Cuando usted atrapa un momento divino, instiga a una reacción atómica. Se convierte en el catalizador que crea un impacto divino. El resultado puede
llegar a ser similar al de un terremoto.

Esto es lo que encontramos en la vida de un hombre llamado
Jonatán. Una persona que, al atrapar su momento divino, inició una jornada que jamás olvidaría. A través de
él nos encontramos al borde de un terreno nunca antes
explorado, con un desafío que implica atrevernos a vivir una vida de aventura.

> **Cuando usted atrapa un momento divino, instiga a una reacción atómica. Se convierte en el catalizador que crea un impacto divino.**

Jonatán era el hijo de Saúl,
el rey de Israel. En 1 Samuel 14, la Biblia abre ante nosotros un
momento de definición en la vida de este joven príncipe. Con todo detalle, Samuel pinta las texturas que nos muestran cómo atrapar un momento divino. Las características que Jonatán demostró
tener, las he visto en hombres y mujeres que tienen la sorprendente capacidad de capturar los momentos de la vida. Supieron tomar
el átomo y atomizarlo. Lo que para otros habría sido un momento perdido, para ellos es un momento maximizado. Para ellos la vida está llena de oportunidad y de infinitas posibilidades.
Comparten con Jonatán una cierta forma de ver la vida. A través
del tiempo, he llegado a describir estas características como el
«Factor Jonatán».

El Factor Jonatán es el resultado explosivo que ocurre cuando
lo que Dios es configura lo que nosotros somos, y esto cambia el
modo en que vivimos la vida. El modo en que vemos a Dios afecta dramáticamente nuestra manera de ser como personas.

El modo en que percibimos cómo trabaja Dios afecta radicalmente la manera en que vivimos en Dios. El sutil cambio de seguir a Jesús, de recibir a Jesús, es sumamente importante. Lo primero exige que nos movamos hacia Dios; lo segundo, nos permite permanecer quietos, estacionarios, dejando que Dios venga a nosotros. Cuando Jesús estaba en esta tierra, sus discípulos tenían que seguirle el paso. Si querían permanecer cerca de él tenían que elegir dejar atrás la vida que habían vivido, yendo dondequiera que él fuera. La vida de Jonatán demuestra que Dios nos llama a vivir una vida de aventura. El camino está plagado de misterios, peligros e incertidumbre. La gesta radica en vivir la vida para la que Dios nos creó. El viaje comienza ahora mismo... en este momento. Y sea lo que fuere que usted haga, no subestime lo que pueda llegar a encontrar.

DISFRUTE DEL MOMENTO

Mientras escribía este libro, la vida me interrumpió bruscamente. Recibí una llamada en mi teléfono celular de un desconocido de la costa Este. Una amiga suya a la que hacía unos años yo había ayudado a llegar a la fe le había recomendado que me llamara. Dicha dama lo había conocido a él más tarde y se había dado cuenta de que estaba en una intensa búsqueda de Dios. La llamada obedecía a esta sugerencia, y comenzamos una conversación a larga distancia sobre un viaje espiritual. Pronto expresé que es muy difícil mantener este tipo de conversación por teléfono. El hombre que me había llamado estuvo de acuerdo, e inmediatamente sugirió que volaría desde la Costa Este hasta Los Ángeles, para que pudiéramos conversar personalmente.

Francamente, me hallaba muy ocupado. Mi tarea como pastor en *Mosaic* —nuestra congregación en el corazón de Los Ángeles— y el escribir este libro, se intercalaban con mis viajes semanales recorriendo el país. Mi familia reclamaba una mayor presencia mía en sus vidas, por lo que había hecho arreglos para poder pasar más tiempo con ellos, con la esperanza de completar mi manuscrito antes de la fecha pactada. Sin embargo, sé que mi familia siempre estará dispuesta a otorgar de su tiempo cuando se trata de alguien que está buscando a Dios. Por lo tanto, invité a este hombre a quedarse en casa, y lo alenté a venir lo antes posible. Se sorprendió un poco por el hecho de que invitara a un extraño a alojarse en nuestro hogar, pero con alegría aceptó la invitación. Era como si supiese que había una ventana de oportunidad que no quería perder. Más tarde supe que durante su vuelo, había leído un manuscrito de este libro que yo le había entregado a nuestra amiga en común, y que estaba decidido a atrapar su momento divino.

Una semana más tarde, Aaron y yo fuimos a buscar a este profesor de política internacional, y le trajimos a nuestra casa. Disfrutamos con él inmensamente, y nuestras conversaciones acerca de Dios me convencieron de que se había convertido en un genuino seguidor de Cristo. Luego, sucedió algo fuera de lo común. Me pidió que lo bautizara el siguiente domingo. Le expliqué que como nuestro edificio era alquilado, no contábamos con fuente bautismal bajo techo, pero que estaría feliz de bautizarle en nuestra piscina, o en el océano. Mencioné el océano solo de paso. Jamás se me habría ocurrido llevarle a la playa en esa época del año. Para Los Ángeles, veinte grados de temperatura es mucho frío, y el agua está helada. El Pacífico en verano es gélido, y durante el resto del año, francamente terrible.

Insistí con la piscina, pero parece que para él la experiencia natural de ser bautizado en el océano era mucho más atractiva. Con ansias, pidió ser bautizado en el Pacífico. Le recomendé algo mejor: podíamos entibiar nuestro Jacuzzi, y lo bautizaría allí. Me preguntó si era legítimo bautizarle en un Jacuzzi. ¿Era aceptable esto a los ojos de Dios? Le expliqué que Dios lo aceptaría, pero a él le pareció que era un engaño. Dijo claramente que tendría que ser en el océano. Le recordé que estaría helado, que no soportaría el frío, pero él se mantuvo firme. Quería una expresión perfecta de su compromiso hacia Cristo. Le expliqué que por lo general delego los bautismos en alguien más, pero que si él insistía, lo bautizaría en el océano.

Así que una tarde de domingo, entre dos servicios, me encontré conduciendo mi automóvil hacia Dockweiler Beach. ¿Mencioné ya que estaba lloviendo? Era una lluvia fría, con un cielo gris, estilo al que hay en Seattle. No nos fue difícil encontrar dónde estacionar el automóvil. No había nadie en la casilla del estacionamiento. Tampoco había nadie en la playa. Era como si hubiéramos reservado la playa para nosotros. Los vestuarios estaban cerrados y debimos cambiarnos de ropa afuera, en el frío. Me había torcido el tobillo unos días antes jugando baloncesto, por lo que sabía que no me sería posible correr más tarde de vuelta hacia el abrigo del automóvil. La experiencia prometía ser dolorosa y lenta.

Con unos pocos testigos a nuestro alrededor en este momento de compromiso, mi hijo Aaron lideró la oración y luego ambos nos adentramos en las aguas. ¡Estaban heladas! Solo había una ventaja. Hacía tanto frío que mis piernas casi se congelaron, así que no sentía dolor. Luego de que una ola amenazara con tumbarnos y bautizarnos a ambos, en el agua calma que le siguió, le declaré discípulo de Jesucristo, bautizándole en nombre del Padre, del Hijo y del Espíritu Santo.

Cuando salió del agua, ni siquiera parecía sentir el frío. Sus ojos rebosaban de alegría y excitación. Cuando nos abrazamos como hermanos en Cristo, un calor especial nos envolvió. Nada más parecía importar entonces... ni el frío ni el dolor. Solo disfrutamos del momento.

Los momentos más importantes rara vez llegan cuando más conveniente nos resulta. A veces, uno quisiera que Dios primero revisara el calendario. Lo irónico es que nuestras agendas están llenas con lo mundano y lo cotidiano, y nos irritamos con Dios cuando él nos interrumpe con lo milagroso y extraordinario. La Biblia está repleta de historias acerca de personas a quienes Dios interrumpió de forma brusca. Leemos estos relatos y anhelamos tener el tipo de aventuras que vivieron esos hombres y mujeres. Pero cuando Dios nos interrumpe, ¿estamos dispuestos a responderle a pesar de no haber recibido aviso previo?

ATASCADOS EN UN MOMENTO

Una de las razones por las que no estamos preparados para el momento que tenemos delante es que estamos atascados en algún momento que hemos dejado atrás. El álbum de rock ganador del premio Grammy en 2002 fue uno de U2: *Todo lo que no puedes dejar atrás*. Posicionado justamente después de su éxito «Hermoso Día» está el tema musical titulado «Atascado en un momento del que no puedes salir». Ambos pintan la imagen de nuestra oportunidad y también de nuestro dilema. Un día hermoso está allí, para ver y vivir, pero trágicamente, no tomará conciencia de ello si se encuentra atascado en un momento del que no puede escapar. *Bono* y *The Edge* escriben estas palabras:

> Jamás pensé que fueras tonta
> Pero amor, mírate
> Debes pararte erguida, llevar tu propio carga
> Esas lágrimas no llevan a ninguna parte, nena.
> Debes recomponerte
> Estás atascada en un momento y ahora no puedes salirte de él
> No digas que más tarde será mejor
> Ahora estás atascada en un momento
> Y no puedes salir de él

La canción llega a esta conclusión:

> Y si la noche pasa volando y el día no alcanza
> Y si tu camino presenta pedregoso desfiladero
> Es solo un momento
> Este momento pasará

Cada una de las canciones va acompañada de un símbolo. El símbolo para «Atascado en un Momento» consta de cuatro flechas que apuntan hacia el centro, donde hay un punto. ¿Es este el símbolo que representa alguna parte de su vida? Un momento en el pasado, que sigue al acecho, afectando todos los momentos de su vida. Un momento en su historia que le roba los momentos del futuro. ¿Hay algún momento que usted revive una y otra vez? Revivir el pasado es renunciar al futuro. Si está dispuesto a dejar en libertad su pasado, está preparado para entrar en el futuro. Cuando elige quedar atascado en un momento queda sin capacidad para atrapar sus momentos divinos.

Sé cuán pegajoso puede volverse un momento. No estamos hablando de papelitos adhesivos, sino de ciénagas de brea. He tenido momentos que no me soltaban, a causa de que no los dejaba ir. Y mientras el mundo seguía girando, continuaba peleando por vivir en el pasado. Recuerde, aunque somos viajeros del tiempo, estamos

diseñados para avanzar, no para retroceder. Cuando nos empecina-
mos en viajar hacia atrás, nuestra alma se ve tironeada hacia uno y
otro lado. El estudio de la historia puede ser una herramienta poderosa para lanzarnos hacia el futuro, pero vivir en el pasado es deci-
didamente la manera de enemistarnos con nuestro futuro.

Estuve atascado en un momento del que no podía salir, y esto
me llevó al diván del psiquiatra a la temprana edad de doce años. Llevaba el bagaje que arrastra todo aquel que vive en el pasado: depresión, desesperanza y aislamiento. No fuimos creados para entrar en el
futuro caminando hacia atrás. La sola decisión de mirar hacia adelante, hacia el futuro, trajo un efecto sanador en mí. No es de extrañar que
Dios constantemente indicara a Israel su promesa de que siempre habría un futuro, una esperanza. Estas dos dinámicas van siempre juntas.

Si está atascado en un momento, dé la vuelta, deje de mirar hacia
atrás y atrévase a mirar hacia adelante. Hay una aventura esperándole, una oportunidad para explorar e incluso, un futuro que crear.
El tiempo no fue creado con la potestad de retenernos y no dejarnos avanzar. Y si el futuro le aterra, entonces intente verlo como
una sucesión de momentos, viviendo uno a la vez.

MÁS ALLÁ DE UN MOMENTO

Cuando Halle Berry recibió su Oscar como Mejor Actriz Protagóni-
ca en el año 2002, se sintió sobrecogida por el momento. Su comentario de apertura fue: «Este momento es mucho más grande que yo».
Esto nos recuerda que los momentos son una intersección entre el
pasado y el futuro. Para Halle Berry, su momento era una validación
del trabajo y sacrificio de muchas personas que estuvieron antes
que ella. Al mismo tiempo, era la puerta por la que creía que los
futuros actores podrían llegar a
alcanzar nuevas oportunidades.
Los momentos no son realidades
independientes, desconectadas.
Los momentos llevan en sí el
impulso del pasado, y proporcionan el ímpetu para el futuro.

Los momentos llevan en sí el impulso del pasado, y proporcionan el ímpetu para el futuro.

Guy Peace, protagonista en la película *La Máquina del Tiempo,* también protagonizó otra película llamada *Memento.* Allí, su personaje era un hombre que no tiene memoria a corto plazo. Es el existencialista por excelencia. Todo lo que tiene es el ahora. Vive esencialmente sin pasado, y como resultado de ello, sin futuro. Soluciona este dilema tatuándose claves en el cuerpo, para saber qué hacer después.

Aprender del pasado nos informa y prepara para atrapar nuestros momentos divinos. Al mismo tiempo, mirar al futuro nos posiciona y guía para avanzar hacia el momento con confianza. El momento presente es el lugar donde chocan el pasado y el futuro, y dentro de él hay un potencial monumental. Ese es el misterio de un momento. Es lo suficientemente pequeño como para ser ignorado y lo suficientemente grande como para cambiar nuestra vida para siempre. La vida es la suma total de lo que hacemos con los momentos que se nos dan. Una definición de momento es: «Período de tiempo durante el cual algo o alguien existe, o en el que ocurre algo». Hasta la descripción de momento nos lleva de lo pequeño a lo épico. Fíjese en algunas de las palabras utilizadas para describir un momento: instante, flash, pestañeo, abrir y cerrar de ojos, segundo, minuto, hora, día, capítulo, fase, estación, era, generación, edad, época. Contenido dentro del concepto de un momento hay un potencial para eternas ramificaciones.

MOMENTO DE DECISIÓN

El potencial divino de un momento se libera por las elecciones que hacemos. El valor personal, histórico y eterno de cada momento tiene relación directa con las elecciones que debemos hacer dentro de él. Si un momento es la puerta por la que iniciamos nuestro viaje divino, entonces la elección es la llave que descorre el cerrojo a la aventura. En algún lugar del pasado, el poder de elegir pasó de lo espiritual a lo práctico. Hemos creado una dicotomía entre ser espirituales y vivir nuestras vidas cotidianas. Hemos olvidado que Dios nos creó con el poder de elegir. Nos ha regalado el libre albedrío. Esta capacidad es quizás nuestra más grande expresión de haber sido creados a la imagen de Dios.

La actividad más espiritual que puede usted ejercer hoy es la elección. Todas las demás actividades llamadas espirituales —la adoración, la oración, la meditación— están allí para conectarnos con Dios y prepararnos para vivir. Si los momentos son el contexto dentro del cual vivimos, las elecciones dibujan el mapa de nuestro viaje, determinando el destino. En Génesis 2-3 encontramos que cuando Dios creó al hombre y a la mujer, les puso en el jardín de las elecciones. El Paraíso estaba lleno de árboles y deliciosos frutos.

Luego leemos en Génesis 2:15-17: «Cuando Dios el Señor puso al hombre en el jardín de Edén para que lo cultivara y lo cuidara, le dio esta orden: "Puedes comer del fruto de todos los árboles del jardín, menos del árbol del bien y del mal. No comas del fruto de ese árbol, porque si lo comes, ciertamente morirás"».

> **Si los momentos son el contexto dentro del cual vivimos, las elecciones dibujan el mapa de nuestro viaje, determinando el destino.**

En otras palabras, el jardín estaba lleno de infinitas oportunidades para el placer. Adán podía elegir entre una infinidad de árboles buenos, y era libre de comer toda la fruta que quisiera de entre la interminable cantidad disponible ante él... con una excepción. Dios preparó el mazo de cartas para Adán. Todas las elecciones eran buenas, excepto una. Como sabemos, había una sola elección equivocada, y él la eligió. En ese momento todo cambió. Su relación con Dios se cortó. Había elegido otro camino, uno que no incluía la presencia de Dios.

Como Adán, trazamos el mapa de nuestro curso y navegamos según elegimos. Nuestras elecciones pueden guiarnos hacia Dios y el placer que viene de él, o pueden alejarnos de él hacia una vida de vergüenza y temor. El relato nos dice que mientras Adán estaba escondido, Dios fue en su búsqueda. Este es un punto de esperanza. Aun cuando estemos perdidos en la jungla, Dios en su gran misericordia nos busca y nos invita una vez más a unirnos a su aventura divina.

CONFUSIÓN MOMENTÁNEA

Mi frustración con respecto a Adán es la siguiente: ¿Cómo pudo provocar este lío cuando tenía todo lo que necesitaba, y más aun? Después de todo, potencialmente tenía todas las elecciones correctas delante de sí, a excepción de una sola. Eso sí me parece un paraíso. En la actualidad pareciera que vivimos en una jungla llena de elecciones equivocadas, y que intentamos encontrar la correcta, la cual se muestra elusiva. Afortunadamente, descubriremos que esto no es así. Cuando estoy listo para rendirme ante lo que aparenta ser un desafío abrumador, me encuentro con la perspectiva de Dios acerca de mi dilema.

En Deuteronomio 30, Dios le habló a su pueblo diciendo:

> Este mandamiento que hoy les doy no es demasiado difícil para ustedes, ni está fuera de su alcance. No está en el cielo, para que se diga: "¿Quién puede subir al cielo por nosotros, para que nos lo traiga y nos lo dé a conocer, y lo pongamos en práctica?". Tampoco está del otro lado del mar, para que se diga: "¿Quién cruzará el mar por nosotros, para que nos lo traiga y nos lo dé a conocer, y lo pongamos en práctica?". Al contrario, el mandamiento esta muy cerca de ustedes; está en sus labios y en su pensamiento, para que puedan cumplirlo (vv. 11-14).

A mí modo de ver, Dios dice en tono casi sarcástico: «No utilicen el hecho de que no saben qué hacer como una excusa. Y ni siquiera piensen en decirme que es demasiado difícil, o que no tienen la capacidad para poder hacerlo. Lo único que necesitan saber para avanzar y tomar su momento divino está justamente frente a sus ojos».

El Señor continuó diciendo:

> Miren, hoy les doy a elegir entre la vida y el bien, por un lado, y la muerte y el mal, por el otro. Si obedecen lo que hoy les ordeno, y aman al Señor su Dios, y siguen sus caminos y cumplen sus mandamientos, leyes y decretos, vivirán y tendrán muchos hijos, y el Señor su Dios los bendecirá en el

país que van a ocupar. Pero si no hacen caso de todo esto, sino que se dejan arrastrar por otros dioses para rendirles culto y arrodillarse ante ellos, en este mismo momento les advierto que morirán sin falta, y que no estarán mucho tiempo en el país que van a conquistar después de haber cruzado el Jordán. En este día pongo al cielo y a la tierra por testigos contra ustedes, de que les he dado a elegir entre la vida y la muerte, y entre la bendición y la maldición. Escojan, pues, la vida, para que vivan ustedes y sus descendientes; amen al Señor su Dios, obedézcanlo y séanle fieles, porque de ello depende la vida de ustedes y el que vivan muchos años en el país que el Señor juró dar a Abraham, Isaac y Jacob, antepasados de ustedes (Deuteronomio 30:15-20).

Dios señaló el camino hacia dos direcciones diferentes. Uno es un viaje por un camino que se aparta de él; el otro, un viaje en el que él es el camino. Sin ambigüedades, Dios definió uno como el camino a la muerte y el otro como el camino a la vida. Y si aún estamos confundidos, nos lo aclara todavía más diciendo: «El Señor es tu vida». No hay excusas, no hay ambigüedad. Las opciones son claras y el viaje está determinado por algo tan simple como una elección.

Cuatro palabras poderosas, que cambian nuestra vida, nos fueron dadas por Dios: *¡Ahora, elijan la vida!* Ahora mismo, en este momento, guarde para siempre el bagaje del pasado, libérese del miedo a lo desconocido del futuro. Ahora mismo, elija la vida... atrape su momento divino.

MOMENTO DE DEFINICIÓN

Elegir abre las posibilidades para los momentos divinos. Algunos momentos contienen elecciones mucho más importantes. Algunas elecciones en un momento determinado pueden cambiar nuestras vidas para siempre. Usted puede volver atrás y reconocer una decisión que le ha hecho sentir que su vida gira en espiral desde el momento en que la hizo. Se mantiene esperando y deseando que las consecuencias de esa decisión del pasado terminen pronto. Del mismo modo, puede reconocer que en un momento ha tomado una decisión de la que han resultado años de beneficios.

Al reflexionar sobre mi vida, me parece que hay un puñado de momentos que le dieron forma y textura a todo lo que siguió después. Estoy convencido de que la mayoría de nosotros podría resumir nuestras vidas a partir de cinco o seis momentos de definición... momentos que, de haber significado elecciones diferentes, habrían alterado radicalmente la trayectoria de nuestras vidas. Para mí, dos de estos momentos de definición fueron mi elección de convertirme en seguidor de Jesucristo y la decisión de pedirle a Kim que se casara conmigo.

Pasé el verano de 1983 viajando por el sur de California, dando charlas en diferentes iglesias. En uno de mis momentos de descanso fui hasta Laguna Beach, ya que necesitaba un respiro. Llegué hasta la cima de los acantilados desde donde se ve la reserva natural y una playa famosa por su belleza. Me detuve allí, de pie, en las alturas, sintiendo el sanador poder de las olas que melodiosamente rompían contra las rocas. Era un espectador en una danza de la naturaleza. El sonido eran los aplausos.

En ese momento, decidí comprometerme como nunca antes lo había hecho. Jamás había visto un buen matrimonio. De niño, había conocido el dolor del divorcio. Sabía lo que se sentía al tener como padre a un desconocido sin rostro. También sabía que las personas que una vez se habían amado, podían inflingirse mutuamente pena y dolor. Estaba lleno de incertidumbre acerca de mi capacidad para evitar el mismo resultado. ¿Estaría dispuesto a comprometerme con alguien por el resto de mi vida?

Pero ese momento me cambió. Recuerdo haber pensado que la vida estaría llena de momentos como este... espectaculares, impactantes, memorables. Lo que me esperaba, era una aventura llena de sorpresas y maravillas. Sabía en ese momento que no quería vivir este viaje solo, y que Kim era la compañera perfectamente adecuada para viajar conmigo hacia el futuro. La elección en ese momento lo cambió todo. Mi vida jamás volvería a ser igual. Hay para cada uno de nosotros momentos de definición que alteran radicalmente el curso y contenido de nuestras vidas.

UNA BUENA ELECCIÓN

El poder de un momento lo convierte en fuente de innumerables oportunidades e inconmensurable esperanza. No importa qué tipo de vida hayamos vivido, no importa cuántas decisiones equivocadas hayamos tomado, el momento que viene espera dar a luz a una vida nueva.

Quizás nadie pueda ilustrar esto mejor que la mujer llamada Rahab, en el libro de Josué. Ella vivía en Jericó en tiempos en que Josué era líder de Israel. Jericó pronto caería en manos del pueblo de Dios. Para prepararse para esta conquista, Josué envió dos espías a la ciudad, y ellos se alojaron en la casa de Rahab. La Biblia nos dice únicamente que antes de este momento Rahab era una prostituta. Es todo lo que nos informa acerca de su vida. Si alguna vez ha observado la vida de una prostituta, sabrá que la palabra *vida* es solo un eufemismo. Existencia, tormento, castigo, muerte en vida... todas estas palabras describen mejor las horas de vigilia en la vida de una mujer con una ocupación así. ¿Qué pesadillas la perseguirían en sus sueños que pudieran ensombrecer las pesadillas que vivía mientras estaba despierta? Y sin embargo, la vida de Rahab cambió en un momento.

Había oído acerca del Dios de Israel. Según sus propias palabras, estaba convencida de que «el Señor tu Dios es el Dios de los cielos y de la tierra» (Josué 2:11). Basándose en esta convicción, ofreció ayudar si le salvaban la vida a ella y a los de su familia. Los espías estuvieron de acuerdo, y le indicaron atar un cordón de color escarlata en su ventana. Si hacía esto, todos los que estuvieran en la habitación con ella serían salvados. La Biblia nos dice: «Josué les perdonó la vida a Rahab y a su familia, porque ella había escondido a los espías que Josué había enviado a Jericó. Y desde entonces los descendientes de Rahab viven entre los israelitas» (Josué 6:25).

La familia que Rahab salvó no incluía a su marido o sus hijos. Rara vez hay marido e hijos en la vida de una prostituta. Rahab no tenía marido ni hijos. Salvó las vidas de su padre, su madre, sus hermanos y hermanas y de todos los que pertenecían a la familia de ellos. En verdad, ella no tenía a nadie que le perteneciera. Las preguntas que se me ocurren son: ¿Dónde estaba su familia cuando ella vivía como prostituta? ¿Dónde estaban su padre y su madre cuando Rahab necesitaba guía y apoyo? ¿Por qué sus hermanos y hermanas no acudieron para ayudarle y salvarle de una vida de decadencia y destrucción? ¿Y cómo pudo el corazón de una prostituta, que seguramente se habría tornado duro y frío, sentir tal compasión por la familia que ya no estaba junto a ella? Seguramente el único futuro que estaba salvando era el de ellos. ¿Qué clase de futuro tenía ella para salvar?

En este momento encontramos no un futuro salvado, sino un futuro creado. Rahab encontró más que protección en medio del pueblo de Dios. Encontró una nueva familia. Se nos informa más adelante que Rahab contrajo matrimonio con un israelita. Rahab se casó con un hombre llamado Salmón, cuyo hijo fue Boaz, el marido de Ruth, cuyo hijo fue Obed, cuyo hijo fue Jesse, cuyo hijo fue David, rey de Israel. Y si seguimos el linaje hasta más adelante, encontraremos que la sangre de Rahab fluía por las venas de José, el marido de María, madre de Jesús. La prostituta Rahab, en un momento de definición y por medio de una decisión que cambió su vida, inició un viaje que le trajo todo lo que había perdido y aún más de lo que jamás pudiera haber imaginado. Como Rahab, siempre estamos a un paso, a una elección, de una vida diferente. Lo peor que puede pasar es que lo bueno esté tan solo detrás de nuestra próxima elección.

> **Lo peor que puede pasar es que lo bueno esté tan solo detrás de nuestra próxima elección.**

EL MOMENTO DE LA VERDAD

Los momentos van y vienen, y a menudo las oportunidades que contienen se van con ellos. El tiempo es tirano. Consume las elecciones que no hacemos. Las únicas elecciones que continúan vivas son las que tomamos, pero puede haber demoras temporarias. La buena noticia es que cuando elegimos el bien, cuando elegimos andar con Dios en su aventura, nada puede impedirle cumplir con el propósito de Dios para su vida.

¿Alguna vez ha sentido que estaba eligiendo bien, pero que todos a su alrededor estaban deteniendo a Dios? Así se habrá sentido Caleb cuando debió viajar en compañía de Israel. Moisés les pidió a los jefes de cada tribu que eligieran un hombre para que se adelantara y espiara la tierra prometida. Entre los doce hombres elegidos estaban Josué y Caleb. Debían regresar y dar su informe al pueblo israelita. Supongo que la intención de Moisés era que los doce delegados volvieran con un informe tan inspirador que moviera al pueblo de Dios a sentir ansias por seguir avanzando. Diez de los espías volvieron reconociendo que la tierra era excepcional, aunque sus informes se centraron en los aspectos más negativos.

En Números 13:27-28, estos diez al unísono informaron a Moisés: «Fuimos a la tierra a la que nos enviaste. Realmente es una tierra donde la leche y la miel corren como el agua, y estos son los frutos que produce. Pero la gente que vive allí es fuerte, y las ciudades son muy grandes y fortificadas. Además de eso, vimos allá descendientes del gigante Anac».

En contraste, Caleb, haciendo callar a la gente ante Moisés, dijo: «¡Vayamos a conquistar esa tierra! ¡Nosotros podemos conquistarla!» (Números 13:30).

Los otros diez, sin embargo, rechazaron esta conclusión: «No podemos atacar a esa gente. Ellos son más fuertes que nosotros» (Números 13:31).

Luego el pasaje nos relata que difundieron entre la gente un falso informe acerca de la tierra que habían explorado. La conclusión de ellos fue: «La tierra que fuimos a explorar mata a la gente que vive en ella, y todos los hombres que vimos allá eran enormes. Vimos también a los gigantes, a los descendientes de Anac. Al lado de ellos nos sentíamos como langostas y así nos miraban ellos también» (Números 13:32-33).

El pueblo eligió rechazar la afirmación de Caleb acerca de la orden y la promesa de Dios. Hasta llegaron a instigar la rebelión en contra de Moisés y comenzaron a buscar otro líder que les llevara de regreso a Egipto.

Esa elección afectó los siguientes cuarenta y cinco años de su vida. En realidad, el resultado final fue que todos los que no quisieran proseguir serían dejados atrás. Pasaría una generación entera, y serían enterrados en el desierto que se habían negado a abandonar.

Solo Josué y Caleb vivirían para ver cumplida la promesa, lo que nos lleva a Caleb, cuarenta y cinco años más tarde. Tenía ochenta y cinco años. Su amigo y compañero de viaje, Josué, estaba dividiendo la tierra. En medio de la distribución de Josué, Caleb habló y le recordó a Josué los acontecimientos que habían tenido lugar ese día. Miró hacia Cadés-barnea, el lugar en el que Israel había tenido que tomar su decisión. Había sido su momento de la verdad, y habían fracasado. Pero no así Caleb. Él le recordó a Josué:

«Yo tenía cuarenta años cuando Moisés me envió desde Cadés-barnea a explorar la región, y cuando volví le hablé con toda sinceridad. Los que fueron conmigo hicieron que la gente se asustara, pero yo me mantuve fiel a mi Dios y Señor. Entonces Moisés me juró: "La tierra en que has puesto el pie será siempre tuya y de tus descendientes, porque te mantuviste fiel a mi Dios y Señor"».

Caleb luego explicó: «Ya han pasado cuarenta y cinco años desde que el Señor le dijo esto a Moisés, que fue cuando los israelitas andaban todavía por el desierto, y conforme a su promesa me ha conservado con vida. ¡Ahora ya tengo ochenta y cinco años!» (Josué 14:7-10).

En otras palabras, Caleb le recordó a Josué: «Estaba listo hace cuarenta y cinco años para conquistar esta tierra, pero a causa de que el pueblo de Dios se negó a avanzar, esto me costó muchos años de mi vida. He estado vagando por este desierto porque no eligieron unirse a la aventura. He estado esperando durante mucho tiempo, pero mi momento ha llegado».

Caleb luego declaró: «Pero todavía estoy tan fuerte como cuando Moisés me mandó a explorar la tierra, y puedo moverme y pelear igual que entonces. Por eso te pido que me des ahora la región montañosa que el Señor me prometió. Tú sabes desde entonces que los descendientes del gigante Anac viven allí y que tienen ciudades grandes y bien fortificadas. Pero yo espero que el Señor

me acompañe y me ayude a echarlos de allí, como él lo ha dicho»
(Josué 14:11-12).

    ¿Qué es lo que Caleb estaba diciendo? «He esperado durante
cuarenta y cinco años por este momento, esperando no solo poder
vivir en esta tierra, sino dar batalla». Es como si Caleb le advirtiera
a Josué: «Ni sueñes que vas a darme un pedazo de tierra tranquila y
ya conquistada. Puedo tener ochenta y cinco años, pero no estoy
listo aún para retirarme. Quiero la tierra de los gigantes. Quiero el
desafío mayor. Quiero ir donde los tímidos no se atreven a pisar.
Me niego a perder esta aventura».

    El pasaje concluye: «Entonces Josué bendijo a Caleb y le dio
Hebrón para que fuera de él y de sus descendientes. Así fue como
Hebrón llegó a ser de Caleb y de sus descendientes hasta el día de
hoy, porque Caleb se mantuvo fiel al Señor, Dios de Israel» (Josué
14:13-14).

    En su momento de la verdad ¿qué elegirá usted? ¿Elegirá el
desierto o la aventura? ¿Ha confundido usted la bendición de
Dios con la riqueza, el confort y la seguridad? ¿Ha tomado en
cuenta que la más grande bendición de Dios llega cuando nos llama a ser pioneros, exploradores e incluso conquistadores? ¿Se atre-
verá usted a vivir una vida de aventura? Cuando lo haga, vivirá en el
epicentro de la actividad de Dios.

Εpicentro

No se pare en el centro si no quiere ser sacudido.
Siempre hay peligro cuando llega el movimiento.
Su fuerza es más poderosa debajo de la superficie,
    luego pasa a través del suelo más duro.
El cambio épico se mueve desde adentro hacia afuera.

—Ayden, *The Perils of Ayden.*

Ayden esperó mientras Maven permanecía pacientemente sentado junto al fuego. Su silencio hacía que el tiempo pasara más despacio.

¿Qué estaba esperando oír? Solo el viento se atrevía a hablar. ¿Vendría su comisión en el aliento de la montaña? ¿Sería el norte o el este el que llamara su nombre?

¿Cómo sabría cuándo partir y comenzar su peregrinaje? ¿Cómo sabría hacia dónde ir?

Cuando ya no podía soportarlo más, interrumpió a su mentor y pronunció con impulsividad:

—¿Cuándo comenzaré?

—Ahora —replicó Maven.

—¿Hacia dónde iré entonces?

Ayden no podía esconder su frustración al preguntar esto. Maven indicó:

—A cualquier parte donde no haya camino trazado.

Repentinamente, Ayden se percató de que había sido Maven quien había estado esperando por él durante toda la noche.

—Inscripción 392/ The Perils of Ayden

2

Iniciativa

solo haga algo

Era una combinación de unas vacaciones para la familia y un compromiso para dar discursos. Sería en las hermosas playas del norte de la península de la Florida. Mi esposa Kim y nuestros hijos, Aaron y Mariah, esperaban con ansias disfrutar de las cálidas aguas del Golfo de México. Mi misión consistía en llamar a varios miles de solteros a una vida de sacrificio, en tanto nosotros disfrutábamos de la tranquilidad. Una tormenta tropical había azotado el área recientemente, y las aguas no estaban en verdad como para nadar en ellas. Sin embargo, mi hijo Aaron insistió en bajar a la playa. Así es que caminamos unos pasos desde el hotel hasta la playa. A mi derecha había unos cien solteros y solteras disfrutando del sol de la Florida.

Y luego lo vi. De algún modo se las había arreglado para llegar hasta el agua, y ahora intentaba regresar a la playa. No lo había visto antes, y no parecía ser parte del grupo. En realidad, parecía que nadie siquiera se daba cuenta de su existencia. Aparecía solo en medio de la multitud. Le faltaban las dos piernas, y con esfuerzo y la ayuda de muletas especiales, se había abierto camino en la arena de la playa. Mientras lo observaba, una de las muletas resbaló, y el hombre cayó pesadamente en la arena. Sin inmutarse, simplemente se levantó y volvió a comenzar, para caer nuevamente. Todo sucedió en lo que me pareció solo un instante, pero fue suficiente para verle e intentar desviar mi mirada hacia otro lado.

Quisiera poder decir que no pensaba nada en ese momento, pero no es así. Sabía que si me volteaba a la derecha, donde estaba el hombre, tendría que hacer algo. Por lo tanto, decidí voltearme a la izquierda. Posé mi brazo con suavidad en el hombro de mi hijo, le hice voltear y comencé a hablarle para distraer su atención. Caminamos un poco, y sentí con convicción que no teníamos responsabilidad alguna con respecto al hombre... hasta que mi hijo hizo que me detuviera. Para sorpresa mía, dijo: «Debo ir a ayudar a ese hombre».

No necesitó explicar nada. Yo sabía exactamente lo que quería decir. Sus palabras atravesaron mi corazón, y permanecí allí, paralizado en mi hipocresía. Solo pude mirarle y decir: «Bien, ve a ayudarle».

Por mi mente pasaron muchos pensamientos. Uno de ellos fue: *me atrapó*. Sin embargo, en ese punto ya no me sentía tan poco dispuesto a acudir; pero ahora era el momento de Aaron. Yo había dejado pasar el mío. Su compasión le había movido al heroísmo. Mientras Aaron atrapaba su momento divino, yo estaba atascado en un momento del que no podía salirme.

Observé a mi hijo de diez años correr por la playa, sin decir palabra, y comenzar a levantar al hombre. Me preguntó qué pensaría el hombre cuando el niño lo tomó a él y a su muleta, intentando levantarlo. Observé que la multitud se volteaba y miraba cómo Aaron se esforzaba inútilmente para ayudar al hombre a subir a la plataforma del hotel. Casi inmediatamente, vi como la multitud se acercaba a ellos. Alguien tomó las muletas, mientras otros levantaban al hombre. El grupo se movía como una unidad, comprometidos con la tarea de ayudar a este hombre a terminar su viaje.

Luego de que el grupo le ayudara a regresar a la plataforma del hotel, Aaron se me acercó corriendo, y vi que había lágrimas en sus ojos. Me miró, con su inocente conclusión: «No pude ayudarle. No soy lo suficientemente fuerte». No se daba cuenta de que nadie habría ayudado al hombre si él no hubiera tomado la iniciativa. Ya no sentí vergüenza, porque el orgullo que sentía por mi hijo me sobrecogía. Le expliqué a Aaron que su fuerza era la que había ayudado a este hombre. Había sido a causa de él que los demás habían acudido en su ayuda.

MEJORE EL NO HACER NADA

¿Alguna vez ha vivido un momento como este, un momento lleno de oportunidad que deja pasar? ¿Alguna vez ha sabido que debía ir hacia la derecha, pero decidió ir hacia la izquierda? ¿Alguna vez ha tenido la posibilidad de hacer el bien, pero eligió no hacer nada? No eligió hacer el mal; simplemente eligió no involucrarse, ser neutral, no participar, no hacer nada. Durante años, el enfoque dominante sobre la vida cristiana ha sido el de eliminar el pecado de nuestras vidas. Yo encuentro que la elección entre el bien y el mal es bastante clara en la mente y el corazón de la mayoría de los creyentes. No es allí donde nos paralizamos. Cuando estoy dispuesto a dejar de lado mi pecado y vivir una vida que honre a Dios, ¿qué es lo que hago? ¿Cómo distingo entre todas las buenas elecciones que existen en el mundo?

Podría pensar que el tener opciones ilimitadas sería la plataforma a la libertad, pero este a menudo no es el caso. Hemos puesto tal énfasis en evitar el mal que nos hemos vuelto virtualmente ciegos a las innumerables oportunidades para hacer el bien. Hemos definido la santidad a través de aquello que intentamos mantener lejos de nosotros, en lugar de hacerlo por medio de aquello a lo que nos entregamos. Estoy convencido de que la gran tragedia no está en los pecados que cometemos, sino en la vida que no vivimos.

> **Hemos puesto tal énfasis en evitar el mal que nos hemos vuelto virtualmente ciegos a las innumerables oportunidades para hacer el bien.**

No se puede seguir a Dios siendo neutral. Dios nos ha creado para hacer. No es suficiente detener al mal y luego quedarse paralizado cuando se trata de hacer lo correcto. Dios le ha creado a para hacer el bien. Y hacer esto, requiere iniciativa. Hay un sutil peligro en la apatía escondida detrás de la piedad. ¿Se está liberando del pecado en su vida? ¡Qué bueno! Ahora, es tiempo de hacer algo.

> **¿Se está liberando del pecado en su vida? ¡Qué bueno! Ahora, es tiempo de hacer algo.**

Santiago, el medio hermano de Jesús, llegó a la conclusión de que si uno sabe lo que debe hacer, y no lo hace, está pecando. Nos dio la perspectiva de Dios acerca de la inacción, lo que quizás podríamos llamar vivir una vida pasiva. ¿Alguna vez se ha detenido usted a reflexionar sobre cuán diferente sería su vida si eligiera ir hacia la derecha, en lugar de ir hacia la izquierda? Si eligiera involucrarse, ensuciarse las manos, arriesgándose a fracasar en el intento de hacer algo que tuviera significado? ¿Puede mirar hacia atrás y recordar momentos que habrían cambiado su vida para siempre si hubiera elegido de manera diferente? Algunos momentos tienen un potencial que dura toda una vida; otros momentos parecen mundanos, y luego demuestran ser monumentales. Cada momento es invaluable, único e irrepetible. Y dentro de los incontables momentos que conforman nuestras vidas, hay oportunidades divinas esperando.

Esto puede parecer demasiado simple, pero la vida abundante que Jesús promete llega a través de las elecciones que hacemos en los momentos comunes de la vida. Incluso quienes cambian el mundo, los que marcan la diferencia en la historia y viven la vida en lugar de simplemente verla pasar, tienen al menos una característica en común: hacen algo. No se quedan mirando; no se quedan pensando; actúan. Cuando reaccionamos, la vida invade nuestro espacio, interrumpe nuestra comodidad, interrumpe nuestra apatía y nos obliga a responder. Pero reaccionar no es lo mismo que actuar. Reaccionamos cuando *se nos obliga* a salir de la neutralidad. Actuamos cuando nos *negamos* a quedarnos allí. Si hay un secreto para atrapar su momento divino es que debemos tomar la iniciativa.

UN MOMENTO EN EL TIEMPO

En 1 Samuel 14, un profeta llamado Samuel registró un corto período en la historia de Israel. Nos cuenta acerca del hijo de un rey, llamado Jonatán. Este es un personaje poco común en la historia de Israel, porque su padre fue el primer rey de esa nación. Y aunque uno esperaría que Jonatán heredara el trono de su padre, ese privilegio le fue quitado y dado al hijo de un pastor llamado David. Sería fácil suponer que Jonatán tuviera alguna culpa en esto. Su lugar en la historia podría haber sido solo el de un hijo que se convertiría en rey. Sin embargo, encontramos que Jonatán estaba lejos de ser un perdedor rechazado por Dios. Los anales de su vida describen a un noble con el coraje y el carácter que inspira a otros hacia la grandeza. Jonatán jamás se resintió porque Dios eligiera a David como rey. Se convirtió en el aliado más grande de David, aun cuando su padre, el rey Saúl, se convirtiera en adversario de este.

Samuel nos ofrece un vistazo de este singular individuo que no permitió que sus circunstancias limitaran el impacto de su vida. Los israelitas estaban en guerra con los filisteos. Recordará usted quizás a Goliat, el gran guerrero filisteo. Los filisteos eran guerreros gigantes que vivían en la tierra que Dios había prometido a Israel. También eran un pueblo descrito por Dios como malvado e idólatra. Dios deseaba establecer a Israel como una nación que reflejara su carácter. Por medio de ellos, atraería a todas las naciones hacia sí. Los filisteos estaban convencidos de que sus dioses eran más poderosos que el Dios de Israel, por lo que se desató la guerra.

El padre de Jonatán, como rey, era el líder del ejército de Israel. A causa de una cantidad de circunstancias que veremos más tarde, parecía imprudente atacar a los filisteos en ese momento. En medio de la noche, Jonatán despertó a su armero y le dijo: «Vamos, lleguemos hasta el puesto de los filisteos». Comenzó a demostrar lo que describiremos como el Factor Jonatán.

Samuel detalló cómo Jonatán no dijo nada a su padre, sino que salió a escondidas mientras los seiscientos soldados dormían. Las circunstancias que llevaron a Jonatán a tomar esta decisión revelan un dilema que todos hemos enfrentado. Como rey guerrero, Saúl tenía la responsabilidad de liderar el ataque. El Señor le había ordenado dar batalla, y le había prometido victoria segura; pero Saúl volteó hacia la izquierda, cuando debiera haber volteado hacia la derecha. En medio de la guerra, los filisteos, con sus poderosos ejércitos y sus amenazantes armas, inspiraron terror en el corazón de los israelitas. Saúl recibió instrucciones que le indicaban esperar siete días, hasta que Samuel llegara, para llevar su ofrenda ante el Señor. Pero en lugar de hacer lo que sabía que era correcto, actuó guiado por el temor y la arrogancia. En lugar de esperar hasta que Samuel llegara y cumpliera con sus deberes sacerdotales, Saúl menospreció el proceso establecido por Dios, haciéndose cargo de este.

Este es un poderoso recordatorio de que aunque Dios nos deja en libertad para tomar decisiones, cuando él ha dado su palabra, sus indicaciones, lo correcto es obedecer. Hasta los ríos más espectaculares tienen orillas que les dan dirección y los encauzan. Del mismo modo, cuando hay libertad, debemos tomar la iniciativa, pero cuando hay límites, debemos honrarlos. El libro de Hebreos nos recuerda que una de las evidencias primarias de la madurez espiritual es la capacidad para distinguir entre el bien y el mal, o para conocer la diferencia entre lo correcto y lo incorrecto. Agradezco a Dios que no haya hecho que estos límites fueran misteriosos o difíciles de conocer. Pero hay un desafío aún mayor detrás de esto. Es la capacidad de atrapar cada momento divino. Lo que nos lleva a lo que podríamos llamar el dilema de la granada.

> Del mismo modo, cuando hay libertad, debemos tomar la iniciativa, pero cuando hay límites, debemos honrarlos.

ΣL ÐILΣMA ÐΣ LA GRANAÐA

Samuel describió el dilema que Jonatán enfrentaba. Relató que Saúl estaba en las afueras de Guibea, bajo un árbol de granada en Midrón, y que con él había otros seiscientos soldados, además de Ahijah, el sacerdote del Señor. En otras palabras, toda la autoridad, política, militar y religiosa, que se necesitaba para la acción estaba bajo el mando de Saúl. Anteriormente, Saúl había sido demasiado impetuoso para esperar a Samuel y que este invocara la bendición de Dios antes de ir a la batalla. Ahora, estaba paralizado, con miedo de entrar en esa misma batalla. Hay una realidad trágica en el hecho de que muchas veces las cosas con las que Dios nos bendice se convierten en obstáculos para que atrapemos nuestros momentos divinos.

A Saúl se le había confiado toda la autoridad, todos los recursos de Israel, pero él utilizó mal este privilegio otorgado por Dios. Así es que mientras los filisteos se preparaban para aplastar a los israelitas y reclamar la tierra para sí, Saúl y su ejército dormían bajo el árbol. La urgencia que una vez le había impulsado a actuar con ímpetu había desaparecido. Pero era algo más que falta de urgencia lo que le movía a la inacción; sucede que Saúl no confiaba en el liderazgo de Dios. Su respuesta ante hacer lo incorrecto no fue la de hacer lo correcto, sino por el contrario, fue la de no hacer absolutamente nada.

Después de haber trabajado durante veinte años con organizaciones grandes e importantes, puedo decir que he visto este dilema de la granada una y otra vez. Quienes tienen la autoridad y los recursos del reino en sus manos a menudo se sienten motivados a asegurarse de que no los perderán, en lugar de asegurarse de que sean utilizados correctamente. No sería injusto describir una organización que hace esto como un Enron espiritual. Toda organización que consume más de lo que crea terminará en el colapso.

Me hallaba caminando por el centro de Atlanta con dos de los miembros de nuestro equipo de *Mosaic*. La mayor parte de la ciudad estaba vacía pues la gente permanecía en las casas a causa del frío, pero en una de las calles, había una larga fila de jóvenes de unos veinte años. Sentimos curiosidad por ver adónde iban. Observamos que se dirigían a un edificio antiguo pero de gran belleza. Obviamente, estaba lleno de gente, con más personas aún esperando fuera para entrar. Era un club de música Blue. La vibrante música parecía ser un imán para los jóvenes profesionales urbanos.

Entonces vi un viejo cartel que nos permitió dar un vistazo al pasado. Esta había sido una antigua Iglesia Bautista del Sur. Más que eso, había sido el lugar en el que se reunía la congregación que me había invitado a pensar en convertirme en pastor hacía más de diez años. Cuando observé su plan estratégico para el futuro, me di cuenta que era un intento por aferrarse al pasado. Aun con un domicilio privilegiado, a solo unos pasos de Omni, no podían forjar un nuevo futuro. Sin dudas, la congregación tenía un pasado grandioso y memorable. Habría habido seguramente un día en que se hallaba llena de gente, en que había dado con generosidad. Jamás habrían pensado que llegaría el día en que su vida como congregación tocaría su fin. Como miles de otras congregaciones en el mundo occidental, se aferraban de tal forma a lo que habían tenido que no podían abrir las manos para recibir lo que vendría.

El peligro más grande que trae aparejado el éxito, además de la arrogancia, es el temor a perder lo que se ha ganado. El coraje y la voluntad de arriesgar, que producen el éxito, se ven en peligro una vez que este se ha obtenido. Finalmente, estas mismas instituciones son las que tienen una relación de adversarios con la urgencia y el riesgo. La urgencia se caracteriza como impetuosidad, en tanto el manejo del riesgo se define no como correr un riesgo correcto, sino como el evitar todo riesgo posible.

> **El peligro más grande que trae aparejado el éxito, además de la arrogancia, es el temor a perder lo que se ha ganado.**

Esto también puede ser verdad con relación a cómo vivimos nuestra vida como personas. Mientras más nos movemos con la urgencia dada por Dios, tanto más parece Dios bendecir nuestra vida. Mientras más bendice Dios nuestra vida, tanto más tenemos para perder. Mientras más tenemos para perder, tanto más tenemos para arriesgar. Mientras más tenemos para arriesgar, tanto más alto es el precio de seguir a Dios. De alguna manera casi torcida, las bendiciones que Dios nos da se vuelven los más grandes obstáculos para que atrapemos nuestros momentos divinos.

Cuando Kim y yo éramos muy jóvenes, no teníamos niños, ni casa, ni nada que nos atara, era fácil responder a los llamados del Espíritu de Dios, hasta a los que llegaban sin aviso, invitándonos a un

nuevo desafío. Después de todo, no éramos mucho más que nóma-
das con educación. Todo lo que atesorábamos estaba esencialmente
contenido en nuestra relación. Había muy poco que tomar en cuenta además de nuestra relación. Luego, Dios me bendijo con un empleo con el que ganaba más de $10.000 al año, y después nos
bendijo con un hijo. Más tarde, nos bendijo con una casa nueva
¿Mencioné nuestro automóvil nuevo y los hermosos muebles? Luego de diez años de ministerio de sacrificio, parecía que las puertas
del cielo se abrían para nosotros en materia de posesiones terrenales.

Posteriormente su voz llegó nuevamente, invitándonos a un
nuevo viaje, llamándonos a una nueva aventura. Sonaba maravilloso, pero había algunos inconvenientes en la invitación. Debía dejar
mi empleo, vender la casa, dejar mi fondo de retiro, todos nuestros
ahorros se esfumarían, y la mayoría de las cosas realmente lindas que
teníamos tendrían que irse. Se nos permitía conservar a los niños, ya
que Mariah estaba en el vientre de Kim. No es poco decir que las
bendiciones de Dios eran como un ancla atada a nuestros tobillos.
Las habíamos recibido mientras caminábamos con Dios, y sin
embargo, ahora tenían el poder potencial de paralizarnos y robar-
nos el divino momento que estaba ante nosotros.

Como sucedió con Kim y conmigo, con cada beneficio, debemos abrazar tanto la responsabilidad como el riesgo. Uno de los
efectos colaterales más maravillosos de seguir a Jesucristo es que uno
aprende a vivir mejor. La practicidad de la vida en la fe es que uno
comienza a hacer elecciones más sabias. Cuando un grupo entero de
personas comienza a vivir de manera diferente a causa de su relación
con Jesucristo, la comunidad entera cambia. Los sociólogos lo llaman redención y elevación. Para algunos, esto ha significado literalmente un viaje de la calle a los suburbios. ¿Quién de nosotros no
celebraría el poder del evangelio de aliviar la pobreza y dar a los
menos privilegiados un nuevo comienzo?

Muchos de nosotros, sin embargo, estamos frente a una nueva pobreza. No vivimos en las calles, pero hemos caído en una rutina. Estamos en peligro de ganar el mundo entero y perder nuestras
almas. Lo que hemos recibido de Dios tiene prioridad sobre el Dios
que nos ha recibido. Sus regalos son para que los disfrutemos, no

para que los adoremos. Si lo que él nos ha dado está ahora en medio de él y nosotros, debemos nuevamente ponerlo a sus pies. No importa cuán ricos seamos, siempre debemos permanecer pobres. Debemos asegurarnos de que mientras celebramos la bondad de Dios, no seamos negligentes con el propósito de Dios. Cuando nos sentamos bajo el árbol de granadas, protegiendo la vida que tenemos, nos arriesgamos a abandonar lo que Dios verdaderamente quiere para nosotros... que atrapemos nuestro destino divino.

> Debemos asegurarnos de que mientras celebramos la bondad de Dios, no seamos negligentes con el propósito de Dios

No parece ser mucho, quizás, pero hay dos palabras que separan a Jonatán de Saúl, dos palabras que separan a Jonatán de la mayoría de nosotros: «Vamos, vayamos». Jonatán simplemente actuó, obedeciendo aquello que él sabía que debía hacerse.

EL CONOCIMIENTO NO ES PODER HASTA QUE ACTUAMOS

Hace unos años iba de viaje con un amigo mío que nació el mismo día que yo. Es una de las personas más talentosas que haya conocido. Brillante y organizado, es uno de esos individuos que parece haber recibido una porción injusta de dones y talentos. Y sin embargo, se sentía paralizado acerca de qué hacer con su vida una vez que terminara sus estudios en el seminario. Había muchas opciones y oportunidades ante él, desde pastorados superiores hasta puestos ministeriales, sin mencionar los innumerables pedidos para que hablara en eventos y conferencias. No era un creyente superficial; estaba profundamente comprometido con Jesucristo. En realidad, era un seguidor apasionado e intenso de Cristo. No tenía que elegir entre el bien y el mal. Su dilema, era que había tantas opciones buenas, que se le hacía difícil decidir cuál tomar.

Su mayor preocupación consistía en hacer algo que fuera en contra de la voluntad de Dios para su vida. Esperaba con toda seriedad que Dios le hablara de manera clara e irrefutable, pero esto parecía no suceder. Cuanto más silencio había, más incertidumbre sentía mi amigo. Por alguna razón creía que no tenía permiso para elegir, por lo que eligió no elegir. Y así, al no elegir, estaba esencialmente eligiendo no hacer nada.

Le di el mismo consejo que le he dado a muchos otros que parecían destinados a levantar su carpa en el cruce de caminos. Le dije: «Solo haz algo».

Se sintió sorprendido ante lo que le pareció falta de consideración por la voluntad de Dios. Respondió que tenía demasiado respeto por la soberanía de Dios como para solo hacer algo.

Dijo: «Por supuesto que no».

Le señalé que si los hombres y mujeres que daban su vida por un propósito contrario a la voluntad del Señor no podían impedir que se cumpliera el propósito de Dios en la historia, ¿cómo podría entonces hacerlo alguien que anhelaba cumplir la voluntad de Dios y elegía hacer algo de acuerdo con su carácter?

Una de mis historias favoritas en el libro de los Hechos es la del apóstol Pablo. Uno pensaría que si hay alguien que conocía la voluntad de Dios, ese tendría que ser el apóstol Pablo. Después de todo, fue el instrumento de Dios para que se escribiera gran parte del Nuevo Testamento. El lugar único de Pablo en la fe cristiana le convierte en algo como un súper-héroe, o al menos, un súper-humano. Y sin embargo, encontramos que Pablo sentía la misma incertidumbre acerca de qué camino tomar, como la sentimos la mayoría de nosotros en nuestro viaje por la vida.

En Hechos 16:6-10, Lucas describe sus viajes con Pablo. Nos relata cómo bajo el liderazgo de Pablo, el Espíritu Santo debió impedirles que predicaran la Palabra en la provincia de Asia, y luego, cómo el Espíritu de Jesús no les permitió ir a Bitinia, a pesar de que hicieron su mejor esfuerzo por lograrlo. Fue solo cuando Pablo, dormido, recibió una visión, que finalmente descubrió que debía ir a Macedonia.

De muchas maneras, el diario de viaje de Lucas es una comedia divina. Nos dice que Pablo no tenía idea acerca de adónde debía ir. Al principio pensó que Asia era la dirección indicada, y luego cambió su rumbo hacia Bitinia. Y solo cuando estaba inconsciente, finalmente comprendió que debía ir a Macedonia. Le tomó a la Trinidad entera el evitar que Pablo fuera al lugar equivocado. Y además, mientras Pablo estaba consciente, simplemente no lo percibía.

Hay cierta ironía en el hecho de que Pablo debía estar inconsciente para que Dios le hablara. Pero el punto es este: Pablo no sabía hacia *dónde* iba, pero sí sabía *por qué* lo hacía. Su brújula era el corazón de Dios. Le impulsaban la pasión y la urgencia que Dios había puesto en su corazón: llevar el mensaje de Jesucristo a todas las naciones de la tierra. Lo que Dios pone en claro es que cuando estamos comprometidos a atrapar sus momentos divinos, él se asegurará de alcanzarnos en el momento y el lugar adecuados. Lo que Dios puede hacer a través de una persona dispuesta a actuar, no tiene límites.

Una de las preguntas más frecuentes entre los seguidores sinceros de Jesucristo es: «¿Cuál es la voluntad de Dios para mi vida?». Queremos un mapa detallado, un plan. Queremos que Dios lo exprese claramente, que lo deletree, para poder seguir las instrucciones. Casi siempre deseamos que sea claro y sin complicaciones, pero Dios simplemente no actúa de ese modo. Para muchos de nosotros lo más espiritual que podemos hacer es hacer algo; voltear a la derecha cuando lo que queremos es voltear hacia la izquierda. Debemos movernos más allá de simplemente elegir lo correcto o lo incorrecto. Debemos tomar la resolución de no solo apartarnos del camino del mal, sino también de vivir apasionadamente una vida de hacer el bien.

El peligro está en quedar atrapado entre ambas opciones, viviendo nuestra vida en la zona neutral. No hay mal real, pero tampoco hay bien que nos haga sentir orgullosos. Esto nos lleva más allá de no tener nada de qué avergonzarnos hasta sentir

> **Para muchos de nosotros lo más espiritual que podemos hacer es hacer algo; voltear a la derecha cuando lo que queremos es voltear hacia la izquierda**

vergüenza de no hacer nada. Rara vez se cuenta como mal el hecho de estar en la zona neutral. En el peor de los casos una vida pasiva merece lástima, pero Dios considera una tragedia el que simplemente elijamos observar la vida en lugar de vivirla. Jesús describió como malvada a la persona que no utiliza su talento. Cuando fallamos al elegir, estamos eligiendo fallar. No podemos poner nuestra vida en neutral. Esta avanza aun sin que demos nuestra aprobación. Si decidimos no elegir, el problema no desaparece; simplemente se exacerba.

Dios nos diseñó para movernos a través del tiempo con intención. Hasta esperar por Dios es una actividad dinámica. Ya sea de reflexión o revolución, cada momento merece nuestro compromiso creativo. El apóstol Pablo nos dice que cuando está en nuestro poder hacer el bien, debemos hacerlo. Esta puede ser el contexto que subyace en la iniciativa. Otros lo llamarán pro-actividad. Hace años, cuando fui al instituto de liderazgo de la Organización *Gallup*, describieron esta característica como el «impulso ejecutivo». No importa cómo lo llamemos; solo importa que lo hagamos.

«¿Hacer qué?», preguntará usted.

Algo.

Λ UN COSTADO

Debo confesar algo. Durante la mayor parte de mi vida estuve a un costado. Observaba la vida en lugar de vivirla. Usted sabe a lo que me refiero si también está a un costado. Por ejemplo, en los bailes de la escuela secundaria, estaba siempre a un lado. Miraba cómo bailaban los demás, deseando ser parte de su grupo. Ensayaba la invitación una y otra vez: «¿Quieres bailar?» Pero jamás reunía el coraje necesario para intentarlo. Con cada tema o canción intentaba animarme, y sabía que lo lograría justamente cuando la canción estaba llegando a su fin. Si lo que sucede dentro de nuestra cabeza vale, entonces habré bailado cientos de veces con cien muchachas diferentes. Pero en resumidas cuentas, estaba siempre a un costado.

Lo mismo sucedía en los deportes. Tuve uno o dos buenos momentos, pero la mayoría del tiempo estaba a un lado observando cómo los demás jugaban, permanecía sentado lo suficientemente cerca como para sentir cómo chocaban entre sí los jugadores, pero me mantenía a una distancia segura. No, no estaba en la tribuna, sino en el banco. Recuerdo que luego de mi último año en la secundaria, uno de los entrenadores de fútbol se me acercó durante una práctica y me dijo: «Erwin, tienes el talento, pero te falta confianza. Siempre estamos esperando que te animes a jugar». Tenía razón. Estaba a un costado.

A veces, uno puede estar en el campo de juego y verse como un jugador, pero aun así seguir a un costado. En la liga de baloncesto, me posicionaba en una forma en que seguramente no me pasarían ninguna jugada crítica, para que el juego no dependiera de mí. Era más fácil dejar que alguien más lo hiciera. Llevaba mi uniforme y participaba del juego, pero seguía estando a un costado.

Sospecho que hay muchas más personas a un costado de lo que podemos imaginar. Personas que parecen estar en el juego, pero que en realidad solo están observando de cerca. Y esto de seguro sucede en la iglesia. Hasta la arquitectura lo demuestra. Los bancos están dispuestos para la observación. Un par de personas hacen todo el trabajo, mientras todos los demás observan. Se me ocurre que los bancos de la iglesia se parecen mucho a los del campo de fútbol, aquellos en los que me sentaba yo durante el juego. Creo que hasta podríamos comparar la disposición de todos en la iglesia con la de los jugadores y espectadores en el campo. En todo caso, nuestras iglesias parecen estar diseñadas con la resignación de que la mayoría estamos a un costado, y solo unos pocos participan en realidad.

Desafortunadamente, esto se hace aún más evidente cuando salimos del edificio. ¿Cuántos de nosotros consideramos la obra de Cristo como responsabilidad personal? ¿No es acaso el ministro quien recibe un sueldo por cuidar de los demás? ¿No es para eso que diezmo? ¿No es el misionero alguien que deja nuestra iglesia y cruza el mar para ir a algún otro lugar? Entonces, ¿dónde queda el resto de la congregación? ¿Cuán diferente sería nuestra vida si comprendiéramos que Dios llama a todos los que deben participar del juego?

Seguir a Jesús es moverse con Dios. Cuando se es parte del movimiento de Dios, también se es misionero. Todo misionero tiene una misión. La misión nos da intención y propósito. No hay tiempo que perder. Se requiere cada uno de los momentos divinos. ¿Es posible entonces que Dios esté esperando esto de todos nosotros?

Quizás usted tema entrar en el juego por temor a perder. En el reino de Dios, la victoria llega en el instante en que nos negamos a simplemente observar la vida y entramos a jugar. Para muchos de nosotros el temor al fracaso es lo que causa la inacción. A veces, vivimos a través de las vidas de otras personas. En lugar de ser viajeros en la vida, somos observadores de quienes viajan. Creo que esta es una de las razones por las que tratamos de entretenernos hasta la muerte. Encontramos un romance en la película *You've Got Mail* [Tienes un E-mail], y peleamos nuestras batallas a través de William Wallace y Máximo Aurelio. Y podría muy bien haber una pantalla de televisión entre la vida real y nosotros, porque lo más cerca que llegamos a cumplir nuestros sueños es observándolos. Hemos aceptado nuestro lugar en la vida, a un costado.

El atrapar nuestro momento divino no es simplemente cuestión de oportunidad; en su centro está la esencia. Se trata del tipo de vida que vivimos como resultado de ser la persona que hemos llegado a ser.

DE PASIVO A APASIONADO

Cuando alguien cercano a nosotros atrapa su momento divino, algo nos conmueve. Una vida de pasividad solo hace que nuestro anhelo por la aventura se duerma. Una vida en la que un sinfín de momentos quedan enterrados en el cementerio de las oportunidades perdidas se vuelve fría, pero no muere. Hasta que nuestros cuerpos vuelvan al polvo, siempre habrá una voz dentro de nosotros clamando porque

vayamos a la mera existencia, a la vida. Las posibilidades que esperan por nosotros en cada momento están alimentadas por el potencial que Dios pone dentro de nosotros. El atrapar nuestro momento
divino no es simplemente cuestión de oportunidad; en su centro
está la esencia. Se trata del tipo de vida que vivimos como resultado de ser la persona que hemos llegado a ser. Los desafíos que estamos dispuestos a enfrentar crecerán en proporción directa con el
carácter que estemos dispuestos a desarrollar. Con la profundidad de
un carácter piadoso llega la intensidad de la pasión por Dios. Es en
este proceso de transformación donde encontramos el combustible
para comprometernos confiadamente con las oportunidades que
aparecen ante nuestros ojos.

Por alguna extraña razón muchos
creyentes piensan que sus pasiones
siempre están en conflicto con el propósito de Dios. Pero el salmista dijo.
«Deléitate en el Señor, y él te dará los
deseos de tu corazón» (Salmo 37:4).
Cuando nos acercamos a Dios, él nos
infunde pasión. Dios trabaja por medio
de los deseos humanos.

> **En el cristianismo, la meta del viaje espiritual es la transformación de nuestros deseos.**

Para el budismo, la meta del viaje espiritual es la eliminación del
deseo. En el cristianismo, la meta del viaje espiritual es la transformación de nuestros deseos. La intención de Dios al transformar
nuestros corazones no es la eliminación del deseo, sino algo totalmente distinto. No tener deseos significa no tener pasión. Una persona que vive sin pasión es alguien literalmente apático. Cuando nos
deleitamos en Dios, somos cualquier cosa menos apáticos. En realidad, nos volvemos intensamente apasionados. Estos deseos de nuestro corazón nacen del corazón de Dios. Cuanto más amamos a Dios,
tanto más nos importa la vida. Cuanto más nos importa la vida y las
personas, tanto más profundamente nos comprometemos a hacer
una diferencia en la vida de los demás.

Hay una relación directa entre la pasión y la iniciativa. Cuanto
más apasionados somos, tanto más activos tendemos a ser (aun
cuando con coraje hagamos lo incorrecto). Aquí es donde aparece el

dilema: esto puede llegar a ser paralizante para un sincero seguidor de Jesucristo. No queremos ser apasionados para hacer lo incorrecto. Desesperadamente, queremos hacer lo que está en el corazón de Dios, y no solo en el nuestro. Aquí está entonces la realidad liberadora: cuando somos apasionados por Dios, podemos confiar en nuestras pasiones. Dios utiliza nuestras pasiones como brújula para guiarnos. Para decirlo con toda simpleza: cuando estamos locamente enamorados de Dios, podemos hacer todo lo que queramos. Estoy convencido de que esta es la mejor traducción contemporánea del Salmo 37:4.

Hay pocas cosas que inspiren más que una vida vivida con apasionada claridad. Sin embargo, a veces sucede que el observar a otros vivir este tipo de vida nos deja un sabor amargo en la boca, además de incrementar nuestra sed. Una de las maneras en las que logramos consolarnos es diciendo que quienes están del otro lado de la pantalla son más talentosos, más afortunados, o tienen más dones. Tienen que ser diferentes, porque de otro modo, también sería posible para nosotros vivir una vida así. Y mientras la pantalla de vidrio que nos separa en la vida puede aislarnos de los peligros que tememos, no puede aislarnos de los deseos que se encienden en nuestro corazón. Hasta los que están a un costado desean vivir. No hay satisfacción profunda si solo observamos cómo pasa la vida. No podemos vivir la vida de otros. No hemos sido creados para observar desde un costado. Hemos sido creados a imagen y semejanza de Dios, para oír su voz y viajar con él.

Estos hombres y mujeres cuyas vidas usted admira, que parecen vivir la vida en su plenitud, quizás serían los primeros en decirle que no hay diferencia alguna entre ellos, usted o yo. No se trata de dones, talentos o inteligencia; se trata de ir de la pasividad a la actividad. Se trata de negarse a vivir una vida neutral y de valorar la naturaleza irreemplazable de cada momento. Para estos individuos, el tiempo es una mercancía invalorable. Se trata de considerar cada día como un regalo de Dios, reconociendo que todo momento perdido jamás será recuperado. El Factor Jonatán resulta en la iniciativa nacida de la urgencia. Lo ve en las personas para quienes cada momento cuenta.

ĐEFENSORES ĐE SILLÓN

Durante casi diez años mi vida estuvo enfocada en el trabajo con los pobres en las ciudades. En una de esas experiencias, diez de nosotros estábamos en medio de las necesidades humanas más sobrecogedoras. Era infinita la cantidad de cosas por hacer. No podría contar cuántas personas venían a decirme: «Pastor, alguien necesita algo». Con cada problema que se identificaba había un programa, servicio o ministerio que debía comenzarse. Parecía que el trabajo de la congregación consistía en encontrar los problemas y recomendar las soluciones, y que mi trabajo era el de lograr que todo se hiciera.

En algún momento, presa de la desesperación, comencé a pedirles a las personas que identificaban las necesidades que se convirtieran en parte de la solución. La respuesta era casi siempre la misma: «Oh, no, yo no. Solo sentí que importaba señalar cuál era la necesidad». Y es aquí donde los que están a un costado son letales. Tienen tanto tiempo para observar cómo pasa la vida, que su visión de los problemas es excelente, lo cual les inspira especialmente a pensar que su papel es el de señalar qué es lo que anda mal. Concluyen que su contribución es la de sugerir soluciones, y luego sentarse y evaluar lo bien que han trabajado. Si uno no anda con cuidado, los que andan al costado le harán sentir que usted necesita estar en todas partes, le controlarán con el sentimiento de culpa, y le harán sentir muerto de cansancio.

Al poco tiempo, me sentía como el hombre que hace girar varios platos a la vez, desesperado por asegurarse de que ninguno caiga al piso. Tenía tantos programas importantes en funcionamiento que seguramente alguno perdería impulso si no les prestaba atención continuamente a todos al mismo tiempo. Debo admitir que los miembros de la congregación eran maravillosos como porristas. Me elogiaban y alentaban por implementar los servicios que se necesitaban. Casi siempre, cuando iniciaba un ministerio que alguien había identificado como necesidad, dejaba de existir apenas me desprendía un poco.

Como una epifanía venida del cielo comprendí que debía cambiar mi ministerio. Un día, cuando alguien insistió en que debía proveerse un servicio en particular, simplemente le miré a los ojos y le dije: «Si Dios ha puesto esto en su corazón, querrá que usted tome la responsabilidad y se asegure de que suceda». Luego le expliqué que mi papel sería el de ayudarle a equiparse para poder lograr el éxito. Dios no me había llamado a hacer lo que él había puesto en el corazón de esa persona, él envía la carga al corazón que ha llamado.

En otras palabras, rara vez Dios nos mostrará el problema para que le contemos a alguien más acerca de este. Y a menudo, las mismas personas que insistían en que se implementara un programa, ni siquiera sentían la preocupación o el interés de invertir su energía o dar sus vidas por él. Una vez que se les presionaba para adueñarse del problema que consideraban tan importante, este rápidamente dejaba de ser trascendente.

Otros respondían de manera diferente. Al darse cuenta de que la carga que había sido puesta en sus corazones podría ser la brújula de Dios que indicara qué dirección tomar en el futuro, se sentían fascinados y entusiastas.

PRIMERA MOVIDA

Dios nos convierte en activadores espirituales. Una vez me enseñaron que en el camino del samurai, el que hace la primera movida es el que muere. Puede haber más verdad en esto de lo que podemos imaginar. Y sin embargo, es el modo en que avanza el reino de Dios. Alguien tendrá que hacer la primera movida. Alguien tiene que estar dispuesto a dar su vida. Alguien tiene que estar dispuesto a hacer lo que hay que hacer.

Puede haber otra pregunta que necesite ser contestada incluso más que «¿Qué es lo que está haciendo Dios?» y esta es: «¿Cuál es el sueño de Dios?»

En los últimos años, las enseñanzas de Henry Blackaby han tenido un impacto tremendamente positivo en muchas personas. Su visión de que debemos buscar lo que Dios está haciendo y luego inmiscuirnos en esto nos ha movido a ser más obedientes. Sin embargo, creo que es importante agregar que aunque Dios ha estado trabajando en la historia de la humanidad desde que infundió aliento en Adán, hay todavía mucho por hacer, y más aún mucho por comenzar. Puede haber otra pregunta que necesite ser contestada incluso más que «¿Qué es lo que está haciendo Dios?» y esta es: «¿Cuál es el sueño de Dios?» ¿Hay algo que Dios quiere iniciar y para lo que está esperando por voluntarios? En Isaías, el Señor le dijo a su pueblo: «Yo voy a hacer algo nuevo, y verás que ahora mismo va a aparecer» (véase Isaías 43:19), o en otras palabras: «¡Abran los ojos! ¿Es que acaso se darán cuenta de que estoy haciendo algo nuevo?»

> ¿No es acaso la esencia del liderazgo espiritual aquella persona dispuesta primero que todos a seguir a Dios de cerca?

En cada momento, grande o pequeño, alguien dio el paso inicial. ¿No es acaso la esencia del liderazgo espiritual aquella persona dispuesta primero que todos a seguir a Dios de cerca? A veces, somos como niños temerosos de caminar en un pasillo a oscuras. La conversación se parece mucho a nuestro dilema como adultos: «Ve tú primero. No, ve tú primero». Los pioneros, los aventureros divinos, siempre van primero.

A TRAVÉS DE LA VENTANA

Cuando estamos a un costado de un momento divino, este momento puede eludirnos a causa de su simpleza. Puede parecer muy común y mundano. Todo lo que es extraordinario en este momento nos es casi imperceptible desde donde le vemos. Y a causa de esto, cuando perdemos estos momentos divinos, quizás pensemos que no hemos perdido nada. Quizás supongamos que la vida no es más que el tumulto, y que no había nada allí para tomar. Esta es la peor tragedia.

Podemos también sentir celos de quienes parecen tener tantas oportunidades divinas. Parecen destinados a la grandeza. La oportunidad siempre llama a sus puertas. A nosotros no nos llama. Y aunque puede haber una puerta y puede haber habido una llamada, no era la oportunidad; era la persona que vio la oportunidad. Sería maravilloso si pudiéramos ver a través de la ventana, ver la vida desde el otro lado, echar un vistazo al modo en que se vería el día de hoy si pasáramos por el corredor de la oportunidad. Es casi como si viviéramos en realidades alternativas, dos dimensiones de oportunidad, y las elecciones que hacemos determinaran de qué lado vivimos y cómo experimentamos la vida. Si no fuera suficiente que viésemos todo lo que estamos perdiéndonos, o todas las posibilidades que fueron para nosotros, quizás si pudiéramos ver todo el bien que podríamos hacer, todas las vidas que podríamos tocar, sentiríamos el impulso de pasar hacia el otro lado. No podemos ver lo que nos espera, y jamás lo sabremos a menos que entremos en el momento y liberemos todo aquello que Dios tiene preparado para nosotros.

Hay un motivo por el que la película *La Sociedad de los Poetas Muertos* tuvo tal repercusión en el corazón de tantas personas. El mantra de *Carpe Diem* nos atrapa a todos. Debemos atrapar el día, porque dentro de cada día hay oportunidades enviadas por Dios que esperan salir y cada período de veinticuatro horas, está lleno de momentos divinos.

Recordé esto en una conversación con un amigo llamado Joe White. Él es quizás más conocido por su mensaje de la cruz, cuando lleva sobre sus espaldas una cruz que requeriría seis hombres para poder ser acarreada. Le diagnosticaron cáncer terminal, y en una conversación reciente, me recordó que era más afortunado que yo. Para él estaba claro que el día de hoy podría ser su último día de vida. Yo podía vivir bajo la ilusión de que hoy era solo un día más entre tantos por venir. El regalo de su cáncer era el valor del día de hoy. Quizás, de algún modo que muy pocos logramos, se compromete cada día a atrapar el momento divino. El misterio de estos momentos es que se ven muy comunes desde un costado, y solo se ve su grandeza cuando entramos en ellos.

Aldo Caruso es un inmigrante de Argentina que vive en los Estados Unidos. Ha pasado la mayor parte de su vida adulta enseñando en el este de Los Ángeles. Durante años, abrigó la esperanza de que alguien creara oportunidades positivas para los niños menos privilegiados del centro de Los Ángeles. Como argentino, sabía que el fútbol es central en la cultura de los latinoamericanos.

Aldo sugirió que alguien debía hacer algo para ayudar a esos niños. Entonces, un día vio con claridad que él era quien debía hacerlo. Luego supe que Aldo había estado al borde de la muerte a causa del cáncer, y que esto había elevado su nivel de urgencia, dándole el coraje para comprometerse. Desde su comienzo en la escuela de fútbol en un colegio primario del vecindario hasta formar un equipo propio y una liga, cientos de niños —y cientos de familias— han sido beneficiadas directamente por la iniciativa de Aldo.

Elaine Chang Fuddenna siempre parecía conmoverse por la condición de las personas pobres. Jamás permitía que los olvidáramos. Era el tipo de persona que no queremos tener cerca, porque nos recuerda cuán poco pensamos en los pobres. Y el tipo de persona que siempre quiere uno tener cerca, porque nos convertimos en mejores individuos al estar con ella.

Pero preocuparse no bastaba. Ella tenía que hacer algo. Inició un programa de empleos llamado *Job Net* [Red de Empleos]. La idea era bastante simple, construir relaciones creíbles con los empleados por medio de la reputación de la iglesia local, y ayudar a los individuos desempleados y de alto riesgo a tener una oportunidad más. Por medio de su iniciativa, más de quinientos hombres y mujeres encontraron empleos, y en lugar de aceptar lo que otros descartaban, recibieron lo que buscaban.

En mi opinión, Susan Yamamoto tenía una idea loca. Era una enfermera que quería formar un equipo de trabajadores de la salud. Ahora, esto puede no parecer tan loco, pero yo sabía que no teníamos doctores en nuestra iglesia. Y dos o tres enfermeras no alcanzaban para formar un equipo médico. Pero ella estaba decidida. Su esposo, Rick, uno de nuestros ancianos, a menudo me había contado acerca de la determinación de su esposa, y de cuánto le sorprendía su energía. Susan podría describirse como reservada y callada, una persona que cooperaba, pero ciertamente no una líder. Dos años más tarde, enviamos equipos médicos a trabajar en comunidades necesitadas en México durante todo el año. También tenemos una enfermera que trabaja como parte de nuestra congregación en servicio a la comunidad. Susan inició un proyecto que requería de doctores, y por medio de su compromiso de servir a otros, comenzó a atraer doctores a nuestra comunidad de fe.

Sucede algo maravilloso en las personas cuando se apasionan con algo: se vuelven dinámicas, toman iniciativas. Y el efecto opuesto también parece ser cierto. Cuando uno comienza a tomar iniciativas, cuando uno comienza a hacer lo bueno que necesita hacerse, uno se vuelve apasionado. Cuando usted se compromete a «hacer algo, lo que sea», se mueve en la dirección correcta. Cuando se mueve en la dirección que se alinea con el carácter y el corazón de Dios, encuentra que la misión personal de Dios para su vida se vuelve esencial, lo más importante.

No todas las oportunidades divinas crearán un nuevo ministerio u organización, pero eso no es lo que importa. Cada oportunidad divina nace del poder de hacer el bien. El combustible puede provenir de la pasión, de la compasión o de un compromiso hacia los demás. Las Escrituras nos impulsan a hacer el bien a otros cuando tenemos el poder de hacerlo. Y a veces, un simple acto de gracia hacia otro ser humano se convierte en la ventana a través de la cual Dios nos atrae hacia su futuro para nosotros. Si bien Dios jamás promete que sabremos todo lo que hay en futuro, o que viviremos sin misterio en el presente, sí nos promete que podemos vivir nuestra vida al máximo.

> **Haz lo que sabes que debes hacer, y entonces sabrás qué hacer. Dios clarifica en medio de la obediencia, no de antemano.**

¿Es posible que la promesa de Jesús en Juan 10:10 de que él ha venido a traernos vida y vida en abundancia haya tenido siempre la intención de ser experimentada por medio de esta aventura? Esta comienza cuando nos damos cuenta de que Dios nos ha dicho tanto acerca de su voluntad para nosotros que podemos pasar el resto de nuestras vidas simplemente cumpliendo lo que ya ha sido revelado. Haz lo que sabes que debes hacer, y entonces sabrás qué hacer. Dios clarifica en medio de la obediencia, no de antemano. Es justo decir que Dios nos informa en la medida que lo necesitamos. Las Escrituras nos dicen todo lo que necesitamos saber, y Jesús promete que su Espíritu nos guiará si le seguimos. Pero como sucedió con Nehemías, a quien Dios ordenó reconstruir la muralla de Jerusalén, los detalles aparecen recién cuando hemos iniciado el camino.

Hay un viejo dicho que indica que es mejor intentar domesticar a un caballo salvaje que intentar montar un caballo muerto. ¿A cuál se parece usted? El caballo muerto necesita que se le devuelva la vida, pero el caballo salvaje está lleno de pasión y deseos de vivir. Si es más parecido al caballo muerto, obtenga esperanzas de aquel que resucita a los muertos. Si es usted un caballo salvaje, corra hacia aquel que no le domesticará, sino que le transformará. El deseo de Dios no es el de acorralarle, sino el de darle la libertad. La brújula para la vida que nos da Dios no es información, sino la verdad. La clave no está en la capacidad de leerle la mente a Dios, sino en conocer su corazón. Es esencial crecer en la sabiduría de Dios, y este camino solo se alimenta de la pasión de Dios. Las bendiciones de Dios sin la urgencia de vivir para su propósito se vuelven un desperdicio terrible.

Me gusta mucho jugar al ajedrez. Cuando he pasado cierto tiempo si jugar, siempre elijo jugar con las piezas negras. Cuando me falta confianza, prefiero comenzar con la defensa. Dejo que mi adversario haga la primera movida. Reacciono. Pero cuando me dejo llevar, cuando realmente estoy en el juego, me gusta más jugar con las piezas blancas. Elijo la ofensiva. Comprendo la ventaja de tomar la iniciativa. Las personas que atrapan sus momentos divinos pueden no tener otras virtudes, pero una cosa es cierta: toman la iniciativa.

TOCADOS POR LA LOCURA

Hace ya varios años me sentí frustrado cuando uno de los miembros de nuestro equipo pastoral demostró falta de iniciativa... para decirlo de modo elegante. Intenté diversos caminos para alentarle e inspirarle a crear mejores métodos, para incrementar su nivel de responsabilidad con miras a obtener mejores resultados. Pero nada parecía funcionar. Llamé a mi hermano Alex, que siempre tiene una comprensión y perspectiva especiales en todas las situaciones, y le pedí consejo. Él dijo que el problema era obvio. Me respondió: «El tipo es normal. Ese es el problema. Piensas que todos despiertan por la mañana pensando en cómo cambiar el mundo. Y la realidad no es esa».

Luego, recordé. Recordé el tiempo en que yo veía la vida desde un costado. Recordé que quería vivir, pero temía. Era como si hubiera habido dentro de mí un hombre esperando por nacer. Este hombre se parecía a mí, pero yo sabía que él era muy diferente. No sería invisible. Sería más que un observador. Su vida importaría. Mi alma experimentaba el dolor del parto, pero me preguntaba si esta persona alguna vez llegaría a nacer. Sentía que estaba enloqueciendo. La persona normal sobre la que yo había trabajado tan duro estaba siendo amenazada por la persona que tan desesperadamente quería ser.

He pensado mucho en el punto de vista de Alex. Debo confesar que ya no estoy a un costado. Me despierto todas las mañanas preguntándome: «¿Cómo puedo cambiar al mundo?». Para mí, todo comenzó con un simple cambio de perspectiva. Quiero que mi vida se defina por lo que doy. Perdemos tantos momentos cuando solo buscamos lo que recibiremos. Podemos entrar en los momentos divinos únicamente cuando estamos dispuestos a servir. Hay un misterio en todo esto. Supongo que nadie lo ha dicho mejor que Jesús: cuando uno intenta conservar su vida, la pierde. Pero cuando uno pierde su vida por él, entonces la encuentra.

Este cambio de enfoque me ayudó a vencer mis temores, mis dudas, mi inseguridad. La vida ya no giraba alrededor de mí, así que todo lo relacionado conmigo perdía importancia. No hay vida pequeña cuando se da la vida, no hay momentos sin significado. Aun cuando todos los que nos rodean elijan dormir, debemos resistir la tentación de unirnos a ellos. ¡Despierte! ¡Salga de la cama! ¡Dios quiere cambiar el mundo por medio de su vida si tan solo hace algo ahora!

Mientras todos dormían, Jonatán estaba despierto. Decidió que tenía que marcar una diferencia en este

> **¡Despierte! ¡Salga de la cama! ¡Dios quiere cambiar el mundo por medio de su vida si tan solo hace algo ahora!**

mundo. Quizás haya un toque de locura en el hecho de pensar que usted o yo realmente podemos dejar nuestra huella, en que sabiendo quiénes somos, quizás logremos cambiar el curso de la historia de la humanidad. Si es normal despertar por las mañanas y únicamente intentar sobrevivir durante ese día, entonces voto por la anormalidad. Elijo la locura.

Quizás el objetivo de este capítulo sea el de volver loco a quien lo lea. Hacer que su corazón golpee en su pecho; hacer que transpire, aun estando inmóvil. Provocarle pensamientos locos acerca de cómo sería una vida sin Dios. Hacer que eche la cautela por la borda y siga a Dios a dondequiera que él le guíe. Despierte mañana haciéndose la peligrosa pregunta: «¿Qué puedo hacer hoy para marcar una diferencia en el mundo?»

Algo, o quizás alguien, despertó a Jonatán. Cuando todos los demás dormían, él se levantó y se fue. Tal vez repitió a su amigo las mismas palabras que Dios le había dicho: «Vamos, vayamos».

—Tengo miedo —confesó mientras Maven permanecía de pie junto a él en el lugar donde comenzaría su peregrinaje.

—¿De qué? —preguntó Maven con su calmada voz.

—De esta travesía. ¿Habré aprendido todo lo que necesito saber? —inquirió con duda Ayden.

—Ayden —replicó él—, sabes todo lo que necesitabas aprender.

—¿Qué debiera llevar conmigo? —continuó Ayden.

—Deja todo lo que tienes y lleva todo lo que eres.

—Y el camino, ¿es seguro para viajar por él?

Maven lo miró severamente por primera vez, según podía recordar, y le increpó:

—¡Lo que no es seguro es quedarse! ¡No es el lugar sino la presencia lo que te sostiene! Esta es tu única certeza. ¡Adelante! Camina donde ningún hombre ha caminado, a pesar de eso encontrarás huellas.

— Inscripción 707 / The Perils of Ayden

3

InceRtiduMBre

sepa que no sabe

NUESTROS DÍAS ESTÁN CONTADOS

MUY POCOS NÚMEROS TIENEN TANTO SIGNIFICADO PARA NUESTRA generación como estos: 8:46 del 9-11. Me encontraba en mi automóvil dirigiéndome hacia el Aeropuerto Internacional de Los Ángeles. Debía ir a una reunión durante el día a Denver. Mientras conducía por la autopista 105, elegí no encender la radio para disfrutar del silencio de la mañana. Al acercarme a la salida que lleva al aeropuerto, encendí mi teléfono celular para llamar a mi esposa y saludarla antes de irme. El tono de su voz resuena en mi cabeza incluso más que sus palabras. Era como si alguien muy amado hubiera muerto trágicamente. Había desesperación en su voz, algo fuera de contexto. Comenzó rogándome que no abordara mi avión. Dijo que algo terrible había sucedido en Nueva York.

En realidad, no entendía muy bien a qué se refería, ya que me hablaba de un avión que se había estrellado contra el edificio del World Trade Center. No podía conectar sus palabras con la realidad. Sin importar cuán trágico fuera el accidente, ¿qué tendría que ver eso con mi vuelo desde Los Ángeles? Pero Kim y yo tenemos una regla: si ella me pide que no vaya a alguna parte, no voy. Dejé pasar la salida del aeropuerto y di la vuelta para regresar a casa. Mi hijo, poco convencido de que estaba volviendo, me llamó y dijo: «Por favor, papá, no vayas. No vayas». Luego Kim me avisó: «Enciende la radio». Fue cuando oí lo que todos... que a las 8:46 del 9-11, el mundo había cambiado.

Quienes tenemos el privilegio de vivir como residentes en esta nación, hemos vivido en un mundo irreal en muchos aspectos. El nivel de libertad, prosperidad y seguridad del que disfrutamos es desconocido en muchos otros lugares. Nuestra vida cotidiana podría describirse como surrealista. La mayoría hemos vivido el «sueño americano», pero junto con el sueño, obtuvimos una falsa ilusión. Comenzamos a sentir que la vida nos había dado ciertas garantías. Hasta levantamos una teología que validaba nuestro falso sentido de seguridad. La paz y la prosperidad eran expectativas. Los conceptos tales como el sufrimiento y el sacrificio se utilizaban solo para describir a quienes vivían fuera de la bendición de Dios.

Y entonces, sucedió. Dos aviones que se estrellaron contra el World Trade Center fueron nuestra brusca señal de alarma, lo que nos despertó de nuestro dulce sueño. Un tercer avión se estrelló contra el Pentágono. Para ese momento, nos habíamos dado cuenta con horror de que las aerolíneas comerciales se habían convertido en misiles terroristas. Un cuarto avión se estrelló poco después cerca de Pittsburg. Ese día avanzaba a paso frenético. Como pastor de una iglesia, tenía mucho más que hacer que asegurar a mi propia familia. Agregado a la complejidad del caso estaba el hecho de que somos una congregación de Los Ángeles, y que dos de los cuatro aviones utilizados en los ataques terroristas se dirigían a allí. Si Los Ángeles y Nueva York habían tenido desde siempre una relación estrecha, esta se intensificó aquel día. Mantuvimos reuniones espontáneas de oración, en nuestro hogar y en otros de toda la ciudad. Era obvio que la gente sentía el intenso dolor de la pérdida y que luchaba contra el trauma y el miedo personal.

Fue recién a la mañana siguiente que mi esposa Kim me recordó que necesitaba ayudar a los niños a pasar esto. No sabía qué decirle a mi hijo de trece años y a mi hija de nueve. Como padres, siempre tememos esa primera charla sobre sexo. Pero jamás pensamos siquiera en tener que ayudarles a vivir un momento como este. Al igual que todos los demás niños del país, mis hijos habían visto las imágenes del World Trade Center, una y otra vez. Podía decirles al comienzo que había una cierta desconexión de la realidad. Había algo en esto que parecía cercano a los increíbles efectos especiales de las películas. Pero rápidamente uno comenzaba a comprender que no era así, que esto estaba sucediendo de verdad.

¿Qué podría decirles? ¿Cómo consolarlos? ¿Cómo darles seguridad? Sabía lo que quería decir. Quería decirles que todo saldría bien, que ellos estaban en un lugar seguro, que esto no les sucedería a ellos, y quizás, para acallar su más acuciante temor, que tampoco que sucedería a mí, que viajo tan frecuentemente. A veces pareciera que la clave de la paternidad es mentirles a nuestros hijos. Después de todo, ¿acaso una niña de nueve años necesita comprender cuán cerca está la muerte para todos nosotros? ¿No es demasiado dura la verdad? Francamente, quería decirles que no era verdad. Quería decirles que todo terminaría bien. Que esto jamás nos sucedería. Dios no permitiría que algo así le sucediera a nuestra familia. No podía prometerles nada de esto. El consuelo que quería ofrecerles no estaba bajo mi control.

Así es que me senté con mi familia y hablamos sobre lo que el 11 de septiembre nos había enseñado. Este es el resumen: no tenemos control sobre cuándo morir o cómo morir (en la mayoría de los casos), pero sí tenemos control sobre cómo vivir.

Esto puede parecer un tanto pesado para una niña de nueve años, pero me alivió saber que le sonaba perfectamente razonable a Mariah. Sonaba a verdad, y le daba algo que hacer. Ella necesitaba elegir cómo vivir este día.

SOBRE LA BASE DE LA NECESIDAD DE SABER

Una era de paz y estabilidad nos había llevado a una equivocada conclusión acerca de lo que necesita el espíritu humano. Uno pensaría que lo que necesitamos es la certeza, la promesa de que todo estará bien, la garantía de que estaremos a salvo. Mientras yo, como todos los demás, ansiaría saber que esta es la vida que Dios elegiría para mi familia y para mí, la seguridad que buscamos tan a menudo no significa necesariamente que vivamos a pleno. A veces, esto puede convertirse en el mayor obstáculo para que atrapemos nuestros momentos divinos.

Jonatán sentía certeza acerca de algunas cosas, y al mismo tiempo tenía la capacidad y la disposición para esperar en el reino de la incertidumbre. Llamó a su armero y le dijo: «Vamos, vayamos hasta el puesto de observación de estos tipos no circuncidados. Quizás el SEÑOR actúe en nuestro beneficio». Esto sí es de admirar. Esto es lo que estaba diciendo, en otras palabras. «Vayamos y peleemos. Quizás Dios nos ayude».

Jonatán entendía que no todo está garantizado, que uno no espera hasta que todo el dinero esté en el banco. Que hay algunas cosas que podemos saber y otras que no sabremos. Dijo luego: «Nada impedirá que el Señor salve, con muchos o pocos».

Tenía una perspectiva muy clara sobre la realidad. Lo que sí sabía era que Dios era lo suficientemente poderoso como para hacer lo que hiciera falta, y que no importaba que fueran solo dos israelitas en contra de dos mil filisteos. Su padre tenía temor de dar batalla con seiscientos soldados y solo dos armas —sí, dos espadas— y esto era comprensible, pero no era suficiente excusa como para olvidar el propósito de Dios. Aunque tan solo hubieran sido Jonatán y su armero con una sola espada, incluso así, Jonatán cumpliría la misión que Dios tenía para ellos.

Mucho antes Dios había hablado a la casa de Israel por medio de Samuel: «Si ustedes se vuelven de todo corazón al Señor, deben echar fuera los Dioses extranjeros y las representaciones de Astarté, y dedicar sus vidas al Señor, rindiéndole culto solamente a él. Entonces, él los librará del dominio de los filisteos» (1 Samuel 7:3).

Dios había prometido liberar a Israel de la opresión de los filisteos, y lo haría levantando un ejército de hombres que confiaran en Dios y fueran a luchar contra ellos. Jonatán estaba seguro de una cosa: sabía que nada impediría al Señor que los salvara, y que Dios podría utilizar tanto a mucha gente como a poca. Los detalles son de poca relevancia para Dios.

Jonatán tenía inconmovible confianza en la capacidad de Dios. Confiaba absolutamente en el carácter de Dios. Estaba absolutamente convencido de que Dios era confiable. Esto estaba claro. El foco de atención de Jonatán no era: ¿*Cuál es la voluntad de Dios para mi vida?*, sino:¿*Cómo puedo dar mi vida para cumplir con la voluntad de Dios?* No tenía certeza acerca de su bienestar personal. Lo único que necesitaba saber era que estaría moviéndose de acuerdo con el propósito de Dios. No daba por sentado el hecho de que Dios es confiable, esperando de él cosas que nunca había prometido. Comprendía que moverse junto a Dios es aceptar una vida llena de incertidumbre. El Factor Jonatán se hace evidente cuando tenemos absoluta confianza en Dios en medio de la incertidumbre, cuando estamos dispuestos a movernos con Dios aun sin garantías de éxito personal.

Imagine que usted es el armero de Jonatán. Él le despierta y le dice que debe seguirle a través de unos acantilados con el propósito de pelear contra los filisteos. Y en su invitación, le explica que tiene la esperanza de que Dios *quizás* les ayude. Si yo fuese el armero, respondería: «Despiértame cuando estés seguro de que nos ayudará».

Y creo que es lo que hemos hecho la mayoría de nosotros. Nos hemos vuelto a dormir, a la sombra del árbol de la granada, dispuestos a partir solo cuando tengamos certeza acerca de todo.

¿QUÉ CERTEZA TIENE USTED?

Hace unos años estaba dando un seminario. Cuando terminé, una joven estudiante se me acercó y me dijo que había planeado ir al noroeste para ayudar a iniciar una nueva iglesia. Luego me explicó que con el tiempo, había descubierto que esta no era la voluntad de Dios. Le pregunté cómo pudo saberlo, y entonces dijo: «Jamás logramos reunir el dinero». Le pregunté quién le había dicho que la falta de fondos era prueba suficiente de que Dios no quisiera esto. Ella dijo que su pastor y sus padres se lo habían dicho. Que si Dios quería que ella fuera, todo se le facilitaría para poder hacerlo.

Nuestra riqueza y abundancia de recursos humanos nos han hecho aceptar un paradigma que indica que la provisión precede a la visión. Este ha sido el fundamento para la construcción de la fe sin riesgos. Y es una tragedia, ya que una parte de la aventura está en el descubrimiento de que la visión siempre precede a la provisión. Sé que esto puede resultar difícil a veces, pero siempre será correcto hacer lo correcto, aún cuando resulte finalmente incorrecto. En estos tiempos, Dios nos llama a hacer lo correcto, sabiendo que otros responderán de manera incorrecta. Jesús hizo lo correcto cuando dejó Getsemaní, donde luchaba por cumplir con la voluntad de Dios, e inició un viaje que le llevaría a la cruz. La consecuencia para él fue severa. Nuestra respuesta a su venida fue la crucifixión. No debiera sorprendernos que un viaje de toda una vida junto a Dios nos traiga probablemente sufrimiento y pena. Si la cruz nos

> **Nuestra riqueza y abundancia de recursos humanos nos han hecho aceptar un paradigma que indica que la provisión precede a la visión.**

enseña algo, ¡es que a veces Dios aparece luego de que hemos muerto a manos de otros!

A pesar de que Jonatán no murió cuando enfrentó a los filisteos, no hay principio que diga que todo aquel cumpla con la voluntad de Dios vivirá... al menos, no en esta tierra. Y si usted es como yo, cuando imagino a Jonatán dando batalla a los filisteos, no lo veo sudar con temor. ¿Cuántos de nosotros imaginamos esta batalla y lo vemos herido, o quizás cercano a la muerte? Y sin embargo, no era poco probable. Lo que sí sería sorprendente es el hecho de trabar lucha con un ejército y salir ileso. Todo esto es para decir que aun cuando seguimos con vida, esto no significa que la victoria llegue sin sufrimiento.

Si vamos a atrapar nuestros momentos divinos debemos aceptar la realidad de que hay muchas cosas que están más allá de nuestro control. No tenemos control sobre cómo y cuándo moriremos. Debemos, en cambio, responsabilizarnos por aquello que sí está bajo nuestro control... el modo en que elegimos vivir.

Jonatán no estaba eligiendo morir, sino cómo vivir. Dejó las consecuencias de sus acciones en manos de Dios. Eligió hacer lo que él sabía correcto. Nuevamente Dios estaba haciendo algo en la historia, y Jonatán dio su vida por ello. Este reino de la incertidumbre es el lugar de los milagros. A veces, el milagro yace oculto en la persona en la que nos convertimos, el coraje y la nobleza que se muestran en una vida bien vivida.

Los funerales pueden ser quizás el contexto en el que se dicen más cosas sobre nosotros de las que jamás hayamos oído. Con el tiempo, uno cae en la cuenta de que no es tan importante lo que se dice de nosotros, sino quiénes se presentan. He presenciado funerales donde hay solo un pequeño grupo de personas que llegan para despedirse del fallecido, y aun así, pareciera que solo asisten para cumplir con una obligación. Sin embargo, cada tanto, uno asiste a un funeral que se parece más a una celebración que a un evento triste. He tenido el privilegio de vivir momentos como este. Cuando asistí al funeral de Maxine Marie Papazian, por respeto a su hermano, Dave Mushegan, me impresionó lo que vi. A pesar de que el auditorio era espacioso, no había asientos libres. Permanecí en el fondo del salón observando a mi alrededor mientras se desarrollaba la ceremonia, y me sorprendió ver que había una genuina celebración y un sincero sentimiento de pérdida. Lo que más me impresionó fue la respuesta de las personas sentadas en el fondo del salón. Uno esperaría que quienes están al frente son quienes más íntimamente sienten la despedida. Quienes forman parte de la familia o son amigos cercanos, por lo general toman asiento cerca del lugar principal. A menudo, en el fondo uno encuentra solo conocidos, gente educada pero distante. No obstante, no fue así en esta oportunidad. Muchos de los que estábamos parados junto a la pared del fondo expresamos una gran emoción al ver virtualmente a toda la capilla sintiendo exactamente la misma intensidad de pena por la pérdida de una querida amiga. Salí de allí preguntándome quién asistiría a mi funeral. ¿Sentirían lo mismo quienes estuvieran en el fondo del salón?

La vida de una persona no necesita eventos extraordinarios para distinguirse. Una vida bien vivida puede ser igualmente inspiradora, y su contribución puede ser igualmente grande. A veces esta transformación se ve mejor a través del fracaso, la derrota, o aun la muerte. Otras veces, el milagro se presenta en el modo en que Dios aparece en medio de toda esa incertidumbre.

Cuando uno se mueve junto a Dios, él siempre aparece. Solo es difícil predecir qué hará o cómo lo hará. Si uno espera garantías, lo único que encontrará es que tiene la seguridad de perder una infinidad de oportunidades vividas, de eso, tenga la absoluta certeza.

ΣL MILΛGRO DΣ LΛ INCΣRTIDUMBRΣ

Hace aproximadamente cuatro años, Greg SooHoo, uno de nuestros ancianos, me llamó para que nos reuniéramos en un club nocturno del centro de la ciudad. Estaba a la venta, y él sugería que nuestra congregación pensara en el lugar como un futuro centro de adoración. La propiedad era perfecta para nosotros. Podíamos ver infinidad de posibilidades. Todos sentíamos que era el lugar ideal, especialmente para una iglesia como Mosaic. Hacía ya cinco años que yo era pastor en Los Ángeles, y estábamos buscando desesperadamente un domicilio más estratégico donde reunirnos. Mosaic era una comunidad definida por su creatividad, arte y amor por la belleza. Cualquier instalación que eligiéramos debía expresar nuestro compromiso con la cultura, a través de la innovación y la singularidad. El club nocturno en el corazón de Los Ángeles también expresaría nuestro amor por la ciudad, y nuestro compromiso por llegar a las gentes de todo el mundo.

Había solo un problema: el precio sobrepasaba nuestras posibilidades en unos cuantos millones de dólares. Ahora, me gustaría decirle que encontramos esos millones, o que el propietario milagrosamente nos cedió la propiedad. Pero esto no sucedió. A veces pareciera que perdemos una oportunidad divina, pero solo está allí, esperando por su momento divino.

Un año más tarde, una pareja china, George y Susan Luk, compraron la propiedad y reabrieron un club nocturno en el lugar. Rebautizaron al club con el nombre de *Downtown Soho*. El Soho tenía legado artístico, porque se le había conocido como el *Glam-Slam*, anteriormente propiedad de Prince. Cuando los Luks compraron el edificio, Greg SooHoo me llamó nuevamente y me sugirió que nos reuniéramos con ellos. De camino hacia la reunión con George Luk, ensayaba en mi mente el modo en que negociaría con él la utilización del club nocturno para nuestros servicios de adoración. No tenía idea acerca de si estaría dispuesto a tener una iglesia en su club nocturno, o de si podía alquilar el lugar. Sabía únicamente que lo importante era acercarnos a conversar con él.

Cuando Greg y yo nos hallábamos sentados junto a George, la conversación surgió así: «Quisiéramos invocar la presencia del Dios viviente manteniendo reuniones en este club nocturno y convertirnos así en una voz de esperanza para la ciudad». Debo admitir que George se mostró muy sorprendido. No había sido nada sutil en mi acercamiento al tema. Antes de que hubiera pasado una semana, nos respondió con un «Sí». Nuestra cuota mensual sería de unos mil dólares. Esa suma le serviría para cubrir los gastos de limpieza, y nos dijo que si nos resultaba demasiado caro, le avisáramos.

Una de las cosas más maravillosas con respecto a vivir en el reino de la incertidumbre es que uno encuentra que el viaje con Dios está lleno de sorpresas. Un año más tarde, mientras cenábamos con George y su esposa Susan, descubrí por qué habían aceptado tan rápidamente.

Unos quince años antes, la madre de Susan había estado gravemente enferma. Sabían que moriría. Y unos años antes de eso, un misionero en China le había regalado a la madre una Biblia que ella aún conservaba. Con el fin de encontrar algún solaz en su sufrimiento, abrió la Biblia y comenzó a leerla. La abrió en Isaías 38, donde Ezequías, uno de los reyes de Israel en tiempos de Isaías, se hallaba cercano a la muerte. Dios le había dicho que pusiera su casa en orden porque moriría sin recuperar nunca su salud.

> **Una de las cosas más maravillosas con respecto a vivir en el reino de la incertidumbre es que uno encuentra que el viaje con Dios está lleno de sorpresas.**

Ezequías volvió su rostro hacia la pared, oró al Señor, y le pidió que le perdonara la vida. Y Dios respondió que había oído sus oraciones, y que agregaría quince años a la vida de Ezequías.

La madre de Susan le preguntó: «¿Qué crees tú que significa esto?» La respuesta esperanzada de Susan fue que Dios prometía que añadiría quince años a la vida de su madre. Entonces, ella le preguntó: «¿Pero qué hay del siguiente versículo? ¿Qué significa esa parte?». Susan dijo que realmente no sabía.

Unos quince años después, George y Susan compraron el club nocturno. Su madre, ya recuperada de su enfermedad, fue invitada a visitar el lugar y bendecir su emprendimiento. Esta es una práctica común en muchas familias asiáticas. Cuando la madre entró, dijo que este sería un lugar muy bueno para una iglesia. George y Susan le explicaron que sería un club nocturno, pero ella simplemente repitió su comentario acerca de que sería perfecto para una iglesia.

Esto nos lleva nuevamente al pasaje sobre Ezequías. La parte que no podían explicar era la siguiente: «Agregaré quince años a tu vida. Y te liberaré a ti y a esta ciudad de la mano del rey de Asiria. Yo defenderé a esta ciudad» (Isaías 38:5-6). Así es que cuando entramos y les dijimos que el club nocturno traería esperanza a la ciudad, y que la liberaría por medio de la presencia de Dios, se estaba cumpliendo la otra mitad del pasaje.

¿Cómo podíamos saber acerca de la extraña obra de Dios en las vidas de George y Susan Luk? Si hubiéramos esperado que todo estuviese preparado antes de comenzar, jamás habríamos ido. Todos queremos milagros, pero luego pasamos nuestra vida evitando el contexto en el que suceden. Cuando atrapamos esos momentos divinos, incluso cuando reconocemos que carecemos de aptitudes para enfrentar el desafío que tenemos delante, experimentamos el poder y la maravilla de Dios. Por cierto, no todos los momentos divinos traen consigo un milagro que nos impacta, pero cada uno de ellos contiene un propósito divino. Una vez escribí lo siguiente para mi familia: «Es el viaje junto lo que compartimos y disfrutamos. Es la aventura que hemos encontrado en su llamado. Somos viajeros en este paisaje divino. Exploradores de misterios peligrosos».

Aun sin los milagros, la aventura ya sería suficiente para nosotros.

INICIO DEL VIAJE DE LA FE

Durante años he bromeado con mi amigo Larry. Él es un ingeniero que siempre ha tenido una visión muy sistemática acerca de cómo obra Dios. Yo me iniciaba como pastor y estaba llamando a la iglesia a un futuro muy peligroso. Les pedía que dejaran las cómodas tradiciones y se mudaran del lugar que les había dado identidad y seguridad. Pero lo que él quería de mí era un profético: «Así lo dice el Señor». Quería que le asegurase que esto era exactamente lo que Dios quería que hiciéramos. Si podía decirle esto, entonces Larry me seguiría dondequiera que fuese. Le referí la experiencia en la vida de Jonatán y le dije: «Larry, lo mejor que puedo hacer es decirte que quizás Dios nos dé éxito. Solo sé que lo que estamos haciendo está bien». Este concepto provocó un cortocircuito total en su mente de ingeniero. Es irónico que Larry y su esposa Rhonda hayan abandonado sus lucrativas carreras como ingenieros para ir a vivir al Asia, sirviendo a la gente en China.

El libro de Hebreos nos dice que la fe es estar seguro de lo que esperamos, tener certeza acerca de lo que no vemos, y que esto fue motivo de gran incentivo para los antiguos. No significa que fueran presuntuosos con respecto a Dios. Significa que creían en Dios, en todo lo que Él prometía. Por lo tanto, es importante observar qué es lo que Dios promete y qué no. Él nos promete que podemos tener certeza acerca de quién es y de nuestra relación con él. Pero la incertidumbre reside en el modo en el que el viaje se desarrollará... aunque el final de la historia no sea incierto. El último capítulo de la historia humana ya ha sido escrito ¡Jesús vence! Y todo aquel que le siga, descubrirá que a lo

> **Por lo tanto, es importante observar qué es lo que Dios promete y qué no. Él nos promete que podemos tener certeza acerca de quién es y de nuestra relación con él.**

largo del camino han sido más que conquistadores en Jesucristo, su Señor. Él derrota a la muerte, la maldad, el sufrimiento, la pena, la soledad y la desesperación, sin mencionar al príncipe de la oscuridad y a sus demoníacos seguidores.

He vivido este viaje de fe y he servido dentro de la comunidad de la fe. He notado que la fe tiene dos dimensiones prácticas. Las describo como fe de primera dimensión y fe de segunda dimensión. La fe de primera dimensión se manifiesta cuando confiamos en Dios en un área que está fuera de nuestra experiencia, pero el desafío que enfrentamos está claramente en el reino de las posibilidades. Dios nos pide que hagamos algo que él ha hecho en las vidas de otras personas; es solo que no tenemos la experiencia. A veces es un llamado de Dios a salir de nuestra experiencia personal, de nuestra zona de comodidad. En la vida de la iglesia, esta dimensión de la fe evoca una respuesta: «Nunca lo hicimos de ese modo». No es que no se haya hecho; es solo que *nosotros* no lo hemos hecho.

La mayoría de los desafíos en la vida son pruebas de fe de primera dimensión: confiar en Dios en cuanto a nuestras relaciones; confiar en Dios con respecto a nuestras finanzas; confiar en Dios en relación a nuestra carrera; y tomar decisiones basándonos en su carácter en cada una de estas áreas. La textura de esta dimensión de fe tiene que ver con el carácter. Se trata de confiar en el carácter de Dios y de que él ponga a prueba nuestro carácter. Por eso, no se puede hablar de fe sin hablar de obediencia.

Muchas veces se confunde la fe con la emoción o el deseo. La fe entonces, se mide por cuán fuertemente sentimos o creemos que algo sucederá. Se supone que si tenemos fe suficiente, lo que pidamos se nos concederá. Por cierto, se nos dice a menudo que si nuestras oraciones no tienen una respuesta afirmativa, es porque nuestra fe no es suficiente. Que no creímos lo suficiente. La característica más constante en quienes siguen a Dios es que su fe es la expresión de su confianza en Dios. No es necesario aumentar nuestra fe en Dios, sino profundizar nuestra confianza en él. La promesa de Jesús acerca de que si pedimos algo en su nombre, él lo concederá, está alimentada no por cuán fuertemente creamos en algo, sino por cuánto representamos el propósito y la intención de Dios. Si la intención de una oración es cumplir con la voluntad de Dios, podemos movernos con confianza, aunque Dios no responda la oración del modo en que esperamos que lo haga. Cuanto más reflejemos el corazón de Dios en nuestras oraciones, tanto más frecuentemente coincidirá su respuesta con nuestro pedido.

Jesús dijo: «Si tienen fe del tamaño de una semilla de mostaza, podrán mover montañas». No dijo que necesitáramos más fe. Dijo que se necesita muy poca fe para lograr grandes cosas. El tema crítico aquí es que cuando nos paralizamos en esta fe de primera dimensión, se nos dice que no creímos lo suficiente. Y sin embargo Jesús nos dice todo lo contrario. En la mayoría de los casos, la fe de primera dimensión tiene que ver con obedecer a Dios en lo que ya ha dicho. Se trata de construir nuestras vidas y avanzar con confianza, alimentados por un compromiso hacia la verdad de Dios. Al mismo tiempo, el foco de atención de nuestras oraciones debe cambiar. En lugar de intentar hacer que Dios haga lo que le pedimos o de preguntarle qué quiere que hagamos, debemos pedirle a Dios —al igual que los primeros discípulos en el libro de los Hechos— que nos de coraje para hacer lo que ya sabemos que debemos hacer.

En Hebreos 11, un capítulo lleno de hombres y mujeres descritos como personas que vivían por la fe, encontramos la característica común de que Dios les habló a todos, los llamó a hacer un viaje, les dijo lo que debían hacer, y ellos lo hicieron. La descripción de Abraham es un buen resumen: «Por fe, Abraham, cuando Dios lo llamó, obedeció y salió para ir al lugar que él le iba a dar como herencia. Salió de su tierra sin saber a dónde iba» (v. 8).

Observe que la dinámica es exactamente la misma que en el caso de Jonatán. Había certeza e incertidumbre al mismo tiempo. Lo que Abraham sabía era que Dios le llamaba para ir a un lugar, por lo cual obedeció y fue. Jonatán fue llamado a ser un guerrero de Dios en contra de la opresión de los filisteos. Los detalles sobre cómo saldría todo no le fueron revelados. ¡Él no sabía nada más! No sabía adónde iba, y sin embargo fue. Parece ridículo, ¿verdad? Salir de viaje hacia un destino desconocido. Uno pensaría que al menos Dios debería decir hacia dónde iría. Pero en el caso de Abraham no fue así. Dios le llamó a emprender un viaje que le llevó al reino de la incertidumbre. Llamó a Israel a una batalla que no sabía cómo ganar. Dios ha hecho esto una y otra vez a lo largo de la historia de la humanidad. Nos llama para que de la comodidad vayamos a la incertidumbre. La fe tiene que ver con el carácter, con confiar en el carácter de Dios, con la certeza de su persona y con seguirlo hacia lo desconocido.

Esta relación entre la claridad y la incertidumbre se acentúa en la vida de Gedeón. Dios le llamó para liberar a Israel de manos de los madianitas. En el saludo de Dios a Gedeón, lo describió como un poderoso guerrero. Dios le llamó para ir con su propia fuerza y salvar a Israel de las manos de los madianitas solo con la promesa de que estaría con él. Como recordará usted, Gedeón no estaba convencido. Dos veces puso su tristemente célebre vellón ante Dios, pidiéndole una señal de que estaría junto a él. Y Dios en su gracia siempre le respondió.

Cuando Gedeón finalmente se comprometió a ir, reunió a treinta y dos mil hombres para ir a la guerra. En ese punto, Dios se mantuvo íntimamente involucrado en el proceso, pero con un tipo de relación que raramente deseamos de él. Le dijo a Gedeón que la victoria le sería fácil, por lo que debía indicarle a los temerosos que regresaran a casa. Su propósito era asegurarse de que nadie se arrogara el crédito por la

> **La fe tiene que ver con el carácter, con confiar en el carácter de Dios, con la certeza de su persona y con seguirlo hacia lo desconocido.**

victoria, sino que dieran la gloria a Dios. Veintidós mil hombres abandonaron, y solo diez mil continuaron con Gedeón. ¡Y hablábamos de ir de la confianza a la incertidumbre! Sin embargo, esto no fue suficiente para Dios. Le dijo a Gedeón que todavía eran demasiados hombres. Le indicó que llevara a los hombres hasta el agua y que los escogiera según el modo en que bebieran: «A los que beben el agua como lo hacen los perros, envíalos a casa. Quédate con los que se lleven el agua a la boca con la mano». Y solo quedó con trescientos hombres. Más incertidumbre creada por Dios.

Dios llamó a Gedeón a luchar contra los madianitas con estos trescientos hombres. El libro de los Jueces describe a estos enemigos de Israel diciéndonos que el poder de los madianitas era tan opresivo que los israelitas habían preparado refugios en las montañas y fortalezas para poder escapar. Cada vez que los israelitas sembraban sus campos, los madianitas y otros pueblos invadían su tierra. Acampaban en el lugar y estropeaban los sembradíos. No perdonaban la vida en Israel. Mataban a todas las ovejas, al ganado y aun a los burros que pertenecían al pueblo de Dios. Una descripción nos dice: «Con sus tiendas de campaña y su ganado invadían el país y lo destruían todo. Venían con sus camellos en grandes multitudes, como una plaga de langostas». Y continúa: «Por causa de los madianitas, los israelitas pasaban por muchas miserias, y finalmente le pidieron ayuda al Señor» (Jueces 6:5-6).

Ante tal enemigo, Gedeón solo tenía ahora trescientos hombres. Debe haberse visto como un hombre desesperado, sentenciado a muerte, viendo todo lo que estaba en su contra. Sin embargo, en este caso, Dios garantizó la victoria. Hasta invitó a Gedeón a espiar y escuchar a los madianitas a escondidas si temía proseguir. Él lo hizo. Y una vez más, Dios confirmó la dirección en que quería que fuera. Finalmente Gedeón se convenció de que él era el guerrero de Dios, llamado a liberar al pueblo.

Y luego, Dios guardó silencio. No le dijo a Gedeón qué hacer en el siguiente paso, ni cómo hacerlo. Con trescientos hombres en contra de una multitud se supone que Dios debía indicarle paso a paso cómo asegurar la victoria. Pero no lo hizo. Lo que vemos es que Gedeón, con la certeza de que cumplía con la voluntad de Dios, avanzó con la fuerza que tenía, como Dios le había ordenado. Así es que Gedeón tomó a sus trescientos guerreros y los convirtió en músicos. Rodeó a los madianitas, les dio a sus hombres antorchas para sostener en la mano izquierda y trompetas para hacer sonar, las cuales sostenían con la mano derecha. Y para aumentar los efectos especiales, hizo que rompieran jarros al mismo tiempo. Los madianitas se sintieron aterrorizados y se pelearon entre sí, lo cual permitió a Gedeón obtener una fácil victoria.

Si este no es un contexto para la incertidumbre, no sé cuál lo será. Sin embargo, una de las maravillas de la incertidumbre es que es el ambiente en el que Dios nos invita a ser creativos. El viaje que puede ser descrito como de la comodidad a la incertidumbre, debe ser una aventura del llamado a la creatividad. Si el único llamado acerca del cual se siente usted seguro es del que Jesús nos hace para que le sigamos y para hacernos pescadores de hombres, entonces ya es suficiente. Él nos encomienda a todos a ir y hacer discípulos en todas las naciones. Vino a buscar y a salvar lo que está perdido. Todos tenemos un llamado a dar nuestras vidas por él. Usted puede avanzar en la vida únicamente con este mandato.

Sin embargo, una de las maravillas de la incertidumbre es que es el ambiente en el que Dios nos invita a ser creativos.

En Juan 13 vemos que cuando Jesús supo que todo el poder le había sido dado bajo su autoridad, ató una toalla alrededor de su cintura y les lavó los pies a los discípulos. Luego indicó a los discípulos que debían hacer lo mismo. Sus instrucciones eran claras: Dios mismo ha venido a servirnos. Nosotros debemos ir ahora y servir al mundo. Si todo lo demás permanece incierto, tenga en claro este punto: hay un llamado para su vida. Hay un nivel de claridad que usted puede conseguir sobre qué hacer a cada momento. Servir a otros funciona como una brújula en medio de la niebla. La forma única en que Dios nos ha diseñado —con talento, intelecto, dones, personalidad y pasiones— nos informa sobre cómo expresar ese servicio. Pero no pidamos que Dios llene los espacios en blanco. No esperemos que él quite toda la incertidumbre. Sepamos que en realidad él puede aumentar la incertidumbre y poner todo en nuestra contra, solo para que sepamos que finalmente no eran nuestros dones, sino su poder a través de ellos, los que cumplieron su propósito para nuestra vida.

Si todo lo demás permanece incierto, tenga en claro este punto: hay un llamado para su vida.

La fe de primera dimensión no es solo confianza en el carácter de Dios, sino también transformación de nuestro carácter. Gran parte de esta fe de primera dimensión trata sobre hacer lo correcto, sin importar las circunstancias o las consecuencias. Es tener fe en que Dios estará con nosotros cuando hagamos lo correcto. A menudo comprometemos el carácter para evitar consecuencias indeseadas. Todos debemos comenzar en el mismo lugar, y gran parte de nuestros momentos divinos se forjan en esta área.

CUANDO LA FE SE VE COMO FIDELIDAD

Tengo una querida amiga llamada Shelly Collins que ha tenido que tomar decisiones de fe de primera dimensión. Cuando promediaba sus treinta años, era soltera y ——al igual que muchos de nosotros— ansiaba disfrutar del gozo del matrimonio. En sus muchos años en Los Ángeles jamás había aparecido la persona que tanto esperaba que Dios le enviara. El sentido común indica que uno debe permanecer en un lugar en el que haya muchos hombres compatibles si desea aumentar las oportunidades de contraer matrimonio. Esto no era algo sin importancia una vez que Shelly comenzó a pensar en mudarse a otro país para servir en el mundo musulmán. Algunos de los consejos que recibía le indicaban que era perfectamente legítimo esperar a que Dios le trajera un compañero de vida antes de irse. Pero para Shelly el llamado de Dios era claro. Él le estaba invitando a emprender un viaje que tenía ciertas incertidumbres reales, prácticas. Y así, al igual que Abraham, obedeció y partió, sin saber muy bien hacia dónde iba.

Durante su entrenamiento como misionera en Richmond, un hombre que había sido misionero en Corea había regresado a los Estados Unidos luego de la muerte de su esposa. Su compañera de vida y de ministerio había fallecido a causa del cáncer. Ahora él era supervisor de entrenamiento para los nuevos misioneros. En esos pocos días de entrenamiento, este hombre vio con claridad que Dios le había enviado a Shelly. Cuando hablé con Steve, me describió esta atracción magnética hacia Shelly con dos conceptos: misión y pasión. Había conocido a una mujer que tenía un enfoque complementario de la vida, y además, se sentía atraído hacia ella. Shelly jamás habría podido prever que no se iría sin un marido, y jamás le habría conocido si no hubiera aceptado la invitación de Dios para atrapar su momento divino y vivir en el reino de la incertidumbre. Hoy, ella y Steve viven en el Mediterráneo, sirviendo a los musulmanes.

Si quiere atrapar sus momentos divinos, debe aceptar que está en una misión divina. Dirigiéndose a Timoteo, el apóstol Pablo le recordó la invitación que Cristo nos ha hecho a todos. Le imploró: «No te avergüences, pues, de dar testimonio a favor de nuestro Señor; ni tampoco te avergüences de mí, preso por causa suya. Antes bien, con las fuerzas que Dios te da, acepta tu parte en los sufrimientos que vienen por causa del evangelio. Dios nos salvó y nos ha llamado a formar un pueblo santo, no por lo que nosotros hayamos hecho, sino porque ese fue su propósito y por la bondad que ha tenido con nosotros desde la eternidad, por Cristo Jesús» (2 Timoteo 1:8-9). También nos dijo en Efesios 2:10 que «es Dios quien nos ha hecho; él nos ha creado en Cristo Jesús para que hagamos buenas obras, siguiendo el camino que él nos había preparado de antemano». En Gálatas 5:13, Pablo declara: «Ustedes, hermanos, han sido llamados a la libertad. Pero no usen esta

> **Si quiere atrapar sus momentos divinos, debe aceptar que está en una misión divina.**

libertad para dar rienda suelta a sus instintos. Mas bien sírvanse los unos a los otros por amor». Santiago lo dijo de esta manera: «El que sabe hacer el bien y no lo hace, comete pecado» (Santiago 4:17).

Si va a embarcarse en un viaje con Dios, debe elegir vivir una vida en concordancia con él. Jamás olvide que matamos al Hijo de Dios. Vivir una vida en concordancia con Dios puede ser una empresa peligrosa. Sí, hay un misterio en la fe, pero también hay practicidad. La fe de primera dimensión nos llama a vivir en las realidades concretas de la vida. Y si bien Dios puede desafiarnos a emprender un viaje que está fuera de nuestra experiencia, la fe en este dominio solo trata de posibilidades.

Pero aquí están los elementos críticos para capturar en este dominio de la fe: hay infinitas posibilidades esperándonos, gran parte de la vida que Dios anhela que vivamos está a solo un paso de distancia, y gran parte de la plenitud que Jesús nos promete se pierde a causa de nuestro carácter. Cuando sacrificamos nuestro carácter, cuando elegimos un camino que carece de integridad, estamos intentando tomar la vida en nuestras propias manos. Declaramos entonces que no confiamos en los caminos de Dios. Intentamos controlar aquello que jamás ha estado bajo nuestro control, y al mismo tiempo, renunciamos al control de aquello por lo que somos responsables.

La aventura de la fe comienza con la fidelidad. Ser fiel es tomar responsabilidad por el bien que sabemos hacer. Se trata de tomar aun las tareas más pequeñas que tenemos por delante como algo importante, que merece nuestro mejor esfuerzo. La fidelidad es el camino al reino de Dios, a mayores oportunidades, a mayor responsabilidad y aventura. Jesús nos dice que a quien es fiel en las cosas pequeñas se le confiarán cosas más grandes, lo cual nos lleva a una importante verdad: la fidelidad es una respuesta al llamado. Y todos hemos sido llamados por Dios a ser fieles. Todos los que han elegido seguir a Cristo también han sido llamados por Dios. Todos los ciudadanos del reino de Dios tienen un llamado. Puede ser que esté esperando que Dios le llame sin darse cuenta de que ya lo ha hecho. Usted fue creado para reflejar la imagen de Dios y para cumplir con su propósito. Es el producto viviente de la intencionalidad divina. No es un accidente. Usted fue creado a propósito, y a causa de ello, puede saber que tiene un propósito. ¿Está dispuesto a vivir una vida que honre a Dios y refleje su carácter, dejando el resultado en sus manos? ¿Está dispuesto a vivir por la fe y confiar en que él le será fiel? Habrá días en este viaje de fe en los que el resultado se vea claramente, y quizás no le gusten demasiado las implicancias. En esos días deberá ——como lo hizo Jesús— declarar: «Padre, si quieres, líbrame de este trago amargo; pero que no se haga mi voluntad, sino la tuya» (Lucas 22:42).

> **Usted fue creado para reflejar la imagen de Dios y para cumplir con su propósito.**

UNA NUEVA DIMENSIÓN PARA VIVIR

Cuando tomamos la decisión que se requiere para vivir una vida que maximiza la fe de primera dimensión, comienza la diversión de verdad. Si la fe de primera dimensión nos lleva fuera de nuestra experiencia, la fe de segunda dimensión nos lleva fuera de lo explicable. La primera ve la realidad en el dominio de lo posible, pero la segunda ve la realidad en el dominio de lo imposible. En la fe de primera dimensión, el contexto para los milagros es interno. Dios obra en nosotros y por medio de nosotros. En la fe de segunda dimensión el contexto a menudo es externo. La mano de Dios está claramente alrededor de nosotros.

La victoria que Jonatán vivió aquel día comenzó cuando Dios obró a través de él y su espada. No es poca cosa que un hombre con una espada pueda matar a una multitud que posee gran cantidad de armas. Luego Dios envió un terremoto, y la cosa se puso muy interesante. Estoy convencido de que Dios desea dejar sus huellas digitales en nuestras vidas, para actuar en representación nuestra y sorprendernos con su magnificencia. Estoy igualmente convencido de que la mayoría de las veces no le damos a Dios un contexto en el que pueda hacerlo. Lo mundano no es en realidad el mejor contexto para un milagro. Cuando jugamos a lo seguro, borramos a Dios de la fórmula. Si solo vamos a lo conocido y hacemos lo que sabemos que resultará bien, estamos eliminando nuestra necesidad de Dios. Cada vez que respondemos a la invitación de Dios, nuestra necesidad de él aumenta. Cada vez que aceptamos un desafío presentado por Dios, la autosuficiencia deja de ser una opción.

La Biblia está llena de fe de primera dimensión, pero es la fe de segunda dimensión la que más se destaca. Daniel vivía en los tiempos en que Babilonia gobernaba sobre Israel. Darío era el rey, y con su gobierno llegaron sus dioses. Daniel era uno de los jóvenes consejeros hebreos elegidos para servir en la corte real. Había logrado obtener un lugar de gran influencia y respeto, pero alguien convención a Darío de que orar al Dios de Israel era un delito. Cuando el rey Darío le ordenó orar únicamente a él, Daniel se negó. En lugar de obedecer, fue a su casa, subió las escaleras hasta donde estaba la ventana abierta, y tres veces al día se arrodillaba y oraba, dando gracias al Dios viviente, como lo había hecho siempre.

> **Cada vez que aceptamos un desafío presentado por Dios, la autosuficiencia deja de ser una opción.**

La fe de primera dimensión de Daniel era que oraba todos los días junto a la ventana, aun cuando esto fuera ilegal. Hacía lo correcto, sin importarle las consecuencias. Su fe de segunda dimensión se hizo evidente cuando el rey le echó en la fosa de los leones, y Dios intervino. Daniel sobrevivió esa noche. No habría habido necesidad de fe de segunda dimensión en la vida de Daniel si él no hubiera sido fiel en la primera dimensión.

Muchas veces, la fe de primera dimensión crea el contexto para la segunda dimensión Debemos recordar que si nos arrojan a la fosa de los leones y somos devorados por estos, Dios aún se mantiene fiel. Esto es lo que hace de la fe de segunda dimensión algo tan excitante. Sabe que Dios será honrado porque usted ha hecho lo correcto. Encontramos una lista de hombres y mujeres como estos en Hebreos 11, comenzando en el versículo 35. Luego de describir a muchos, cuyos viajes de fe les llevaron a la victoria en esta vida, el escritor describe a otros cuyas vidas fueron la victoria.

Entre quienes vivían por fe, estaban quienes «murieron en el tormento, sin aceptar ser liberados, a fin de resucitar a una vida mejor. Otros sufrieron burlas y azotes, y hasta cadenas y cárceles. Y otros fueron muertos a pedradas, aserrados por la mitad, o muertos a filo de espada; anduvieron de un lado a otro vestidos solo de piel de oveja y de cabra; pobres, afligidos y maltratados. Estos hombres, que el mundo ni siquiera merecía, anduvieron sin rumbo fijo por los desiertos, y por los montes, y por las cuevas y las cavernas de la tierra» (vv. 35-39).

Si a usted lo echan en la fosa de los leones, por supuesto que tendrá esperanzas de continuar allí en la mañana, para celebrar. Pero si esto no sucede, usted estará en presencia de Dios, lo cual indica que le habrá hecho un pequeño favor a un grupo de leones hambrientos.

EMBARAZADOS DE FE

Si describimos la vida de fe por medio de la metáfora del parto, entonces Sara y María son nuestras mejores analogías para explicar la fe de primera y segunda dimensión. Ambas mujeres dieron a luz. Ambas quedaron encinta por intervención milagrosa de Dios, pero por supuesto, el modo en que quedaron encinta fue diferente en cada caso.

Sara tenía unos noventa años, y Abraham, más de cien. Cuando Dios les dijo que tendrían un bebé, Sara rió. Creo que se reía de Abraham. Sabía que sería muy poco probable que pudiera quedar encinta. Había sido estéril durante toda su vida, y sus años fértiles ya habían pasado. Lo único que tenían era la promesa de Dios. Su desafío era de fe de primera dimensión... confiar en Dios y hacer lo que él diga. En realidad, no confiaron en Dios, por lo que Sara le dio a Abraham a Agar, su concubina, para que esta le diera un hijo. Eso era algo habitual en aquellos tiempos, pero no era el modo en que Dios tenía planeado cumplir su promesa. No confiaron en el carácter de Dios y actuaron fuera del carácter que Dios deseaba para ellos.

Con el tiempo Sara quedó encinta y tuvieron un hijo al que llamaron Isaac. Abraham y Sara tuvieron dificultad con el tema de la fe de primera dimensión. Era algo difícil de creer, pero podría suceder siguiendo el proceso natural y estaba dentro del dominio de lo posible. Para ponerlo de manera elegante, a pesar de que no creían del todo en lo que Dios les decía, no dejaron de intentar tener un hijo. Dios les había prometido que tendrían un hijo, pero se requería de su participación para ello. Sara quedó encinta a la manera tradicional.

María, por otra parte, presenta una historia diferente. Vivía una vida que agradaba a Dios, y él la eligió por su fidelidad. Quedó encinta mediante la milagrosa intervención del Espíritu Santo. Esto no estaba solo fuera del dominio de la experiencia, ¡ciertamente, ni siquiera estaba en el dominio de lo posible! El viaje de María la llevó fuera del reino de lo explicable hacia el dominio de lo imposible. Si bien todo es posible con Dios, hay muchísimas cosas que ciertamente son imposibles sin él. Esta es la siguiente dimensión de fe. Cuando Dios interviene y no hay realmente ninguna explicación humana, nuestra vida apunta a él y su mano es innegable. Este tipo de fe es generalmente la que atrapa nuestra atención. Los hombres y las mujeres que tienen esta fe son los que típicamente se consideran héroes de la fe. En cierto modo, tiene mucho sentido. Todo aquel que siga a Dios forma parte de una comunidad de fe. La fe es un requisito para la ciudadanía en el reino de Dios. Por lo tanto, en cierto sentido, toda persona que sigue a Jesucristo es una persona de fe. Pero todos sabemos que hay quienes se distinguen en el área de la fe. Parecen moverse naturalmente en este segundo dominio de la experiencia.

> Cuando Dios interviene y no hay realmente ninguna explicación humana, nuestra vida apunta a él y su mano es innegable.

Parecen conductores, canales, instrumentos de milagros. No sucede todo el tiempo, pero ciertamente, muchísimas veces. La mayoría de nosotros anhela tener y experimentar este tipo de fe.

La primera dimensión es, nuevamente, la tarea dura de la fidelidad. La segunda dimensión parece estar en el lugar en que se desarrolla la verdadera acción. No debiera entonces sorprendernos que continuamente busquemos maneras de acceder a la segunda dimensión de fe sin tener que incluir a la primera. Sin embargo, la mayoría de las veces son inseparables.

ANDE A CIEGAS

Una historia inusual en Juan 9 cuenta acerca de la sanidad de un hombre que había nacido ciego. Los discípulos estaban caminando con Jesús y señalaron a este hombre, no para pedirle a Jesús que lo sanara, sino para iniciar una conversación teológica. Le preguntaron a Jesús: «Maestro ¿este hombre nació ciego a causa de su pecado, o a causa del pecado de sus padres?».

Parte de la teología judía indicaba que el sufrimiento humano era el resultado del juicio de Dios por nuestros pecados. Entonces Jesús explicó que ninguna de las dos era la conclusión correcta: «Esto sucedió para que la obra de Dios pudiera ser revelada en esta vida» (v. 5). Más tarde, Jesús se acercó al hombre para sanarle. Y quiero que veamos cómo sanó a este hombre. El relato dice que Jesús escupió en el suelo y mezcló su saliva con el polvo, formando barro. Luego tomó el barro y lo puso sobre los ojos del hombre.

Digamos que la situación del hombre, con solo ser objeto del ridículo, ya sería mala. Y el hecho de que los discípulos de Jesús le vieran solo como objeto para la discusión, en lugar de verle como un ser humano que necesitaba compasión y ayuda, la empeoraba. Pero si le añadimos la saliva y el polvo, puestos como máscara sobre el rostro, veríamos el hecho como un insulto, o al menos, esa es mi opinión. Recuerde que el hombre era ciego, no sordo. Sabía exactamente qué estaba sucediendo. Un observador interesado debería concluir que Jesús se estaba burlando del hombre. Aun quienes tenían esperanzas en que la metodología un tanto extraña de Jesús condujera a un acto de misericordia, rápidamente habrían abandonado tal esperanza cuando Jesús mandó al hombre a lavarse en el pozo de Siloé.

A veces leemos este pasaje con demasiada santidad. Cuando interpretamos la textura de este evento para hacer que se vea encuadrado dentro de lo adecuado, pensamos en nuestro subconsciente: *Bueno, era la saliva de Dios, santa, un barro sagrado, una mezcla milagrosa que solo Dios podría comprender y crear.* Pero creo que esta idea no hace justicia a la experiencia. La saliva no era de la parte «completamente divina» de Jesús, sino que provenía de su parte «completamente humana». Era, simplemente, saliva. Y dicho sea de paso, debe haber sido mucha saliva. Mezclada con sucio polvo, formando barro, y luego puesta sobre el rostro de un hombre ciego que no podía defenderse. Probablemente este hombre pensó: *Si paso por esta humillación, quizás Jesús me sane.*

No puedo imaginar qué pasaba por su mente cuando Jesús le dijo: «Ve al pozo de Siloé y lávate». ¿Qué habría hecho usted? Es ciego. ¿Cómo se supone que llegará al pozo de Siloé? ¿Le estaba ofreciendo Jesús su ayuda? ¿Le estaba indicando a un discípulo que le guiara hasta allí? Yo no habría ido a ninguna parte si hubiera estado en las sandalias de este ciego. Me habría quedado allí. Habría insistido en que me sanara antes irse. Me habría sentido ofendido, con amargura en el corazón, y habría acusado a Jesús de ser insensible y de no tomar en cuenta mi dolor.

Pero el hombre fue. El relato no dice cómo llegó hasta allí, solo dice que fue. Se lavó el rostro, como le había indicado Jesús, y volvió a casa sanado, viendo perfectamente. Sus vecinos enseguida notaron lo que había sucedido. El que había nacido ciego y solo había podido sentarse a pedir limosna ahora podía ver. Cuando le preguntaron quién había abierto sus ojos, el hombre explicó: «Ese hombre que se llama Jesús hizo lodo, me lo untó en los ojos, y me dijo: "Ve al estanque de Siloé, y lávate". Yo fui, y en cuanto me lavé, pude ver» (v. 11).

Hay una observación importante que hace Juan y que no debemos pasar por alto. Él resalta un pensamiento parentético que hilvana esta experiencia. Explica que Siloé significa *Enviado.*

Literalmente, y metafóricamente, era el lugar de la obediencia. Cuando Jesús le ordenó al hombre ir a un lugar llamado Enviado, acudiendo allí sin tener la respuesta a sus oraciones aún, con sus necesidades sin solución todavía, y con sus preguntas aún pendientes de respuesta, le envió en condiciones bastante peores a las que este hombre tenía antes de su encuentro con Jesús. Ciego, con el rostro cubierto de lodo, alejándose del único que podría ayudarle. Quizás nunca habría comprendido que su sanidad únicamente se produciría en el lugar llamado Enviado. Y que si se hubiera negado a ir allí, el milagro habría pasado de largo, sin tocarle.

Este hombre es un ejemplo dramático de la interconexión que hay entre la fe de primera dimensión y la de segunda dimensión. La fe de primera dimensión está en responder en obediencia a lo que Dios ya ha dicho. Luego, entramos en el contexto de lo milagroso... somos bienvenidos a la segunda dimensión.

¿Cuántos de nosotros nos hallamos sentados frente a Dios, con barro en nuestros rostros, esperando que Dios nos sane? ¿Cuántos le hemos dicho a Dios: «Sáname, y luego iré»? ¿Es posible que haya un lugar al que debamos ir para sentir la plenitud de Dios en nuestra vida? Para todos nosotros existe un estanque de Siloé, un lugar llamado Enviado, un viaje al que somos llamados cuando las cosas son más inciertas que ciertas, donde nuestra necesidad de fe en Dios aumenta a cada paso en lugar de disminuir. Este viaje requiere que tengamos absoluta certeza de la bondad de Dios, y al mismo tiempo, requiere que renunciemos a la exigencia de conocer los detalles.

AVANCE

Esta relación entre la fe y la incertidumbre es inevitable. Aquello que ayer requería fe de usted, mañana puede llegar a ser algo común. A pesar de que aún hay expresiones de su fe, estas ya no son los retos que le impulsa hacia una nueva experiencia en la fe. Si bien al comienzo la confianza en que Dios le lleve fuera de su experiencia es un gran salto de fe, con el tiempo Dios esperará más de usted. Recuerde, la fe implica estar seguro de aquello que esperamos y tener certeza acerca de lo que no vemos. Cuando algo se vuelve certeza, ya no requiere de la fe. No se sorprenda si lo que Dios le pedía ayer es insuficiente para su viaje de fe en el día de hoy.

Moisés había guiado al pueblo de Israel fuera de Egipto, liberándolo del cautiverio. Diez plagas habían finalmente convencido al Faraón de dejar ir al pueblo de Dios.

No se sorprenda si lo que Dios le pedía ayer, es insuficiente para su viaje de fe en el día de hoy.

Ahora Moisés se hallaba parado frente al Mar Rojo, con el Faraón, arrepentido de su concesión, persiguiendo a los que habían sido sus esclavos. Cuando Moisés se hallaba esperando junto a las aguas, Dios le indicó: «Levanta tu bastón, extiende tu brazo y parte el mar en dos, para que los israelitas lo crucen en seco» (Éxodo 14:16). Dios le permitió a Moisés estar parado en la orilla, creando un sendero para su pueblo.

Su aprendiz, Josué, no disfrutó de este lujo. Moisés murió. Y Josué, que había sido ayudante de Moisés, se convirtió en el líder de Israel. Estaba junto al río Jordán, entre el pueblo de Dios y la tierra prometida. A Moisés se le había permitido estar en la orilla y ver cómo se abrían las aguas, pero a Josué se le dieron instrucciones diferentes. Esta vez Dios les ordenó: «Por eso, escojan ahora doce hombres, uno de cada una de las doce tribus de Israel. Cuando los sacerdotes que llevan el arca del Señor de toda la tierra metan los pies en el agua, el río se dividirá en dos partes, y el agua que viene de arriba dejará de correr y se detendrá como formando un embalse» (Josué 3:12-13).

Con Moisés, Dios separó las aguas y luego el pueblo cruzó. Con Josué, los líderes debieron comenzar a cruzar primero y luego las aguas se abrieron. A lo largo del viaje de mi vida, una y otra vez he visto que Dios cambia los parámetros de mi fe. Aumenta sus expectativas hacia mí. Lo que significa vivir en la orilla mientras nuestra fe recién comienza a desarrollarse, no será la medida de fe requerida cuando hayamos madurado. Debemos esperar y desear que Dios vaya desde el punto en que abre las aguas mientras nosotros miramos, hasta el punto en que nos indique que crucemos las aguas y vivamos el milagro en carne propia. En la primera instancia somos espectadores del milagro. Pero en la segunda somos parte de este. Ambas experiencias son expresiones de un viaje de fe. Ambas guardan increíble similitud, pero lo que Dios pide en la segunda, excede a lo que pidiera en la primera. Mi experiencia es que en tanto andamos con Dios, él expande nuestra capacidad de fe. ¿Es posible que pudiéramos andar con Dios de modo tal que toda nuestra vida fuera una experiencia de fe de segunda dimensión? No estoy totalmente seguro, pero sí sé que quiero descubrirlo.

Hasta las imágenes que Dios utiliza despiertan mis ansias por vivir en una dimensión diferente. Hay algo profundo en la relación entre las aguas que se abren tan solo cuando las plantas de los pies de esta gente tocan la superficie. Veo la misma relación en Romanos 16:20 cuando Pablo nos dice que «el Dios de la paz pronto aplastará a Satanás bajo los pies de ustedes». No tengo problema en creer que Dios aplastará a Satanás. Pero lo que sí cuesta creer es que no solo será bajo los pies de Dios que Satanás quedará aplastado, sino bajo mis pies... nuestros pies. Puedo entender que los pies de Dios aplasten a Satanás. Se nos dice que el cielo es el trono de Dios y que la tierra es el estrado de sus pies. ¡Sí que son pies grandes! Sin embargo, se nos ocurre preguntar: si las plantas de nuestros pies tienen este tipo de poder cósmico, ¿cuál es el potencial oculto que Dios ha puesto en todo lo que resta de nosotros?

Un poder que viene de Dios se conoce solo cuando caminamos, cuando avanzamos. Jesús comenzó su ministerio público invitándonos a seguirle. Hay gran consuelo en una invitación tan íntima, y sin embargo, no debemos olvidar que Dios está en un viaje que ninguno de nosotros puede iniciar sin él. El rey David lo dijo de la siguiente manera: «Aunque pase por el más oscuro de los valles, no temeré peligro alguno, porque tú, Señor, estás conmigo; tu vara y tu bastón me inspiran confianza» (Salmo 23:4).

El Dios de luz insiste en viajar a lugares oscuros; el Dios de paz continuamente se involucra en las guerras de los hombres; el Dios que es bueno se involucra con la profundidad de la maldad humana. El único Dios que puede liberar y salvar a costa de su propia vida, baja al calabozo de la perdición humana para liberar a quienes estén dispuestos a renunciar a sus cadenas para vivir una vida con él. Seguir a Jesús es entrar en lo desconocido, abandonar la seguridad, intercambiar la certidumbre por la confianza en él.

SUFRIMIENTO MOMENTÁNEO

Hace más de veinte años, cuando recién comenzaba mi camino en Cristo, me topé con los escritos del profeta Jeremías. Era una persona que se relacionaba fácilmente conmigo, especialmente en épocas de crisis y frustración. Jeremías nos proveyó de una ventana hacia su propia alma cuando gritó a Dios con frustración. Se lamentó:

> Señor, tú me engañaste, y yo me dejé engañar; eras más fuerte, y me venciste. A todas horas soy motivo de risa; todos se burlan de mí. Siempre que hablo es para anunciar violencia y destrucción; continuamente me insultan y me hacen burla porque anuncio tu palabra (Jeremías 20:7-8).

Hay que estar al borde de lo que puede uno soportar para creer en Dios y hablarle de este modo. ¿Puede usted imaginarse a alguien diciéndole a Dios con ira: «Me engañaste»? Jeremías había hecho todo lo que Dios le había pedido que hiciera. Se había mantenido sinceramente en el viaje al que Dios le había invitado. ¿Y cuál era su recompensa? Una vida de angustia y pena. De dolor y decepción. No debía sorprenderle, ya que desde el día en que Dios le llamó le había avisado que la nación se volvería en contra de él. Describió su recompensa por su fidelidad a Dios como un sufrimiento a causa de insultos, burlas y reproches, todo el día. Estaba enojado con Dios porque no creía que él hubiera cumplido con su parte.

Si seguir a Dios es una bendición, para Jeremías era una maldición. Nada parecía salir bien. ¿No sería fascinante que todos nuestros maestros contemporáneos en materia de prosperidad y bendiciones interactuaran con Jeremías hoy día? ¿Creería Jeremías que le hablaban acerca del mismo Dios? ¿Tendría Jeremías una crisis de fe, preguntándose si de algún modo había errado su camino? ¿Se sentiría tan amargado con respecto al Dios de Israel como para abandonar su fe y convertirse en seguidor del Dios de América?

Esto me recuerda un comercial en el que cada persona se identifica como Emmitt Smith. Todos dicen llamarse del mismo modo, pero no son la misma persona. Pienso que Jeremías se habría enfrentado con el mismo dilema. Utilizamos el nombre del mismo Dios, pero de seguro, él se ve de maneras diferentes. Jeremías seguía al Dios verdadero, y lo que experimentaba era una vida verdadera en Dios. Aún le esperaban atentados en contra de su vida, la prisión y la indignación de ser arrojado a una cisterna, para nombrar solo algunas de sus futuras experiencias. Estaría muy bien preparado para escribir la literatura poética que conocemos como Lamentaciones.

La vida de Jeremías nos recuerda que aun cuando el punto de comienzo y la conclusión final sean certeros, el medio puede ser turbulento e inestable. El viaje de Jeremías comenzó con la descripción de Dios acerca de su íntima relación con él. Antes de ser concebido, ya era conocido por Dios. Antes de nacer, había sido apartado, elegido por Dios para un propósito único y divino. Sin siquiera conocer los detalles, a Jeremías le sobrecogió la invitación de Dios. Su respuesta fue confesar su poca aptitud, reconociendo sus temores. Pero Dios no cejó, y le instruyó: «No digas que eres muy joven. Tú irás a donde yo te mande, y dirás lo que yo te ordene. No tengas miedo de nadie, pues yo estaré contigo para protegerte. Yo, el Señor, doy mi palabra» (Jeremías 1:7-8).

No solo el comienzo había sido diseñado por la mano de Dios, sino además tenía la promesa de que finalmente vencería. Más tarde, reforzó esta promesa al revelarle lo difícil que sería el viaje que emprendería. Dios le prometió: «Ellos te harán la guerra, pero no te vencerán, porque yo estaré contigo para protegerte. Yo, el Señor, doy mi palabra» (Jeremías 1:19).

Es fácil entender que con estas palabras, Dios le indicaba que todo conflicto y toda dificultar producirían una victoria instantánea y serían causa de celebración. Y no es difícil ver por qué Jeremías sentía que Dios le había engañado. Jeremías atrapó su momento divino, pero no había entendido del todo las implicancias de tal decisión. Moverse con Dios no es encontrar una vía de escape a las dificultades de la vida. Los momentos divinos no son portales a un mundo exento de sufrimiento.

La certeza de que Dios nos ha llamado, y la confianza en que él obrará su victoria en nuestra vida, no son garantía de un viaje seguro y tranquilo.

> **La certeza de que Dios nos ha llamado, y la confianza en que él obrará su victoria en nuestra vida, no son garantía de un viaje seguro y tranquilo.**

Podemos encontrar inspiración en Jeremías al ver que se negó a renunciar al regalo que Dios le había dado. Dios le había invitado a su propósito, a unirse a él en una aventura, como privilegio, cualquiera fuese el costo. Incluso en su momento de debilidad, Jeremías surge como un hombre que debe hacer lo correcto sin importar las consecuencias. No a todos se nos llama a vivir la experiencia de Jeremías, pero sí se nos llama a tomar este nivel de compromiso.

Necesitamos explorar esta experiencia si pensamos iniciar este viaje divino con seriedad. Si malentendemos la esencia de los momentos divinos, nos será difícil mantenernos con firmeza para cumplir con la obra de Dios en nuestra vida. Si buscamos soluciones rápidas para escapar del aburrimiento o las dificultades, no funcionará. Para atrapar un momento divino debemos atesorar la invitación de unirnos a Dios. Estos momentos pueden abrazarse en su plenitud solo cuando un momento con Dios vale más para nosotros que toda una eternidad sin él.

Cuando Jesús le dijo que en su vejez sería atado y llevado a donde no quisiera ir, Pedro respondió ante esta imagen de su muerte con una pregunta: «¿Y qué hay de Juan?». Sé exactamente lo que estaba pensando: *No me importa sufrir por ti, Señor, mientras todos los demás también deban también sufrir.*

Si usted fuera el único llamado a sufrir, ¿seguiría a Dios?

¿CUÁL ES EL VALOR DE UN MINUTO?

Ya hace varios años que enfrenté este mismo dilema. El teléfono sonó temprano en la mañana. Mi esposa Kim suele despertarse muy temprano, pero yo duermo un poco más. Solo se podría decir que me despierto temprano cuando he pasado la noche sin dormir y amanezco despierto. Así que, cuando sonó el teléfono antes del amanecer, fue una interrupción molesta y poco bienvenida. Era mi hermana menor, Lei. Según recordaba, esta era la primera vez que me llamaba. No es que no mantuviésemos contacto, sino que rara vez sucedía telefónicamente.

   ¿No es horrible que a uno lo despierten para preguntarle si está despierto? Uno se siente obligado a mentir. Con mi hermana, luché contra el sueño y le pregunté el motivo de su llamada. Dudó al principio, y luego me preguntó:

—¿Qué harás hoy?

—¿Por qué? ¿A qué te refieres? —le respondí.

—Bueno, a qué harás hoy —dijo

—Nada en particular —contesté.

—Anoche soñé contigo —añadió luego.

   Entonces noté que estaba llorando. Mi hermana siempre ha sido muy especial, como una persona que marcha al ritmo de un tambor distinto al de los demás. Cuando me despertó para decir que había soñado conmigo, y hablaba llorando, me puse un tanto nervioso. Realmente no quería saber, pero tuve que preguntar:

—¿Y de qué trataba el sueño?

—Soñé que morías —dijo, y repitió— soñé que morirías hoy. ¿Estás a punto de hacer algo peligroso hoy?

   No podía pensar en nada especial, además del hecho de que volaría esa noche desde Dallas hacia Las Vegas para asistir a la convención nacional de nuestra denominación, en la cual estaba invitado a disertar. Cuando le dije que volaría aquella noche, comenzó a rogarme que no lo hiciera. Parecía segura del hecho de que si abordaba el avión, moriría. Aún tratándose de Lei, la conversación era bastante rara. El día estaba comenzando mal.

Unas horas más tarde, recibí una llamada telefónica de mi madre. Comenzó la conversación preguntando:

—¿Has hablado con tu hermano Alex?

—No, no recientemente —dije.

—¿Sabes si está bien? —me preguntó en tono de angustia.

—No, no lo sé. ¿Por qué? —respondí.

Luego me dijo que había soñado que uno de sus dos hijos moriría. Así que, primero, mi hermana había soñado que yo moriría, y luego mi madre sueña que uno de sus dos hijos morirá. ¿Mencioné ya el hecho de que mi otra hermana más tarde me relató que también había soñado algo similar? ¿Acaso dije que vengo de una familia fuera de lo común?

Me dirigí a mi esposa, después de todo, ella no está afectada por la anomalía genética que ha enloquecido a mi familia entera.

—Creo que mi familia está loca —le dije, y le relaté lo que estaba sucediendo

Kim permaneció callada y pálida.

—Amor, sabes que jamás recuerdo mis sueños, pero hace unas dos semanas, desperté llorando en medio de la noche porque había soñado que morías —confesó.

No eran las palabras de consuelo que esperaba de parte de mi esposa. Todo el mundo a mi alrededor había enloquecido.

Y luego, el clima. Vivíamos en Dallas entonces, y allí se dan las formaciones de tormenta conocidas como Azules del Norte, que traen condiciones extremas, con nieve o lluvia. Era uno de esos días con nubarrones, un entorno ominoso, relámpagos enceguecedores y truenos ensordecedores.

Debo admitir que la ansiedad que las llamadas telefónicas no lograron causar en mí sobrevino al ver las condiciones del clima. Kim me llevó al aeropuerto esa tarde, un tanto nerviosa por mi partida en circunstancias tan inusuales. Llovía muchísimo cuando entré en la terminal, por lo cual llegué a la conclusión de que aquel era un mal nombre para un edificio en un aeropuerto. Mi vuelo estaba demorado a causa del mal tiempo. No había certeza acerca de cuándo podrían despegar los aviones. Comencé a caminar por el aeropuerto, preguntándome qué estaría sucediendo ¿Por qué había soñado mi familia con mi muerte? ¿Por qué había condiciones climáticas tan malas en este día en particular?

Luego, repentinamente, encontré una máquina que jamás había visto antes. Era una de esas computadoras para obtener seguros al instante. Donde uno paga $10 y obtiene un seguro de $100.000, o algo por el estilo. Debo admitir que no tenía seguro de vida entonces. Jamás sentí que lo necesitara. Jamás había sentido que podría morir. Estaba acostumbrado a viajar todo el tiempo, nunca me había molestado esto. Y sé que jamás había visto una de esas máquinas de seguros en mi vida, no desde que había comenzado a volar a la edad de 5 años. ¿Por qué la veía ahora? ¿La habrían puesto recién? ¿Era este un nuevo servicio en el aeropuerto? ¿Era Dios que me hablaba: *Erwin compra un seguro, morirás hoy?* Sentí que ya estaba muerto.

No tenía dinero en efectivo, por lo que no podía comprar el seguro. Con mi tarjeta, obtuve efectivo y me dirigí a la máquina. Pensé: *Dios me está dando una oportunidad de cuidar de mi familia antes de llevarme a casa.* Justamente cuando estaba poniendo el dinero en la ranura de la máquina, mi pensamiento cambió de dirección: *No, este es Dios que me está poniendo a prueba. Quiere ver si pongo el dinero en la máquina. Si lo hago, sabrá que no confío en él, y entonces me matará. Si no pongo el dinero en la máquina, estaré bien. Es una prueba de fe.*

Guardé el dinero y no compré el seguro. Durante una hora aproximadamente caminé por el aeropuerto, pasando una y otra vez junto a la máquina, pensando en ambas posibilidades e intentando decidir cuál sería el camino correcto. Finalmente, oí la llamada para mi vuelo. Habían enviado nuestro avión a otra puerta. Si bien el tiempo seguía en malas condiciones, habían decidido que ahora podrían despegar con control de la situación. No quería abordar el avión, tampoco quería sentirme paralizado a causa del miedo.

Mientras veía a las personas que se acercaban a la puerta reconocí a un famoso evangelista en la fila. Pensé: *Quizás tome el mismo avión. Dios le ama. Dios jamás permitiría que él muriera en este vuelo.* Entonces me acerqué a él y le pregunté si iba a tomar el vuelo a Las Vegas, respondió que sí lo haría. Me sentí un poco mejor entonces.

Al abordar el vuelo, pasé junto a él en primera clase. Mientras avanzaba hacia mi asiento en clase económica decidí que lo que necesitaba era el consuelo de las Escrituras. Ya sentado en mi lugar, con el cinturón abrochado, tomé mi Biblia e hice lo que siempre me enseñaron en la iglesia que no debía hacer... abrir la Biblia al azar para dejar que Dios me hablara por medio de la ruleta rusa de la Biblia.

¿Ha notado alguna vez que si abre su Biblia en la mitad siempre se encontrará con los profetas menores? Eso fue exactamente lo que hice. La abrí en Amós 4. En silencio, le pedí a Dios que me hablara desde su Palabra. Bajé la vista y lo primero que leí fue el versículo 12: «Por eso, Israel, voy a hacer lo mismo contigo; y porque voy a hacerlo, ¡prepárate para encontrarte con tu Dios!». Con toda claridad la cosa estaba ya determinada: ¡Erwin, ya estás muerto! El momento, el evento, sería solo una formalidad.

Era como si todo se hubiera incendiado. Todo el temor que había estado conteniendo a lo largo del día explotó en mi corazón y subió hasta mi garganta. Oía una voz gritando en mi cabeza: *¡Vamos a morir! ¡Vamos a morir!* Sentí que debía correr a primera clase para decirle al hombre de Dios que necesitaba orar para que viviéramos. Y todo lo que se mantenía dando vueltas en mi mente era la frase «cuatro estúpidos minutos». Estaba en ese avión por cuatro estúpidos minutos. No iba a ser uno de los disertantes clave en la Convención Bautista del Sur en Las Vegas. No me habían invitado a jugar un papel de prestigio en el escenario. Había sido invitado a compartir cuatro minutos... eso era todo, cuatro minutos. ¿Sabe usted qué son cuatro minutos? Los cuatro minutos en los que todo el mundo se levanta para ir al baño. Los cuatro minutos en que uno compra una gaseosa o hace la llamada que necesitaba hacer. Esos cuatro minutos. Iba a morir por cuatro estúpidos minutos, y no quería hacerlo.

Ya era tarde para cambiar de idea. El avión había comenzado a avanzar por la pista. Tomé la determinación de que tan pronto el avión se estabilizara en el aire y se apagara el aviso de abrochar los cinturones iría a primera clase para exponer mi causa. Pero todavía faltaban unos pocos minutos para eso, por lo que decidí seguir leyendo. Y entonces, llegué al capítulo 5, porque Dios habló por medio de Amós:

Así dice el Señor a los israelitas: "Acudan a mí, y vivirán. No acudan a Betel, no vayan a Guilgal, ni pasen por Beerseba, porque Guilgal irá sin remedio al destierro y Betel quedará convertida en ruinas. Acudan al Señor y vivirán; de otro modo, él enviará fuego sobre el reino de Israel, y no habrá en Betel quien lo apague" (vv. 4-6).

Era claro que Dios me estaba diciendo: *Erwin, búscame y vivirás. No corras a primera clase. No vayas a ninguna otra parte. Solo búscame a mí y vive.* La pregunta en mi corazón era: *¿Erwin, estás dispuesto a abandonarlo todo por vivir cuatro minutos para Dios?*

Por supuesto que en ese momento ni siquiera sabía si se me concederían esos cuatro minutos, pero ese no era el meollo de la cuestión. ¿Estaba yo dispuesto a perder mi vida intentando hacer algo que era importante para Dios? ¿Mi muerte, y mi vida en tal caso, tendrían sentido simplemente por ir en la dirección correcta? ¿Era suficiente intentar hacer algo que honrara a Dios y le diera la gloria? La respuesta para mí era un resonante SÍ.

En ese momento oré pidiéndole a Dios que me permitiera esos cuatro minutos para poder compartir aquello por lo que vale la pena vivir, aquello por lo que vale la pena morir. No solo para el público que pudiera oírlo, sino para que mi pequeño hijo de tres años un día llegara a comprender qué era lo que su padre consideraba importante en la vida. Entendí con la mayor profundidad que incluso si ese avión se estrellaba, yo estaría plenamente vivo. No podía perder la vida que tenía, solo cambiaría de residencia, obteniendo un cuerpo mejor. ¿Cuál de estos dos objetivos busca usted: cuánto tiempo vivir o cómo vivir? *Si me buscas, vivirás, y la muerte no cambiará esto.* Después de todo, cuando estamos en Cristo, ya hemos muerto en él, y ya el Señor nos ha elevado a una nueva vida.

En ese momento, comprendí con claridad el valor de cada momento. Había estado dispuesto a dar mi vida por Dios, pero estaba manteniendo los minutos. Sin embargo, un minuto vivido para Dios vale más que una eternidad vivida sin él. Allí reside la belleza de ver la vida a través de los momentos divinos. Cambia no solo el contenido de nuestra vida, sino también el valor de un minuto.

Recuerdo ahora esa experiencia sabiendo por añadidura que algún tiempo después se descubrió que ese evangelista llevaba una doble vida. No era quien aparentaba ser. Por cierto, yo había estado buscando la seguridad en el lugar equivocado. La vida parece estar llena de lugares donde podemos escondernos, lugares que nos hacen sentir seguros y a salvo. Para Israel, había lugares en los que habían encontrado a Dios, como Guilgal, Beerseba y aun Betel. Tantos lugares donde esconderse, cuando lo que debiéramos hacer es ir corriendo hacia Dios.

POR LA PUERTA DESCONOCIDA

Esta es la diferencia que hay entre Jonatán y muchos de nosotros. Él no tenía idea de si Dios le ayudaría en esa empresa en particular, solo sabía quién era Dios. Sabía que si buscaba a Dios, viviría, aunque muriera en el intento. Es irónico que corramos hacia Dios para que nos guarde justamente cuando él nos llama a la fe que implica peligro. Él será quien haga temblar todo aquello en los que busquemos confianza y que no tenga que ver con él para enseñarnos a encontrar el gozo en un futuro desconocido. Hay solo Uno que es cierto; todo lo demás existe en el dominio de lo incierto. Poner nuestra confianza en otras cosas que no sean Dios no es más que superstición.

Mesac, Sadrac y Abednego eran contemporáneos de Daniel. Ellos también fueron elegidos para servir al rey Nabucodonosor como consejeros. A pesar de que le servían bien, provocaron la ira del rey cuando se negaron a inclinarse ante el Dios que este había fabricado. El rey les dio a elegir entre reverenciar a su ídolo o ser echados en un horno ardiente. Los tres eligieron el fuego. Daniel nos lleva al clímax del conflicto al registrar la extraordinaria respuesta de sus amigos: «No tenemos por qué discutir este asunto —contestaron los tres jóvenes—. Nuestro Dios, a quien adoramos, puede librarnos de las llamas del horno y de todo el mal que Su Majestad quiere hacernos, y nos librará. *Pero, aún si no lo hiciera,* sepa bien Su Majestad que no adoraremos a sus dioses ni nos arrodillaremos ante la estatua de oro» (Daniel 3:16-18, énfasis del autor).

Al igual que Jonatán, estos tres hombres conocían a Dios y sabían quién era él, y confiaban en lo que Dios podía hacer. También sabían que no tenían la certeza de que él los salvaría. Comprendían la incertidumbre, pero el curso de acción para ellos sería el mismo en todo caso. Se nos dice que se calentó el horno siete veces más de lo habitual. Los soldados más fuertes de Nabucodonosor ataron a los tres hombres y se prepararon para echarles dentro. El fuego estaba tan caliente que consumió a los soldados del rey. Entonces Sadrac, Mesac y Abednego cayeron a través de la puerta hacia el fuego.

> **Él no tenía idea de si Dios le ayudaría en esa empresa en particular, solo sabía quién era Dios.**

Esa era una puerta que seguramente hubieran deseado que Dios cerrara en lugar de dejarla abierta. No puedo imaginar que no esperaran que Dios les llevase en otra dirección. El último momento, el que seguramente les pareció su último momento en esta tierra, fue su momento más grandioso. El fuego no los consumió. Una cuarta figura apareció en medio del fuego. Dios se encontró con ellos allí. Fueron a un lugar al que jamás habrían podido ir solos y sobrevivir. Dios les llevó a vivir una aventura que ni siquiera el rey se habría atrevido a intentar. Cuando el rey les invitó a regresar, los tres hombres salieron del fuego. A pesar de que ya no estaban en peligro, eran aún más peligrosos que antes. La puerta que más tememos atravesar puede ser justamente la que nos lleve a encontrarnos más profundamente con Dios.

Volvía en un vuelo a Los Ángeles el día de Fin de Año. Miré hacia abajo y el colchón de nubes parecía suave, como si pudiera amortiguar cualquier caída. Miré hacia el oeste y vi que el horizonte se teñía de colorado y anaranjado, casi acentuando el misterio de lo que existe más allá de nuestra vista. Pensaba en los hechos que habían acontecido con relación al fallecimiento del padre adoptivo de Kim. La muerte es uno de los ineludibles recordatorios de que vivimos en el dominio de lo incierto. Luego del funeral, la familia se reunión en casa de Theodore. Ya era casi de noche. Todos estaban yendo a casa. La reunión de familia era algo único y peculiar, porque todos los hijos eran adoptivos, niños que habían recibido cuidado y amor de Theodore y Ruth durante años.

El Factor Jonatán nos mueve hacia adelante con confianza en el futuro, cuando nos damos cuenta de que no sabemos.

Una de las mujeres de la familia se acercó a la puerta y se preguntó en voz alta:

—Ahora ¿por cuál de las puertas llegué yo? ¿Habrá sido por esta o por aquella otra?

—¿Y qué importa eso? —le preguntó interrumpiendo mi hijo al sentir curiosidad.

—Siempre salgo por la misma puerta que entré —respondió ella dando por sentado el motivo

—¿Por qué? ¿Eres supersticiosa? —preguntó entonces Aarón.

—Sí, en ciertos casos lo soy, y este es uno de ellos —contestó la mujer.

—¿Qué sucederá si no sales por la misma puerta por la que entraste? —quiso saber entonces Aarón.

—No lo sé, pero tampoco deseo averiguarlo —respondió ella un tanto impaciente.

Las supersticiones tienen poder para atarnos y mantenernos esclavizados. También logran que veamos nuestros miedos más profundos. ¿Cuántos de nosotros sentimos el impulso casi obligatorio de siempre volver al lugar de donde salimos, volver a lo conocido, a lo predecible, a lo controlable? ¿Es posible que también nosotros tengamos temor a salir por una puerta diferente? Sí, la salida nueva está llena de incertidumbre, pero con esta incertidumbre viene el misterio, la aventura y la maravilla. El Factor Jonatán nos mueve hacia adelante con confianza en el futuro, cuando nos damos cuenta de que no sabemos.

Su sueño fue profundo, aunque no reparador. «Toma la flor. Con tu aliento, podrá durarte toda una vida. Debes decidir quiénes despertarán de entre los que duermen».

Una fragancia emanó de la tierra que pisaban, el aire se volvió dulce, intoxicante. Sus efectos no producían sueño sino rendición. La mayoría preferiría dormir durante su vida en lugar de vivir sus sueños.

Uno respondería al aliento de Ayden. Si elegía incorrectamente, desperdiciaría la esencia sanadora del iris. Si tan solo supiera qué sueños los mantenían dormidos. Maven, si lo sabía, no ofrecía pista alguna. Ni siquiera una vez demostró ansiedad, y su expresión se mantuvo impávida mientras Ayden avanzaba hacia Kembr... cara a cara, boca a boca, aliento contra aliento.

Sus ojos se abrieron y ella habló como si hubiera sabido de este momento desde hacía mucho tiempo:

—¿Es un sueño más?

Ayden le preguntó como si ella no hubiese dicho nada:

—¿Cuál es el sueño que te mantiene atrapada?

—Soñar que alguien me despertaba.

—Inscripción 828 / The Perils of Ayden

4

InFluΣncia

inhale, exhale

STEVE Y JANICE LIDERAN NUESTRO MINISTERIO PARA NIÑOS EN MOSAIC.
Su compromiso y sus dones únicos cuando se trata del desarrollo
del carácter y el potencial siempre me han sorprendido. Por lo tanto, no me pareció raro lo que sucedió en el campamento de los niños.
De los varios cientos de niños que participaban del campamento
llamado Montaña Aventura, los siete varones de nuestra congregación se destacaron especialmente. Con la mala reputación del este
de Los Ángeles, el hecho de que los niños de nuestra comunidad
fuesen seleccionados como los de conducta ejemplar era algo especial. Además del reconocimiento, llegó la recompensa. Era el derecho anhelado por todos de dormir en la casita del árbol de
Montaña Aventura.

Como su consejero, Steve tendría que dormir con ellos allí. La
aventura de dormir en la casa del árbol solo se les permitía a los
mejores participantes del campamento. Y había solo una regla que
no podía romperse: no se permitía dejar comida afuera. Estos son
bosques de verdad, con animales salvajes merodeando continuamente. Si uno no es cuidadoso, el olor de la comida les atraerá, y
los participantes del campamento pueden verse en serio peligro.

Esto no debiera ser un problema para los campistas que ganasen ya que tenían la cabaña más limpia de todas. Y además, la advertencia con respecto al peligro haría que los niños de nueve y diez años sintieran que había que ser más cuidadosos que nunca.

Sin embargo, solo hizo falta que uno de los niños no tomara esto como una advertencia, sino como una oportunidad. Primero, obtuvo la adhesión de un amigo, y luego, de otros cinco niños. Fueron tan precisos y cautelosos que Steve ni siquiera se enteró de que había un plan en funcionamiento. Tomaron papas fritas y las aplastaron, para ponerlas alrededor de la casa del árbol. Junto con las papas fritas, sacrificaron sus muy apreciadas galletas, para asegurar el éxito del plan. Su esperanza: atraer a algunas comadrejas para observarlas desde la casa del árbol. El resultado: esa noche el árbol se vio rodeado por una multitud de comadrejas... y de osos. No habían contado con el hecho de que tanto las comadrejas como los osos pueden trepar a los árboles.

Nadie salió lastimado, pero podrían haber cometido un error fatal. En este caso, tan solo terminó siendo una aventura excitante. Gracias a Dios eran los niños de mejor comportamiento en el campamento. ¿Puede usted imaginar lo que habría pasado si se les hubiera permitido a los niños verdaderamente traviesos y con mala conducta este privilegio de pasar la noche en la casa del árbol? La pregunta del millón es esta: ¿Cómo pudieron siete niños verdaderamente buenos juntarse para tomar una decisión tan mala? Solo hizo falta comenzar con uno.

En cada escuela hay uno. Todo maestro teme encontrarse con ese niño. Todo padre da por seguro que su hijo no es justamente el conflictivo. Saben de qué estoy hablando —de la personalidad que logra corromper, del niño que ejerce una mala influencia sobre nuestro angelical hijo. El infame individuo que es la causa de todo acto de travesura, desde su nacimiento y hasta el fin de la escuela. Esos niños son las influencias notorias de nuestras infancias. Hoy, si no están en prisión, conducen compañías que aparecen en Fortune 500, o tomando en cuenta el sentido del humor de Dios, ocupan algún cargo dentro de la iglesia.

La pregunta de los padres: «¿Quién te llevó a esto?», no busca en verdad la información, sino expresa la esperanza. Los padres siempre esperan que alguien más haya llevado a sus hijos a hacer lo incorrecto, que sus hijos no hayan sido los catalizadores de la actividad nefasta.

Sea cual fuere la razón, la capacidad de influir usualmente se identifica solo con lo negativo durante los años de formación en nuestras vidas. Como padres suponemos, a menudo y equivocadamente, que nuestros hijos siempre harán lo correcto, a menos que alguien ejerza una influencia equivocada sobre ellos. Lo bueno parece reafirmarse por medio de la autoridad y el poder de la posición, conocido también como mamá y papá. Sin intención, se desarrolla una relación negativa entre la influencia y la virtud.

Al mismo tiempo, cuando niños somos más sensibles y nos sentimos más atraídos por la fuerza magnética de la influencia de nuestros pares, en lugar de buscar la autoridad de nuestros padres. Y francamente, no creo que esto cambie jamás. Siempre estamos más abiertos a la influencia que a la autoridad. Preferimos ser dirigidos magnéticamente en una dirección en lugar de ser controlados por la fuerza del poder y la consecuencia.

La influencia es la mejor manera de guiar y mover a otros hacia lo que es bueno.

Los seres humanos han sido creados con la capacidad de influir y ser influenciados. Esto nos es inherente porque hemos sido creados como seres gregarios. Y esta capacidad se ve acentuada por la realidad de que no somos simplemente intelectuales, sino además emocionales. La influencia puede ser algo muy bueno, especialmente si aprendemos a diferenciarla de la manipulación. La manipulación es el uso de la influencia para controlar a otros en beneficio propio. Es el lado oscuro de la influencia. La manipulación podría describirse como una mentira de relación. No es simplemente un engaño de palabras, sino la corrupción de la confianza. Cuando manipulamos, estamos engañando a quienes confían no solo en nuestras palabras sino en nuestra intención. Todos tenemos la capacidad de manipular, y debemos cuidarnos de violar relaciones utilizando esta herramienta. Sin embargo, al mismo tiempo, no debemos confundir la manipulación con la influencia.

Si bien la manipulación es por naturaleza mala, la influencia es la mejor manera de guiar y mover a otros hacia lo que es bueno. El uso correcto de la influencia es esencial si vamos a atrapar nuestros momentos divinos. Siempre debemos recordar que los más grandes momentos que Dios tiene para nosotros, nunca son solo para nosotros. Siempre tienen relación con el modo en que nuestras vidas tocan las vidas de otras

> **Una vida tocada por Dios siempre acaba tocando las vidas de otras personas.**

personas. Durante demasiado tiempo hemos aceptado la idea popular de que la fe es solo para nosotros. Esto no es más que la espiritualización de una vida que solo trata acerca de mí mismo... una vida de egoísmo. Hay una diferencia entre la fe privada y la fe personal. A pesar de que Dios trata con nosotros como individuos, su intención jamás es la de una fe individualista. Una vida tocada por Dios siempre acaba tocando las vidas de otras personas.

EL OTRO LADO DE LA INFLUENCIA

Según mi experiencia, en una de las áreas que nos sentimos más incapaces es en la de nuestra capacidad de influir positivamente sobre el mundo que nos rodea. Vemos demasiadas cosas que deben arreglarse, muchas cosas que podrían mejorarse, pero nadie parece escuchar nuestras ideas. Esto sucede especialmente en nuestro lugar de trabajo. No puedo siquiera contar la cantidad de veces que he oído quejas de parte de empleados que no están conformes con su situación en el trabajo. Cualquiera que sea su ocupación o su entorno, el problema siempre es el mismo: el jefe. Casi siempre se presenta la misma situación: el jefe no sabe nada y tampoco quiere escuchar.

Es sorprendente que tantas empresas tengan a la persona que tiene todas las respuestas como subordinado de una persona que ni siquiera conoce las preguntas. Como podrá usted imaginar, la solución será siempre la misma: «Que despidan a mi jefe y me den a mí su lugar». Esta es la solución a casi todos los conflictos laborales con los que me he topado... si acepto la opinión de los enojados empleados.

En la iglesia, el asunto es muy parecido. En mis años como consultor con las comunidades de fe sin fines de lucro, siempre me ha sorprendido el nivel de frustración que he encontrado. Casi siempre se trata de la influencia. Alguien desea cambiar algo, ya sea para modificar o para aumentar algún aspecto. Se siente frustrado en el intento porque alguien con más autoridad se niega a tomar en cuenta su idea, no le escucha o no le entiende.

Lo mismo podría pasar en una organización cuando uno es el nuevo, o el que más abajo está en la lista. Ve las cosas con ojos nuevos. Se siente inspirado, entusiasta y listo para trabajar, pero nadie lo escucha. Se pregunta para qué le han contratado si ni siquiera valoran lo que puede aportar. Nadie parece reconocer nuestro potencial. Podrían haber contratado a un mono para que hiciera el trabajo. Mientras tanto, uno desperdicia horas deseando cambiar las cosas.

Lo mismo puede suceder en el matrimonio. Durante generaciones, los hombres han tenido carta blanca para gobernar el hogar desde una posición de poder y autoridad. No solo los niños, sino también las esposas se sentían sin poder para tener un papel real en la escena, en la textura de la familia. Nuestra sociedad muchas veces hizo oídos sordos a los reclamos de las mujeres que sentían la imposibilidad de poner dar forma a sus vidas. Al mismo tiempo, el feminismo ha dado poder a las mujeres para ir tras los mismos instrumentos que una vez les oprimían. La solución a la sensación de imposibilidad, la solución para poner fin al uso no

> **Hemos perdido la confianza en el poder de la influencia, y a causa de ello, hemos perdido la belleza de su arte. El problema con el poder establecido es que si bien puede controlar las acciones de otro ser humano, no captura su corazón.**

ético del poder por parte de los hombres es tomar el mismo poder e influencia y utilizarlos del mismo modo. Nada cambia en realidad. Solo hay más gente arriba, empujando y luchando por mandar, por tener más autoridad, mayor posición.

Hemos perdido la confianza en el poder de la influencia, y a causa de ello, hemos perdido la belleza de su arte. El problema con el poder establecido es que si bien puede controlar las acciones de otro ser humano, no captura su corazón. Dios busca hombres y mujeres que se caractericen por el Factor Jonatán, que entiendan, desarrollen y maximicen su esfera de influencia.

ESTOY CONTIGO

Samuel nos dice que nadie había notado que Jonatán ya no estaba allí. Jonatán le dijo a su joven armero: «Ven, pasemos a la guarnición de estos incircuncisos; quizás haga algo Jehová por nosotros, pues no es difícil para Jehová salvar con muchos o con pocos».

Samuel luego registra la respuesta del armero de Jonatán: «Haz todo lo que tienes en tu corazón; ve, pues aquí estoy contigo a tu voluntad».

Jonatán tenía un fino sentido de su esfera de influencia. Es importante observar qué es lo que no hizo, para comprenderle mejor. No fue a despertar a su padre Saúl. Comprendía que su padre, como rey, ya había tomado una decisión. No iba a atacar a los filisteos; permanecería bajo el árbol de granadas. Esa conversación había terminado. Jonatán no podía forzar ni convencer a Saúl para que cambiara de parecer. Ya no importaba si se le acercaba como hijo o como súbdito. Saúl no cambiaría de idea.

Muchas veces llegamos a la conclusión de que no tenemos poder alguno porque no podemos cambiar las cosas que están «arriba» de nosotros. Quienes tienen posiciones de poder y autoridad simplemente no quieren ver las cosas a nuestro modo. Y a menudo, cuando no podemos cambiar lo que está «arriba» de nosotros, concluimos que no podremos cambiar nada.

Si Jonatán hubiera aceptado este paradigma de imposibilidad, jamás habría atrapado su momento divino. Al mismo tiempo, no

intentó disuadir a los seiscientos hombres que estaban bajo el liderazgo de Saúl. Jonatán no intentaba incitar a una insurrección. No
pensó en hacer que los soldados del rey Saúl se convirtiesen en los
guerreros del príncipe Jonatán. Comprendía que no se le había
dado autoridad sobre el ejército, y no cruzó ese límite.

¿Cuántas veces hemos llegado a la conclusión de que no tenemos capacidad de cambiar las cosas porque los recursos disponibles están fuera de nuestro alcance?

¿Cuántas veces hemos lle-
gado a la conclusión de que no
tenemos capacidad de cambiar
las cosas porque los recursos
disponibles están fuera de nuestro alcance? Jonatán podría
haber llegado a esa conclusión,
ya que como no tenía autoridad
sobre los guerreros, no tenía
poder para hacer nada. Hay una
conversación implícita, oculta en este texto. Es muy poco probable
que Jonatán no hubiera intentado primero persuadir a su padre
para que atacara a los filisteos. El que hubiera tenido que salir a
hurtadillas durante la noche, parece indicar que Jonatán sabía que
su padre se opondría a su iniciativa. Puedo imaginar la conversación entre el joven guerrero y el rey adulto, y pensar que es similar
a muchas de las conversaciones que se mantienen hoy día. ¿Cuántos líderes jóvenes y en ciernes se sienten frustrados porque sus
superiores ya no tienen el nivel de urgencia que les movió una vez
a ocupar su lugar como líderes? ¿Cuántas veces han claudicado
estos líderes, conformándose con vivir con lo que tienen? Saúl se
sintió paralizado porque tenía mucho que perder. Y la historia nos
demuestra que la poca disposición de Saúl para confiar en Dios le
costó todo lo que tenía. Al salir Jonatán a escondidas durante la
noche, despertando únicamente a su armero, es claro que Saúl no
le había confiado sus recursos.

Hay dos obstáculos que a menudo nos hacen confundir el
camino: la falta de autoridad y la falta de recursos. Jonatán habría
estado justificado si no hubiera hecho nada en absoluto. Podía haber

sentido que no había nada que hacer debido a las condiciones que enfrentaba. Pudo haber aceptado todo aquello como signos innegables de que Dios no quería que avanzara. Después de todo, ¿qué es lo que puede hacer una persona sola?

Hay mucho que aprender de lo que Jonatán hizo a continuación. No intentó pasar por encima de la autoridad del rey, no intentó robar lo que no le correspondía, pero tampoco permitió que sus limitaciones lo limitaran. Saúl le había dado una espada, y Jonatán tenía derecho a utilizarla. Había puesto a una persona bajo su mando y Jonatán llamó a esta persona para que le siguiera, y aún en esta relación, Jonatán fue inspiración. Él no actuaba bajo órdenes militares, por lo que no buscó dar una orden a su armero. Simplemente le invitó. Jonatán sabía que había más que una relación de autoridad entre él y este joven, que había invertido en la vida de este aprendiz, y había ganado su lealtad.

Como sirviente, el hombre debía obedecer a su amo. Pero el armero expresó más que obediencia. Demostró lealtad, alianza. Que Jonatán iniciaba algo sin la aprobación del rey, era evidente. El menor ruido habría despertado a Saúl y a los soldados. El sirviente de Jonatán podría haber saboteado la intención de su amo. Podría haberse justificado negándose al pedido de Jonatán, alegando fidelidad al rey. Pero aquí encontramos una lealtad más profunda. Más allá de la lealtad a la nación, al rey, o al hijo del rey. Es la lealtad a un hombre... a Jonatán. La posición, el título y la autoridad pueden dar poder, pero la influencia viaja a través de las relaciones. Y finalmente, la influencia es la fuente del poder.

> **La posición, el título y la autoridad pueden dar poder, pero la influencia viaja a través de las relaciones. Y finalmente, la influencia es la fuente del poder.**

La respuesta del armero abrió la puerta al poder de la influencia: «Haz todo lo que tienes en tu corazón; ve, pues aquí estoy contigo a tu voluntad».

Esa es la esencia de la influencia: ganar el corazón y el alma de otra persona por medio de la fuerza de nuestro propio carácter, de nuestra propia persona. Es por eso que la influencia siempre es más poderosa que la autoridad. La autoridad puede dar forma a las acciones de una persona, pero la influencia moldea la persona que llegamos a ser. La influencia nace de la confianza y encuentra su fuerza en la conexión del corazón y el alma. Al igual que Jonatán, debemos entrar en nuestro ámbito de influencia con todo nuestro ser, si es que deseamos atrapar nuestros momentos divinos. No debemos temer llamar a quienes quieran oír para que nos sigan hacia un futuro incierto. La influencia espiritual no es solo un regalo, es una responsabilidad. Lo que Jonatán descubriría es que mientras su influencia inicial era limitada, su compromiso por hacer lo correcto, por atrapar su momento divino, haría crecer su esfera de influencia a niveles inesperados.

LA INFLUENCIA ES CONTAGIOSA

Primero fue mi madre, y luego mi hermana se contagió. No estamos muy seguros acerca de cuál de las dos contagió a mi hermano, y luego, entre ellos tres, contagiaron también a mi otra hermana. Por lo tanto, estaba rodeado de personas enfermas. Hice todo lo posible por evitar contagiarme. ¿Alguna vez ha estado usted conviviendo con un grupo de personas enfermas de gripe?

Y he aquí algo que no es diferente para mí. Todos tenían la misma cosa, y lo que tenían era muy contagioso. Todos se habían hecho cristianos y estaban decididos a contagiar a todos los que estuvieran a su alrededor. Probablemente usted haya estado en esta situación. Si lo está en este momento, le advierto que los cristianos son muy contagiosos.

¿Se ha percatado alguna vez de la similitud de las palabras *influencia* e *influenza*? Ambas tienen la misma raíz, lo cual nos indica algo. Las personas que son influyentes transmiten lo que ellos tienen como un virus. Si no quiere contagiarse, manténgase alejado, porque pueden estornudar sobre usted. Incluso puede no notar que esto ocurre. Los gérmenes invisibles fluyen de una persona a otra sin que se pueda hacer nada para evitarlo.

La influencia es contagiosa, y si quiere saber cómo funciona, analice el camino que sigue la influenza. Está en el aire, y se transmite por medio del contacto humano, pero es la cercanía la que mayor peligro encierra. Y del mismo modo en que no hay vacunas contra el resfrío común, no hay remedio ni vacuna contra la influencia. Todos somos portadores, y espero que no sea de un virus peligroso, sino del carácter, de nuestras actitudes, valores y otras virtudes que dan forma a nuestras vidas. Todos le damos a los demás algo de nosotros mismos. Así que es mejor estar contentos con quién somos y tratar de dar a otros un regalo no una maldición.

Kim y yo vemos en nuestros hijos muchas cosas heredadas genéticamente de nosotros. Y a menudo no sabemos qué parte viene de mí y qué parte de ella. Hace unos años, Kim se había anotado como voluntaria para trabajar el Día de las Madres en la Escuela Dominical con los niños de ocho años. Estaba ayudando a los niños a hacer tarjetas para que entregaran a sus madres a la salida de la iglesia.

> **Todos le damos a los demás algo de nosotros mismos. Así que es mejor estar contentos con quién somos y tratar de dar a otros un regalo no una maldición.**

Nuestra hija, Mariah, estaba en la clase de Kim esa mañana, y parecía no poder avanzar con su tarea. A Kim le pareció un poco gracioso, pero sabía que debería ayudarla a hacer su propia tarjeta del Día de las Madres. Le explicó a Mariah nuevamente que debía expresar en la tarjeta lo que sentía por su mamá.

—¿Acerca de mi papá? —fue la respuesta de Mariah.

—No, sobre tu mamá —dijo Kim.

—No, querrás decir sobre mi papá —contestó entonces Mariah.

De camino a casa, Kim intentó explicarlo nuevamente, mientras Mariah lloraba diciendo: —Quería hablar acerca de mi papá hoy, y no me dejaste.

¡Me gusta tanto esta historia!

Hay algo muy especial en esto de tener una hija, pero también esto me recuerda la inmensa responsabilidad que tenemos como padres en relación a cómo influimos en la vida de nuestros hijos. Por supuesto, lo mismo vale para las madres, y también para los hijos, los empleadores, los empleados y todos nosotros. Porque todos contagiamos. Así que asegurémonos de contagiar a las personas de manera correcta.

El carácter es el recurso de donde se alimenta la influencia. Las relaciones son la avenida por donde la misma viaja. Muy a menudo, la invitación que Dios nos hace para que atrapemos nuestros momentos divinos se basa en las necesidades de la vida de otras personas. Para vivir cada día plenamente debemos reconocer la centralidad de las relaciones. Santiago nos dice que la ley suprema de las Escrituras es amar a nuestro prójimo como a nosotros mismos. Jesús adjunta este llamado a la vida de relación a la orden que nos da de amar a Dios con todo nuestro ser. Cuando resumimos el Gran Mandamiento en una sola palabra, esta podría ser *relaciones*.

No hay nada más importante para Dios que las relaciones. Son la fuente y el contexto para la vida eterna. El resultado de una relación correcta con Dios es tener relaciones correctas con los demás. La inversión, y por lo tanto la influencia, en las vidas de los demás es uno de los más importantes ingredientes en toda persona que atrapa su momento divino.

UNO NUNCA SABE A QUIÉN ESTARÁ TOCANDO

La influencia se define como «un poder que afecta a una persona, objeto o serie de hechos», especialmente cuando es un poder que opera sin esfuerzo aparente o directo. Muchos todavía tenemos que lograr comprender nuestra capacidad de influir sobre otros de manera positiva. Aún no vemos cuán lejos puede viajar nuestra influencia. Y no hay modo de medir con exactitud la cantidad de personas que se verán afectadas por nuestra influencia una vez que haya comenzado su curso. Podemos comprender el flujo de la influencia cuando recordamos que esta fluye por medio de las relaciones, y que las relaciones comienzan en el primer punto de contacto.

Dave trabajó como cartero de UPS durante trece años. La naturaleza de su trabajo requería que interactuara con gran cantidad de personas, pero en realidad, no podía pasar mucho tiempo con cada una de ellas. Debía relacionarse con la mayor cantidad posible de personas durante el día mientras seguía avanzando tan rápido como pudiera. Todo lo que le detuviese estaría poniendo en riesgo su efectividad y su empleo. A pesar de que interactuaba con cientos de personas cada día, sus relaciones eran solo superficiales. Y esto no era a causa de que Dave prefiriera las relaciones superficiales, sino porque su trabajo se lo exigía.

Sus encuentros con otras personas mientras estaba en Los Ángeles eran más bien relaciones «de paso». Pero a pesar de esto, Dave descubrió que su influencia en la vida de al menos una persona había sido más profunda de lo que podría haber imaginado. Lo relata de esta manera:

«Ron era uno de esos comunicadores de conciencia. Trabajaba en una estación de servicio de Santa Mónica, en la ruta que yo cubría. Debo admitir que temía cada vez que debía entregar un paquete en las cercanías. Si mi camioneta estaba estacionada en algún lugar cercano a la intersección de las calles en que se hallaba la estación de servicio, de seguro Ron me encontraría. Me hablaba, mientras yo seguía escribiendo etiquetas, cargando paquetes, o entregando envíos en las oficinas, y no había manera de que se detuviera. Incluso cuando ponía en marcha el motor, él seguía hablándome. No me malentienda: Ron era un tipo agradable, pero de seguro, frenaba mi actividad.

»Una tarde, Ron estaba un poco callado, y pensé que algo sucedía. Antes de dejar el lugar en mi camioneta me entregó un sobre de color blanco. Le pregunté si quería que lo abriese enseguida, a lo que respondió: "Sí, claro". Por lo tanto abrí el sobre, y dentro de él encontré una tarjeta de invitación a una boda. Ron estaba por casarse con una joven llamada Joanne y quería invitarme a mí, al cartero de la UPS, a su boda. Con toda educación le agradecí y evité responder en ese momento.

»Durante las siguientes tres semanas, lo único que Ron quería saber era si yo asistiría a la boda. Esto, además de hacer más lenta mi tarea, era algo doloroso, porque debía encontrar una manera creativa para evitar responder cada vez. Finalmente, miré mi calendario y vi que había una reunión de la iglesia el mismo día de la boda de Ron. Como soy un líder cristiano dedicado y fiel, me percaté de que desafortunadamente no podría asistir a la boda de Ron y Joanne.

»Al aparcar en la calle junto a la estación de servicio supuse que Ron estaría allí esperándome. Tenía ya preparada mi respuesta: "Gracias por la invitación, pero tengo un compromiso previo. Asegúrate de enviar mis mejores deseos a tu esposa". Así fue exactamente, al abrir la puerta trasera de mi camioneta, Ron estaba allí, esperándome como siempre. Y me preguntó: "¿Vendrás a mi boda la semana que viene?". No sé qué sucedió. Cada fibra de mi ser formaba la palabra "No", pero al abrir la boca dije: "Sí, por supuesto asistiré a tu boda".

»El rostro de Ron se iluminó y entonces dijo: "Bien. Estoy muy feliz, te veré entonces". Corrió de vuelta a la estación de servicio, mientras yo permanecía allí durante unos segundos, petrificado, sin poder creer lo que acababa de hacer comprometiendo mi presencia y pensando cómo le explicaría a mi esposa que no asistiría a la reunión de la iglesia.

»El sábado por la mañana llegó más rápido de lo que esperaba. Desperté y me vestí con el traje que llevo a las bodas, cuando de pronto recordé que no había comprado un regalo, ni siquiera una tarjeta para los recién casados. Tomé mi cámara de video y pensé que grabaría algo durante la ceremonia o la recepción para entregárselos como regalo simbólico. Llegué media hora más temprano a la iglesia, al entrar un joven me preguntó: "¿Novio o novia?"

»Respondí: "Novio", y entonces el joven me acompañó hasta mi lugar del lado izquierdo de la iglesia. Busqué un espacio junto a la pared, conecté mi cámara de video y armé mi trípode, preparándome para cuando llegaran los demás invitados. Comenzó a llegar gente a la iglesia. Fila tras fila, los bancos se iban llenando, aunque solo los del lado derecho. Del lado izquierdo, donde me encontraba yo, no había nadie. Unos cinco minutos antes de que se diera comienzo a la ceremonia, unas veinte o veinticinco personas del lado derecho de la iglesia se pusieron de pie y cruzando el pasillo se sentaron del lado izquierdo.

»La marcha nupcial resonó, la novia avanzó por el pasillo y el novio la recibió. Intercambiaron sus votos y salieron de la iglesia, con sonrisas radiantes. Desarmé el equipo de mi cámara y me dirigí hacia mi automóvil, con la intención de entregarle la filmación antes de irme. Ron, viendo que iba hacia mi automóvil, me siguió y preguntó: "Vendrás a la recepción ¿verdad?". A lo que respondí con cierto sentimiento de culpa: "Por supuesto. Estoy guardando mi equipo nada más". Dijo: "¡Qué bueno! Te veo allí".

Ahora me había comprometido a dos horas más de conocer personas a quienes probablemente jamás volviera a ver en la vida. Conduje hasta el lugar de la recepción, que era el jardín de la casa de uno de los padres. Había una larga mesa, con varios invitados a su alrededor, sirviéndose comida y conversando. Tomé mi cámara de video y decidí que intentaría registrar algún comentario casual de parte de cierta cantidad de invitados.

»Mientras filmaba, diversas personas se pusieron de pie para brindar por los novios y para agradecer. En un momento, Ron se puso de pie. Mirando directamente a la cámara Ron habló de su eterno amor por su hermosa esposa y de sus sueños de una vida compartida con ella. Y luego, dirigiéndose a todos los presentes, dijo que quería dar gracias a su mejor amigo por estar en su boda ese día. Mientras yo acercaba el foco de la lente, Ron dijo: "Quiero que conozcan a mi mejor amigo, Dave".

»Todas las cabezas giraron hacia el tipo que estaba detrás de la cámara. Y entonces me di cuenta: Ron me veía como alguien importante en su vida. Y yo veía a Ron como alguien que frenaba mi actividad, alguien a cuya boda había asistido de mala gana. Después que Ron hizo sus comentarios y la recepción volvió a su curso, fue hasta donde yo estaba para darme un gran abrazo y decirme algo que me demostró lo importante que era en su vida. Me agradeció por haber asistido a la boda, luego me dijo que había enviado más de ciento cincuenta invitaciones: a sus amigos de la estación de servicio, a su familia y a sus vecinos. Y de todas esas personas a quienes había invitado personalmente, yo había sido el único que había respondido a la invitación».

Lo que Dave percibía como la invitación de parte de un extraño era en realidad la invitación de Dios para que atrapara un momento divino. La presencia de Dave, aunque reticente, había sido la avenida de Dios para llegar a la vida de Ron. Dave fue una voz importante en el matrimonio de Ron y Joanne en los siguientes años, y se convirtió en el guía de Ron hacia una fe en el Dios que le ama. La influencia de Dave en sus vidas era tan importante como sorprendente. El poder de la influencia cuando atrapamos un momento divino puede no tener proporción con su importancia aparente. Lo que puede parecer un inconveniente, puede ser nada menos que el comienzo de una oportunidad para cambiar una vida.

A menudo, los momentos divinos parecen inconvenientes a primera vista. Es virtualmente imposible predecir el alcance o la profundidad del impacto que puede tener nuestra presencia en las vidas de otras personas cuando atrapamos estas oportunidades enviadas por Dios. Nuestra esfera de influencia no es una parte sin importancia en este viaje. Jamás debemos subestimar su poder. Una de las maneras en que perdemos nuestros momentos divinos es cuando no le damos importancia a lo que consideramos influencia nominal. Jamás debemos subestimar la importancia de un momento, una palabra, un hecho en la vida de otro ser humano.

A menudo, los momentos divinos parecen inconvenientes a primera vista.

POSIBLE LARGO ALCANCE

A medida que se desarrolla la historia de Jonatán, descubrimos que su influencia llegó mucho más allá de su armero. Lo que al principio parecía un espectro de influencia muy pequeño, finalmente llegó a tener un campo de impacto ilimitado. Si bien jamás había tenido autoridad sobre su padre, su decisión de tomar su momento divino influyó en el rey de Israel. Encontramos que la iniciativa de Jonatán comenzó con muy poca influencia, pero que esta hizo luego que su padre, el rey, se le uniera en la batalla. Las oportunidades divinas son a veces como ventanas, pero otras veces son como corredores. Hay que caminar atravesándolos y seguir caminando antes de llegar al otro lado.

Dolores Kube comenzó trabajando en el sur de Dallas como misionera de verano. Sentía un compromiso profundo y apasionado hacia los niños más necesitados. Más tarde, se convirtió en alguien que estaba presente de forma permanente en la vida de muchos en esa región. Durante los siguientes veinte años, serviría como misionera local a través del Centro Bautista Ervay. Dolores, Kim y yo llegamos a ser amigos, y ella era una continua fuente de inspiración. Conducía su pequeño Toyota por el barrio y lo llenaba de niños que llevaba a sus clubes bíblicos. Era la amiga y confidente de muchas madres solteras, de muchos niños huérfanos. Esencialmente, era la Madre Teresa de Dallas. Jamás me sorprendió que los niños llamaran a la congregación «la iglesia de la Sra. Kube».

Un día, un incendio premeditado destruyó el centro. Era más que la destrucción de un edificio; era el final de un sueño. La organización misionera que financiaba el centro retiró su apoyo y cerró ese capítulo de la obra. Al igual que todas las demás iglesias evangélicas, ellos también abandonaban a la empobrecida comunidad. La interminable cantidad de recursos vertida en la comunidad había tenido un impacto nominal. La falta de retorno sobre la inversión era una vez más la sentencia de muerte de otro ministerio urbano. Sin embargo, Dolores y unos pocos otros utilizaban una escala de medida diferente. Creían en lo que Dios estaba haciendo en el sur de Dallas. Y aunque quizás el producto de sus esfuerzos fuera intangible, seguían tan comprometidos como antes.

Con el cierre del centro, Dolores quedó sin salario y sin puesto de misionera; sin embargo, se negó a dejar el lugar. Su tenacidad convocó a otros, y esto formó la base para su obra. Fue por causa de que Dolores no renunció que yo me encontraba en el sur de Dallas en 1983. Había menos de doce adultos conformando el núcleo del destartalado ministerio. Habían luchado, intentando convencer a media docena de pastores para tratar de recomenzar el trabajo. Sin el compromiso de Dolores, jamás me habría convertido en el líder de un pequeño, pero apasionado grupo de personas que llegaron a formar Cornerstone.

Durante los siguientes seis años, tuve el privilegio de servir con Dolores mientras veíamos que este pequeño grupo de personas se convertía en una floreciente congregación. Al fin de esos seis años, presenté finalmente mi renuncia como pastor y les convencí para que tomaran a un joven afro americano como su nuevo pastor. Chris Simons había comenzado como pasante, luego fue pastor auxiliar, más tarde pasó a ser copastor y finalmente pastor principal de Cornerstone. Ha seguido ocupando ese puesto durante estos últimos catorce años.

Durante nuestra transición, George Bush padre era presidente de los Estados Unidos, y había nombrado a William Bennett como su hombre antidrogas. Buscaba una solución nacional para el problema de las drogas en nuestro país. Visitaba las ciudades, dando aliento y felicitando a quienes mejor trabajaban. Cuando llegó a Dallas, las autoridades de la ciudad le recomendaron Cornerstone como el lugar donde mejor se luchaba en contra de la droga. Su día en Dallas tuvo como sede la pequeña iglesia de la empobrecida comunidad de Cornerstone. Esto es tanto más sorprendente cuando tomamos en cuenta que en nuestras mejores Pascuas, quizás tuviésemos solo doscientos asistentes. ¿Quién habría pensado jamás que el trabajo de Dolores en un pequeño dúplex, con solo un puñado de niños cuyas familias vivían de la ayuda social, terminaría veinte años más tarde con tal reconocimiento, tal influencia?

Recuerde que la influencia es el poder de afectar a una persona, objeto o serie de hechos. Muchas veces los eventos que consideramos muy importantes pueden tener su origen en la humilde influencia de una persona que jamás recibió reconocimiento público alguno. Una de las tragedias de no tomar en cuenta las oportunidades que Dios nos da es que jamás llegaremos a conocer la enorme influencia y el resultado que podría haber llegado a tener. El acto de coraje de Jonatán resultó en un triunfo para su nación. Jamás subestime el alcance que Dios puede proporcionar a algo que quizás veamos pequeño y poco importante.

> **Una de las tragedias de no tomar en cuenta las oportunidades que Dios nos da es que jamás llegaremos a conocer la enorme influencia y el resultado que podría haber llegado a tener.**

LA VERDADERA INFLUENCIA CALA PROFUNDO

La influencia puede lograr lo que las órdenes no pueden; puede ganar los corazones de las personas. Uno puede pagarle a alguien para que haga un trabajo, pero no se le puede pagar a alguien para que cambie de idea, o más exactamente, para que cambie su corazón. El poder externo tiene la limitación de traer cambios externos. La influencia es el material del poder interno. Y, una vez más, la influencia no tiene que ver con la posición o la autoridad delegada, o con alguna forma de poder. La influencia nace de una persona, de quién es esa persona, y se traduce en el modo en que afecta al corazón de alguien más. La verdadera influencia cala profundo. Cambia el modo en que una persona siente. Tiene impacto directo sobre el modo en que actúa una persona, pero también sobre aquello en lo que cree y con lo que se compromete.

Comprendemos la diferencia entre autoridad e influencia cuando vemos crecer a nuestros hijos. El modo en que actúan los niños cuando están bajo nuestra autoridad es muy diferente de aquello en lo que se convierten como resultado de nuestra influencia. Muchos padres se sienten desesperados cuando ven que su influencia sobre los hijos ha sido mínima o insignificante comparada con la influencia de otros en sus vidas. Se trata más acerca de formar valores que de establecer límites.

El armero de Jonatán expresó un nivel de lealtad que rara vez encontramos en nuestros tiempos. Dijo: «Estoy contigo a tu voluntad». No se trataba de una obligación. No estaba actuando por cumplir. No entendía todo lo que Jonatán haría, y ni siquiera había dado su conformidad a la estrategia. No era la idea de Jonatán lo que él había tomado, sino a la persona. Confiaba en Jonatán como persona. Dijo: «Haz todo lo que tienes en tu corazón», y luego declaró que estaría junto a él.

Como padre, he descubierto que el amor y el respeto que mis hijos tienen por mí son mucho más poderosos que las reglas o los potenciales castigos que pudiera imponer. También he descubierto que no hay experiencia que traiga mayor recompensa que ver que mis hijos tienen como motivación su propio sistema de valores para hacer lo que está bien. Es incuestionable el hecho de que los sistemas de valores se transmiten por conexión de corazón a corazón. Y aun cuando mis hijos han crecido en la iglesia, su amor por la verdad no es el resultado de exhaustivas investigaciones. Su deseo por el bien no es el resultado de la deducción lógica. Sus valores les han llegado por medio de una genuina relación, de la confianza. Y una cosa por la que estoy eternamente agradecido es que no les pasamos lo que somos, sino lo que deseamos llegar a ser. Nuestros hijos ven nuestras faltas, nuestras fallas, y sí, incluso nuestros pecados. La gracia compensatoria es que también son capaces, cuando en humildad nos arrepentimos y confesamos, de ver lo que aspiramos a ser. Nuestra influencia no se ve limitada por nuestra condición presente. Se expande por medio de nuestro destino deseado cuando estamos comprometidos con el viaje. La influencia tiene raíz en el carácter: en quiénes somos y en quiénes nos convertimos. La influencia se transmite mejor y se mueve más rápidamente cuando hay respeto y confianza. Cuando el ambiente es el correcto, la influencia cala profundo. Llega al núcleo de lo que somos.

Las influencias más importantes en la vida de las personas son aquellas que les han ayudado a formarse para llegar a ser lo que son. Realmente, puede conocerse a una persona por medio de sus amigos. Las personas dignas de confianza son quienes están rodeadas por personas que confían en ellas. Los hombres y mujeres que son genuinamente como Cristo están rodeados de quienes desean llegar a ser como Cristo. El carácter alimenta a la influencia. La influencia da forma al carácter. La relación entre el carácter y la influencia es como la respiración: cuando más inhalamos, tanto más podemos exhalar. Lleve su carácter a lo más profundo y su influencia calará hondo.

> **Nuestra influencia no se ve limitada por nuestra condición presente. Se expande por medio de nuestro destino deseado cuando estamos comprometidos con el viaje.**

UN REGALO DISEÑADO PARA EL BIEN

Desafortunadamente, esto funciona en dos direcciones. El carácter alimenta a la influencia. Si es un carácter conforme a Dios, esto funcionará. Y del mismo modo lo hará cuando sea un carácter opuesto a Dios. Hitler era una persona con una tremenda influencia. Seguramente, pocos describirán su carácter como virtuoso, y sin embargo, ganó el corazón y el alma de una nación. Lo mismo se aplica a Stalin, a Mao y a muchos otros. La historia nos enseña que tanto quienes están comprometidos con la nobleza como quienes lo están con la maldad se convierten en la fuente de una tremenda influencia. Si reconocemos esto, nuestro sentido de responsabilidad y urgencia aumenta.

Una vez más decimos que, como seres humanos, somos criaturas gregarias, de relación. Todos somos influyentes. Podemos influenciar a otros y ser influenciados por ellos. Si tan solo quienes están comprometidos con la maldad salen a influenciar a las multitudes, no debe sorprendernos que haya tan poco de bueno en este mundo. Una parte importante de esto de atrapar un momento divino es reconocer que la intención de Dios es la de utilizarnos como vehículos para el bien. No simplemente para hacer lo bueno, sino para liderar a otros hacia el bien. Esto es nada menos que una batalla por los corazones de las personas. Ciertamente, hay pocas cosas que nos recompensen tanto como el ser una influencia positiva en la vida de otro ser humano.

> **Una parte importante de esto de atrapar un momento divino es reconocer que la intención de Dios es la de utilizarnos como vehículos para el bien. No simplemente para hacer lo bueno, sino para liderar a otros hacia el bien.**

Myra tenía cuatro años cuando la conocí. Su madre, Rosa, vivía en una silla de ruedas. Cuando era niña, una enfermedad le había costado ambas piernas. El primer recuerdo que tengo de Myra es el de tres mujeres intentando atraparla cuando se negaba a ir con su madre. Era una situación graciosa, que casi lamenté tener que interrumpir. Myra era brillante, rápida y elusiva. Aunque la perseguían y su madre le ordenaba detenerse, nadie lograba atrapar a Myra. Me arrodillé a corta distancia de ella y le hablé en español, el único idioma que Myra entendía. Le expliqué que podía correr mucho más rápido que ella, y que cuando lo deseara, podría atraparla, a diferencia de lo que había sucedido con las mujeres. Pero también le dije que le daría otra alternativa. Podría venir a mí por voluntad propia, y yo me aseguraría de que todo lo anterior quedara olvidado y perdonado. Casi podía sentir cómo pensaba Myra, evaluando sus opciones. Y luego, muy callada, se me acercó y nació una nueva amistad.

Myra y su madre vinieron a vivir con Kim y conmigo duran-te casi un año. La primera noche de Myra fue un largo estableci-miento de límites, una noche con muchas emociones. Cuando comenzaba a hablarle a su madre faltándole el respeto, le explica-ba que no podría hablarle de ese modo mientras estuviera en nues-tro hogar. Myra me miró con sus ojitos castaños y me dijo que llamaría a su abuelo a Méjico para que él me matara. Tendríamos un largo camino, mucho dolor con el que tratar, mucha ira y odio que reemplazar con amor y aceptación. No nos tomó demasiado tiempo. El corazón humano fue diseñado para amar. Los cambios que vimos y experimentamos en el corazón de Myra no eran solo un regalo para ella, sino también para nosotros. No creo que haya recompensa más grande que la de experimentar el cambio de vida en otro ser humano por medio de la inversión de nuestra influen-cia. Pero para lograr este tipo de influencia, hay que dejar que las personas se nos acerquen.

Víctor es un puertorriqueño gigante. Físicamente sería intimi-dante si no tuviera esa personalidad tan cálida y jovial, que le hace son-reír siempre con interminable entu-siasmo. Hacía un año que Víctor se había convertido, pero sabíamos que sería la opción lógica para reempla-zarme como pastor en El Pueblo de Dios. Necesitaba ubicarlo en un contexto que le permitiera un cre-cimiento espiritual acelerado, por lo que le invité a venir a vivir con nosotros. Pareció sorprendido y un tanto cohibido cuando se lo dije. Luego me explicó que esto había sido a causa de que yo sería su líder espiritual, y si vivía con nosotros le vería en ropa interior. Víctor, a su modo, me estaba diciendo: «No estoy seguro de estar preparado para

El fin último y el resultado más profundo de la influencia tienen lugar cuando una persona está libre de toda orden o poder que pueda uno ejercer y aun así refleja la influencia de nuestros valores y pasiones.

ese nivel de inversión». ¿Sería seguro vivir en una relación en la que estaría tan expuesto? Después de todo, ¿quién querría que su jefe viera su pila de ropa para lavar? Pero aun a pesar de sus miramientos, Víctor decidió venir.

Antes le recordé algo importante: lo invitaba a observarnos con detenimiento. Y nosotros tampoco podríamos esconder nuestro verdadero ser. Esto no era una estructura formal de discipulado. Era una invitación para entrar en nuestras vidas y conocernos de verdad. Poco antes de que se cumpliera un año, Víctor me reemplazó como pastor de nuestra congregación. Si uno desea incrementar su influencia, debe arriesgarse a tener a las personas lo más cerca posible. Por supuesto, primero es importarse preguntarse: *Si traigo a alguien lo suficientemente cerca como para que vea mi verdadero yo, ¿qué verá? ¿En quién se convertirá?*

INFLUENCIA DIVINA

El fin último y el resultado más profundo de la influencia tienen lugar cuando una persona está libre de toda orden o poder que pueda uno ejercer y aun así refleja la influencia de nuestros valores y pasiones. Dicho esto, vemos la profundidad de la influencia de Jesús. Su vida, hace dos mil años, continúa dando forma a los corazones y almas de millones de personas alrededor del mundo, no motivados por el temor al juicio o por la incertidumbre de la salvación, sino por la promesa dada por la gracia de la irrevocable relación de Dios. Después de todo, una vez que

> Este es el desafío que tenemos delante: no solo tomar la iniciativa, no solo movernos con confianza hacia la realidad de la incertidumbre, sino también maximizar nuestra esfera de influencia en tanto crecemos en la profundidad de carácter.

le prometemos el perdón a alguien, una vez que garantizamos una relación construida sobre el amor incondicional, ¿qué nos queda para forzar a alguien a hacer nuestra voluntad? ¿No es este el dilema de Dios? No hay coerción, no hay amenazas de rechazo, estamos libres del castigo, del juicio, del rechazo. ¿Qué hay para motivar a un cristiano entonces?

Jesucristo es el más grande ejemplo de cómo la verdadera influencia llega al corazón y al alma de una persona, cambiándola desde su interior. Cuando Dios hace esto, ocurre la milagrosa obra de la transformación. Y sin embargo, a fin de cuentas, es influencia. Dios gana nuestros corazones. Nos movemos con él porque se ha ganado nuestra confianza y deseamos estar a su lado. Este es el modelo que Jonatán reinstala. Este es el desafío que tenemos delante: no solo tomar la iniciativa, no solo movernos con confianza hacia la realidad de la incertidumbre, sino también maximizar nuestra esfera de influencia en tanto crecemos en la profundidad de carácter.

—Debes irte mientras aún sea de noche —le recordó Maven a Ayden.

—¿Es para que podamos deslizarnos por las sombras antes de que despierten? —preguntó con esperanza Kembr.

—¡No! —dijo abruptamente Ayden—. ¡Es para que sepan que fuimos nosotros quienes les despertamos, atreviéndonos a interrumpir su sueño!

—El camino está lleno de peligros. ¿Es necesario ir? —preguntó Kembr.

Maven sabía que no era el temor sino la cautela lo que causaba la pregunta de Kembr. Sin mirar a Ayden, le dijo lo que ella ya sabía a raíz de sus sueños.

—Las sombras gobiernan la noche. Se esconden, enceguecidas por el día, y por eso no las vemos. El día es libre. Es durante la noche que toman cautiva a la humanidad, manteniéndoles en un sueño permanente.

Ayden continuó la idea de Maven.

—Debemos caminar hacia el lugar más oscuro de las sombras. Solo allí sabremos si tenemos suficiente luz.

—Inscripción 988/ The Perils of Ayden

5

RieSgU

Viva antes de morir
y viceversa

Recibí el mensaje por medio de la viña de la ciudad de que yo estaba muerto. Puede sorprenderle que en los oscuros corredores de la jungla urbana haya muchos profetas... la mayoría, profetas de la fatalidad. Este ángel de la muerte se hacía llamar William. Su esposa había llegado a la fe personal en Jesucristo a través de mi trabajo. Él estaba en prisión, y allí se enteró de la conversión de su ella. No le pareció una buena noticia. Había irrumpido en su territorio. Un crimen digno de castigo —sí, así es, ha entendido bien—, digno de la muerte. Así que recibí su mensaje —varias veces, por cierto— de que cuando saliera de prisión, yo sería su primera asignatura. Había pasado la mayor parte de su vida adulta detrás de las rejas, y según su propia descripción, había desobedecido todos los mandamientos. Esta vez había ido a prisión por haberle cortado el cuello a un hombre. El hombre era el hermano de su mujer, a quien llamaremos Lupe.

Cuando me enteré de que había sido liberado, decidí ir a buscarle antes de que él me encontrara. Vivía en un pequeño complejo de apartamentos rodeado mayormente por casas casi en ruinas y tiendas en bancarrota. El complejo estaba a corta distancia de los rascacielos del centro de la ciudad, ubicado en medio de lo que había sido una vez uno de los barrios más prestigiosos. Uno no olvida fácilmente un encuentro con alguien como William. De algún modo, era una anomalía étnica. Era un hombre blanco en medio de una comunidad latina con la reputación de ser muy bueno con el cuchillo. Tenía unos treinta y cinco años, y la vida lo había hecho duro como una piedra.

Nos sentamos, enfrentados cara a cara en un sucio apartamento lleno de niños ruidosos y vecinos habitualmente borrachos. Pero antes de que me diera cuenta, estábamos solos: William y yo, y nadie más. No sé cómo sucedió. Jamás vi salir a los demás. Fue solo el silencio y la incomodidad del momento lo que me hizo notar que algo había cambiado. Las ventanas tenían rejas, la puerta estaba cerrada. Estábamos solos.

Con un rápido movimiento, sacó un cuchillo de su chaqueta y luego lo abrió, haciendo brillar el metal en mi dirección. Como quien recuerda un secreto placer, sonrió y dijo: «Este es el cuchillo con el que le corté la garganta al tipo. La policía jamás pudo encontrarlo».

Mil pensamientos se agolpaban en mi mente. Pero realmente, no tenía material en la categoría de «respuestas ingeniosas para utilizar rápidamente antes de morir acuchillado». Recuerdo haber pensado que el hermano de Lupe no había muerto; William solo le había cortado las cuerdas vocales. Pero la idea no me traía ningún consuelo. Sabía que mi siguiente frase, quizás mi última frase, sería de extrema importancia. Y entonces, salieron las palabras. Fue como si las oyera por primera vez, tal como lo hacía William.

«¡William, ese cuchillo será quien te mande al infierno!». Le miré directamente a los ojos y supe que mis palabras habían causado impacto en él. A decir verdad, también yo estaba impresionado por lo que había dicho. Pero aún estaba respirando, lo cual me permitió reunir algo de coraje. Por lo tanto, proseguí: «Piensas que eres rudo...» En mitad de la frase oí un grito en mi cabeza, *¿en qué estás pensando?* Así que reacomodé lo que iba a decir: «Bien, William, eres rudo... pero no eres libre. No estás en prisión, pero sigues prisionero.

Detrás de cada sombra, hay alguien esperando la oportunidad para matarte».

Extrañamente, la visión de William acerca de la vida, una vida de violencia y venganza, cambió aquel día. Me escuchó, y comenzamos a construir una rara amistad. Ojalá pudiera decirle a usted que la vida de William cambió ese día, o que cambió algún otro día más tarde, pero lo único que puedo decirle es que su vida jamás cambió. Lo que sí cambió fue el hecho de que William se convirtió en mi Juan el Bautista, quien prepararía el camino para mí en las calles del sur de Dallas. A menudo alardeaba acerca de que él y yo éramos amigos porque —según su opinión— él era un fanático del mal, y yo era un fanático de Dios.

PASE AL OTRO LADO

William y yo nos conocimos del otro lado de un momento divino. Utilizando el lenguaje de la experiencia de Jonatán, habíamos cruzado, habíamos pasado por el desfiladero. Cuando Jonatán habló con su armero y lo convenció para que le acompañara a pelear contra los filisteos, no solo reconoció su incertidumbre acerca de si Dios les ayudaría, sino que además presentó una estrategia peligrosa que parecía diseñada por un loco. Quizás haya llegado usted a esta misma conclusión, pero vea la confirmación.

Jonatán dijo: «Vamos a pasar al otro lado, a donde están esos hombres, y dejaremos que nos vean». No soy un experto en materia militar. Jamás asistí a una academia militar. Nunca fui un niño explorador. Pero creo que sé lo suficiente como para observar que esta es una estrategia militar terriblemente mala.

¿Dejar que nos vean? ¿No debía ser acaso: Acerquémonos a hurtadillas, escondámonos en las sombras, mantengamos silencio y ataquémoslos por sorpresa? Esto parecía no tener sentido alguno. Cuando uno sabe que los otros son más, que tienen mejores armas, por cierto no sale a la luz. La única esperanza es mantenerse virtualmente invisible.

Sin embargo, Jonatán sabía que este emprendimiento no dependía del ingenio humano. Se movía para atrapar un momento divino.

No era un momento que él crearía, aunque claro está que sin su iniciativa no habría momento. Estaba entrando en un momento en el que Dios debería participar para que el objetivo se cumpliera. No es que Jonatán fuera presuntuoso en cuanto a Dios se refiere. Sabía exactamente quién era Dios y también entendía las consecuencias potenciales de su acción. Estaba verdaderamente creando una oportunidad para que Dios trajera la victoria que ya había prometido.

QUITE EL VELO DE LA INVISIBILIDAD

El relato de lo sucedido continúa: «Así pues, los dos dejaron que los filisteos del destacamento los vieran». Hay algo en los momentos divinos que hace que debamos atravesar el desfiladero, aventurarnos más allá del punto sin retorno. Los momentos divinos requieren de nosotros que vayamos de lo invisible a lo visible, para que lo que no se ve se haga evidente.

Muchos vivimos asegurándonos de que no se nos vea. Elegimos el velo de la invisibilidad. Queremos permanecer en el anonimato. Atesoramos nuestro anonimato. Elegimos no involucrarnos y nuestro amor por la privacidad personal disfraza nuestra indiferencia y nuestro aislamiento. Uno puede vivir su vida y no ser visto jamás. Sí, la alternativa opuesta tiene potencial para grandes problemas. Tal como el permanecer invisible puede estar motivado por la negación a participar e involucrarse, el hacerse visible puede estar motivado por el deseo de ser el centro de atención. Pero no hablo acerca de buscar la luminaria en el escenario. Esto no tiene que ver con el rol estelar. Esto tiene que ver con dar un paso al frente y asegurarse de que nuestra vida vale. Tiene que ver con presentarse como voluntarios cuando Dios pregunta: «¿Quién irá en representación mía?». Hablo de nuestra silenciosa renuncia a la responsabilidad, nuestra decisión de ir tras bambalinas cuando se necesita a alguien al frente.

Siempre he sentido curiosidad por lo que habrá inspirado a Dios cuando creó a los pájaros y los animales. Mi experiencia personal me llevó a esperar algo diferente de lo que luego descubrí. ¿Alguna vez ha observado que algunas especies de pájaros son totalmente marrones en tanto otras son muy coloridas? También el macho es colorido a veces, y la hembra queda camuflada en el follaje. Ahora, antes de avanzar más, quiero aclarar que esto no sucede con los humanos. Los hombres somos claramente los componentes más feos. Sin duda, la hembra en la especie humana es la atractiva, la colorida.

Dicho esto, volvamos a reflexionar sobre la razón de este fenómeno. El color de los machos a menudo sirve para dos cosas. Atrae a las hembras e intimida a los depredadores y a los rivales. La hembra es de color marrón, aburrido, para permanecer desapercibida, lo cual es necesario para preservar su vida y la de su cría.

Como seres humanos, parece que podemos elegir qué plumaje llevar. Podemos vestirnos de color aburrido para evitar peligros potenciales y para camuflarnos en el entorno. O podemos elegir los colores vistosos, para ser más atractivos ante quienes nos rodean y para que quienes nos impidan el paso se vean intimidados. Es mucho más fácil ser invisible. ¡Oh!, hay otras palabras para *invisible* —*promedio, mediocre, normal, conformista, predecible, seguro*— y la lista sigue y sigue.

> **Es mucho más fácil ser invisible. ¡Oh!, hay otras palabras para invisible —promedio, mediocre, normal, conformista, predecible, seguro— y la lista sigue y sigue.**

A veces elegimos conscientemente ser invisibles. Otras veces, parece que la invisibilidad nos atrapa. Queremos ser visibles, pero no sabemos cómo materializarnos. No es que peleemos por las luminarias, o que deseemos el rol estelar; solo queremos que nuestras vidas signifiquen algo. La invisibilidad puede ser un lugar seguro hasta que deseemos ser vistos. Al final, todos queremos que nos vean, que nos cuiden, que nos amen o aprecien, y eso requiere de visibilidad.

Las decisiones más importantes de nuestras vidas requerirán de nosotros que dejemos de ser invisibles y nos arriesguemos a ser visibles. Cuando elegimos atrapar nuestro momento divino salimos de la invisibilidad a la visibilidad. Como Jonatán, elegimos atravesar el desfiladero, cruzar al otro lado, y dejarnos ver. La historia cuenta que ambos se mostraron al centinela filisteo. Habían llegado a un punto sin retorno.

Es aquí donde entramos en el cuello de embudo que hay en los momentos divinos más profundos. No todos los momentos son iguales ni tienen el mismo potencial. Algunos momentos tienen en sí la capacidad de cambiar una vida. Y este es el desafío que llega en esos momentos. La realidad es fundamental para la fe cristiana. No hay momento más grande, con ramificaciones eternas, que aquel en el que le damos la espalda al pecado y nos volvemos hacia Cristo. En ese momento, cuando se nos invita a recibir la gracia infinita de Dios, se requiere de nosotros que abandonemos todo lo que tenemos. Para tener la vida que Jesucristo nos ofrece debemos comprometernos a morir. Si no estamos dispuestos a morir a nosotros mismos, no somos capaces de recibir la vida que solo Dios puede dar. El

Las decisiones más importantes de nuestras vidas requerirán de nosotros que dejemos de ser invisibles y nos arriesguemos a ser visibles. Cuando elegimos atrapar nuestro momento divino salimos de la invisibilidad a la visibilidad.

momento en que tenemos más para ganar es también el momento en que más tenemos para dejar. Esta verdad guarda consistencia con la vida misma: la oportunidad más grande requiere del riesgo más grande también. Si queremos vivir la vida en toda su plenitud, debemos estar dispuestos a confiar en Dios y arriesgarlo todo. Si el cielo tuviese una sección de avisos clasificados, utilizaría una página entera que publicara: «Se buscan personas que corran riesgos para Dios».

SIN RETURNO

Era mi primera vez en el Medio Oriente. Éramos cinco, viajando juntos por Egipto, Siria, El Líbano y Turquía. Estábamos agrupados en dos camionetas y nos dirigíamos a Sidón, uno de los epicentros del grupo musulmán revolucionario Hamas. Cuando nos detuvimos en un lugar donde vendían comida al paso, uno de los hombres de la otra camioneta se acercó para decirme que en unas horas yo daría un discurso ante un grupo de musulmanes. Pensé que estaba bromeando, que se trataba del sentido del humor de los libaneses. No tardé en darme cuenta de que hablaba en serio. Me aseguró que solo serían unos pocos cristianos, quizás una docena, y apenas unos pocos musulmanes, a los cuales debía hablarles sobre la historia del cristianismo occidental.

Esa noche, cuando comenzó el evento, había una multitud. Casi ochenta musulmanes y un pequeño grupo de cristianos que habían organizado la reunión. Antes de que comenzara, me recordaron que esta gente estaría oyendo sobre el evangelio por primera vez, y que toda declaración acerca de que Jesús era Dios sería considerada nada menos que blasfemia. Estábamos a corta distancia del campo de refugiados palestinos, donde unos meses más tarde se celebrarían las miles y miles de muertes causadas en el World Trade Center. Los Ángeles me había dado muchas oportunidades de conocer a personas con creencias islámicas, pero esto era muy distinto. En Los Ángeles, yo pertenecía a la mayoría que disfrutaba de libertad ilimitada para hablar acerca de mi fe. Aquí, yo era parte de una minoría, y las circunstancias eran muy distintas para quien deseaba compartir el evangelio.

Debo confesar que comencé con todo lo que se me ocurrió que sería acorde. Comencé a describirles el cristianismo occidental que yo había rechazado. Entendía que para muchos musulmanes una nación refleja su religión. Entendía que no veían diferencias entre Norteamérica y el cristianismo. En sus mentes, el cristianismo produce MTV, Playboy, capitalismo, Hollywood... todo lo que proviene de Norteamérica. Cuando les hablé de que el cristianismo occidental era materialista e inmoral, estaban todos de acuerdo.

Hasta allí, todo estaba bien. Todo lo que les describía reafirmaba su visión acerca del cristianismo.

Pero luego comencé a explicarles que en los Estados Unidos se estaba produciendo una revolución. Un movimiento de sinceros creyentes en Jesucristo. Ellos eran miembros de lo que se llama la iglesia. Esto era diferente del cristianismo como religión del mundo. Era un movimiento de fe, amor y esperanza. Expliqué el punto central de este movimiento, que era llamado evangélico. Al llegar al momento de las preguntas y respuestas, mi anfitrión me tendió una pequeña trampa, a conciencia me preguntó: «¿Y qué es este verdadero evangelio del que tanto hablas?». Entonces, comencé a compartir el mensaje de que Jesucristo había venido al mundo y les ofrecía la vida.

Ha habido miles de ocasiones en mi vida, quizás decenas de cientos de miles, en que he declarado que Jesucristo es el Señor, sin pensarlo dos veces. He expresado que Dios mismo llegó a la historia humana en carne y hueso, que fue crucificado por nosotros y que resucitó de los muertos. Pero debo decir que esta vez fue diferente. Esta misma declaración tenía mucho más peso hoy que nunca antes. Pensé mucho, antes de efectuar mi confesión. Entendía las implicancias y la consecuencia potencial. Cada una de las personas que se levantaba para preguntarme algo me ponía un poco nervioso.

Con algo de humor, recuerdo a un hombre que se levantó y se acercó al frente, para hablarme cara a cara, mientras llevaba un revolver en el cinturón de sus pantalones. Mis amigos, que estaban conmigo, veían esta escena con ojos diferentes. Mientras yo miraba al hombre a los ojos, mi equipo miraba su arma. No puedo expresar mi alegría al ver que el público que yo pensaba estaría enojado, respondía con bendición hacia mi familia y hacia mí. Un hombre dijo: «Como eras tú, así soy yo», reconociendo que a pesar de que era musulmán no conocía a Dios y le estaba buscando. Otro hombre se puso de pie y dijo: «Si hubiera cristianos como usted en el Líbano, esta nación sería mucho mejor». Y luego agregó: «Que su esposa y usted vengan al Líbano, y tengan muchos hijos». Mi esposa Kim no recibió esta bendición como si viniese de Dios.

Durante la siguiente hora, muchos musulmanes se nos acercaron diciendo: «Quiero convertirme en cristiano». Mi amigo del Líbano, que había organizado esta reunión, me dijo que no podría entender le milagrosa naturaleza y la profundidad de lo que estaba sucediendo. Hubo representantes de la comunidad palestina que me dieron regalos y me escribieron una carta agradeciéndome por contarles acerca de Jesús el Cristo. Me sentía sobrecogido por la calidez, la amabilidad y la apertura de esta comunidad islámica.

Sin embargo, he omitido mencionar un detalle menor en esta historia. Después de la presentación, tomé asiento sin invitarles a recibir a Jesucristo como su Señor. Pensé que hacer esto sería llevar las cosas demasiado lejos, o —para ser honesto— que estaría tentando mi suerte más de lo debido. *Después de todo,* pensé, *compartí el evangelio con ellos, y eso de por sí no es poca cosa.* Tomé asiento y el moderador entonces comenzó con el cierre de la reunión. Inmediatamente, me sentí abrumado por la idea de que había dejado de lado justamente la invitación de dar sus vidas a Jesucristo y seguirle a él. Quizás haya sido porque mi corazón se me subía a la garganta cada vez que pensaba en hacerlo. Ahí supe que había perdido un momento divino. La ventana de oportunidad de Dios se había formado justamente enfrente de mí, y me había negado a tomarla.

Nuestro anfitrión estaba cerrando la reunión, agradeciendo la asistencia de todos. No pude soportarlo. De un salto me puse de pie y con actitud de arrepentimiento me acerqué al frente, pidiéndole al anfitrión que me permitiera decir una última cosa. Sabía que necesitaba cruza al otro lado, pasar por el desfiladero, para que vieran que yo iba a atrapar plenamente este momento que Dios me daba. Y así, en contra de mi criterio prudente, invité a todos los asistentes a atrapar sus momentos divinos y a entregar sus vidas en manos de Jesucristo. Fue esta invitación lo que pareció cerrar la reunión. Les estaba diciendo que Dios los invitaba a experimentar la plenitud de su vida. Los hombres y las mujeres que atrapan sus momentos divinos, también corren los peligros inherentes que estos acarrean. Los momentos divinos a menudo requieren de nosotros que pongamos nuestro bienestar a un lado, en pos del bienestar de otros, que abandonemos nuestro lugar de seguridad por el bien de otros. Solo podemos tocar a quienes estén a nuestro alcance, y esto puede cambiar solamente el mundo en que vivimos, pero podemos hacerlo. Si vamos a hacer visible lo invisible, esto requiere que vayamos del aislamiento de nuestra invisibilidad hacia los peligros de la visibilidad. Eso es lo sorprendente acerca de atrapar los momentos divinos. Elegimos ya no ser invisibles, sino correr el riesgo de dejar que otros nos vean, y entonces, cuando nos hacemos visibles, la invisible presencia de Dios se hace visible.

Nuestra acción invoca la actividad de Dios. Es como si Dios estuviera esperando que alguien confiara en él lo suficiente como para actuar su palabra. Hay muchas cosas que Dios quiere hacer que solo pueden verse cuando comenzamos a hacerlas. A veces no vemos cuánto espacio nos otorga Dios. En Filipenses 4:8, Pablo escribe: «Piensen en todo lo verdadero, en todo lo que es digno de respeto, en todo lo recto, en todo lo puro, en todo lo agradable, en todo lo que tiene buena fama. Piensen en toda clase de virtudes, en todo lo que merece alabanza». Verá, todo

> **Si vamos a hacer visible lo invisible, esto requiere que vayamos del aislamiento de nuestra invisibilidad hacia los peligros de la visibilidad. Eso es lo sorprendente acerca de atrapar los momentos divinos.**

lo que esté dentro de estos parámetros, es juego limpio. ¡Todo, cualquiera cosa que esté comprendida en ello! Piense, viva, disfrute y actúe según cualquiera de estas cosas. Todas están dentro de los parámetros de la voluntad de Dios para su vida. Pablo continúa diciendo en el siguiente versículo: «Sigan practicando lo que les enseñé y las instrucciones que les di, lo que me oyeron decir y lo que me vieron hacer: háganlo así y el Dios de paz estará con ustedes». Nuevamente, se nos recomienda hacer lo que sea, mientras refleje el corazón y el carácter de Dios. Luego, unos versículos más adelante, nos dice: «Sé lo que es vivir en la pobreza, y también lo que es vivir en la abundancia. He aprendido a hacer frente a cualquier situación, lo mismo a estar satisfecho que a tener hambre, a tener de sobra que a no tener nada. A todo puedo hacerle frente, gracias a Cristo que me fortalece» (Filipenses 4:12-13).

> ¿Oye usted lo que se nos está diciendo? Piense en cualquier idea que se relacione con Dios, haga cualquier obra para Dios. Y hágalo con coraje, sin importar cuánto cueste.

¿Oye usted lo que se nos está diciendo? Piense en cualquier idea que se relacione con Dios, haga cualquier obra para Dios. Y hágalo con coraje, sin importar cuánto cueste. Las circunstancias no pueden robarle el gozo de la vida. Y si usted está dispuesto a dar su vida por la riesgosa obra de Dios, encontrará que puede hacer todas estas cosas por medio del poder de Aquel que le fortalece.

A PRUEBA DE FALLAS

A los comediantes les encanta utilizar términos contradictorios para lograr el énfasis. Seguramente les habrá oído decir «vacaciones de trabajo», «realidad virtual», «clásico instantáneo», «agresivo pasivo» y «horrendamente precioso». Algunos de los que más me gustan son «deliberadamente sin querer», «abuso amigable» y por supuesto «sabio idiota». Aquí hay uno que raramente se identifica como una incongruencia: «a prueba de fallas». Cuando se supone que algo es a prueba de fallas, esto significa a veces que su funcionamiento está garantizado. En otras ocasiones es un término de desactivación, que promete que cuando uno accede a algo de manera incorrecta, hay garantías de que no funcione. Por lo tanto, cuando algo es a prueba de fallas, o bien promete no desilusionarlo o promete protegerle. Gran parte de nuestra comprensión contemporánea acerca de cómo obra Dios surge de un paradigma a prueba de fallas. Se nos ha enseñado que siempre que Dios esté en algo, no hay lugar para las fallas.

Al mismo tiempo se nos asegura que cuando Dios está con nosotros, tenemos la seguridad garantizada. En este proceso creamos la contradicción más irónica... «la fe segura».

Una perspectiva a prueba de fallas nos ciega ante los momentos divinos desde varios puntos. No vemos los momentos divinos cuando solo vemos el peligro y el riego de fallar. Perdemos nuestra confianza en medio de los momentos divinos cuando el viaje se torna turbulento y Dios nos permite experimentar lo que es el fracaso. Y además, no podemos celebrar los momentos divinos, aun cuando pasamos inadvertidamente por ellos, si miramos hacia atrás y medimos el éxito del viaje en términos humanos.

Una de las ventajas de la Biblia es que es predominantemente un libro de historia. Podemos mirar hacia atrás y ver lo que Dios ha hecho. La historia de Dios en el relato de la humanidad nos da el fundamento para nuestra fe presente y futura. Sin embargo, también es una desventaja el hecho de que la Biblia sea predominantemente un libro de historia, ya que es como leer un libro comenzando por el último capítulo, retrocediendo hasta llegar al primero. Sabemos el final de cada historia, cuando aún leemos su comienzo. Y más allá, sabemos el final de la historia que estamos viviendo.

Siempre que Dios esté involucrado, el epílogo no es misterioso. Dios gana. Y todo el que está de su lado participa de la celebración.

> **Siempre que Dios esté involucrado, el epílogo no es misterioso. Dios gana.**

Esto es una buena noticia, pero puede llegar a conducirnos hacia lo incorrecto. Pensamos que porque la historia concluye con victoria garantizada, cada capítulo contendrá solamente victorias. Esperamos que nuestro viaje se parezca a un viaje espacial que se inicia en la plataforma de lanzamiento y nos lleva a lo más alto del cielo. En realidad, esto se describiría mejor diciendo que vamos en una montaña rusa, con altibajos que causan náuseas. Debemos recordar que incluso en batallas que se cuentan como victorias, del lado ganador ha habido muchos soldados muertos. También las naciones con historias de conquista, victoria y libertad, incluyen individuos con historias secundarias de conflictos, sufrimiento y derrota. Es solo a causa de que la vida está interconectada con la historia global que su muerte adquiere tanto significado como victoria.

El viaje a través de los momentos divinos no es una ruta de escape al sufrimiento personal. En realidad, reafirma nuestra determinación de sufrir en el presente en aras del bien mayor que pueda lograrse.

Los momentos divinos están conectados a la trascendencia eterna, y en realidad pueden traernos un dolor aún mayor. El viaje a través de los momentos divinos no es una ruta de escape al sufrimiento personal. En realidad, reafirma nuestra determinación de sufrir en el presente en aras del bien mayor que pueda lograrse. Es el reconocimiento de que los momentos futuros nacen y están conectados a nuestras elecciones del presente. Lo que hagamos en este momento, tiene relación directa con los momentos que conocemos como nuestro futuro. Las escrituras dicen: «Fijemos nuestra mirada en Jesús, pues de él procede nuestra fe y él es quien la perfecciona. Jesús soportó la cruz, sin hacer caso de lo vergonzoso de esa muerte, porque sabía que después del sufrimiento tendría gozo y alegría; y se sentó a la derecha del trono de Dios». (Hebreos 12:2). Si malinterpretáramos esta descripción, podría parecernos que Jesús fue tan solo un masoquista. No es difícil ver cómo aun los cristianos malinterpretan esta descripción de Cristo. La Biblia no aboga por el sufrimiento como virtud. No fue la cruz la que le trajo gozo a Jesús. Él no dijo que el dolor fuera bueno, o que la vida fuera dolor. Era el gozo que había delante de él, el gozo que sabía que vendría, el gozo que podía ver a través de la cruz, lo que le dio fuerzas para atrapar ese momento divino. Jesús abrazó el dolor de la cruz por medio de la fuerza que le daba el gozo.

Leemos en Nehemías que el gozo del Señor es nuestra fuerza (8:10). Esta es la maravilla de la aventura divina. La fuerza de Dios viene en forma de gozo, y la fuerza de ese gozo nos da el coraje para enfrentar cualquier cruz que tengamos que llevar. Los momentos divinos no son a prueba de fallas, y no llegan libres de riesgo.

Siempre me resulta curioso cuando alguien dice que nunca ha fracasado. Sí que parece imposible, pero hay personas que lo dicen. Por cierto, no soy una de esas personas. En realidad, me dedico a los fracasos. Si usted entra en esa categoría de gente con un archivo perfecto, hay un par de cosas que quizás deba considerar. Usted no puede fracasar si no se arriesga. Si jamás ha fracasado, puede ser que sea porque jamás se haya arriesgado.

> **Usted no puede fracasar si no se arriesga. Si jamás ha fracasado, puede ser que sea porque jamás se haya arriesgado.**

Segundo, si jamás ha fracasado, entonces jamás ha vivido en serio. Cuando uno sigue a Dios, él le lleva más allá de sus propias capacidades, fuerzas y habilidades. Parte de la aventura divina consiste en experimentar la milagrosa mano de Dios cuando interviene en nuestra vida. El fracaso es a menudo el contexto para los milagros. Todos queremos milagros, pero intentamos evitar necesitarlos. Claro está que solo los enfermos necesitan sanar, solo los ciegos necesitan ver, solo los sordos necesitan oír, solo las personas leprosas necesitan ser purificadas. Nadie más llega a experimentar estos milagros directamente. ¿No sería grandioso ser Lázaro para poder experimentar el poder de Dios que nos resucite de entre los muertos? Por supuesto, hay una desventaja. Primero hay que morir, para que esto suceda.

Otro aspecto del fracaso es esencial también en el viaje. El fracaso es parte del ambiente que crea Dios para formar nuestro carácter. Hace ya mucho tiempo que me di cuenta de que Dios no se interesa porque tengamos una temporada perfecta. Pareciera no entender la desventaja de que experimentemos el fracaso. Es más que obvio que cuanto más caminamos con Dios, su entorno de enseñanzas, en realidad, es la vida misma. Y al permitirnos fracasar, Dios no está castigándonos, sino llevando a cabo el proceso de formar a las personas en las que nos convertimos. No es entonces una frase hecha decir que el camino a la grandeza está pavimentado por el fracaso. Los hombres y mujeres que desean atrapar cada uno de sus momentos divinos tienen que estar dispuestos a aceptar los fracasos como parte de la vida. No como parte de la existencia, uno puede existir sin fracasar jamás, pero uno no puede vivir de verdad sin enfrentar fracasos.

Los hombres y mujeres que se caracterizan por el Factor Jonatán a menudo tienen un archivo mucho mayor de fracasos que los demás porque arriesgan también mucho más. Si es difícil fracasar sin arriesgarse, es aún más difícil tener éxito sin fracasar.

ENTRE EL HABÍA UNA VEZ Y EL VIVIERON FELICES PARA SIEMPRE

Los momentos divinos viven entre el dulce comienzo y el gustoso final. Existen entre la inocencia y la invencibilidad. En medio de los momentos divinos es cuando somos más poderosos y más vulnerables. Este lugar del medio, tan complicado, es el contexto de nuestra vida. Uno no se hace el bien a sí mismo cuando todas las historias de su vida tienen un final feliz. Es mucho más importante que haya algo en el medio que tenga significado. A menudo nos sentimos paralizados por el temor a hacer lo que no está bien, y esto es importante para siempre avanzar con toda la sabiduría que nos sea posible reunir.

Hasta Pablo describió su vida como una en la que veía a través de un espejo, sin nitidez. Confesó que conocía solo una parte de su vida. Y muy a menudo, hablamos de la voluntad de Dios en términos de lo velado. Nuestro lenguaje nos traiciona. Es como si anheláramos conocer la voluntad de Dios, pero él se negara a revelarla. Dios vela su voluntad para nuestras vidas dejándola en el ámbito de lo misterioso, pero luego nos hace responsables de todos modos. El tipo de confianza que mostró Jonatán se construye en la certeza de que Dios se mueve más por la motivación que por la información. La información que se nos da en la Biblia está allí con el propósito de formarnos. Dios jamás tuvo la intención de darnos un libro con todos los detalles necesarios para vivir nuestra vida. Nos dio un libro con todo lo necesario para formar nuestras vidas. No estaba intentando bajar la base de datos del cielo, sino intentando hacer que fuese compatible con el usuario. Cuando Dios tiene nuestros corazones, nos movemos naturalmente en su voluntad. El combustible para una vida de fe es más la inspiración que la información. No hay celo sin conocimiento, pero ciertamente, no hay conocimiento sin celo.

El riesgo que Dios respeta se ve alimentado por una pasión, un propósito y una disposición a someter nuestras vidas a su misión. La oración cambia de: *Dios, ¿cuál es tu voluntad para mi vida?* y pasa a ser: *Dios, ¿cuál es tu voluntad y cómo puedo entregar mi vida para que se cumpla?* En medio de este proceso, hay mucha imperfección. Puede resultar difícil de entender, pero podemos hacer lo incorrecto por la razón correcta. Y podemos hacer lo correcto por la razón correcta, y que todo resulte incorrecto (al menos, desde nuestro punto de vista). Todo esto es simplemente para decir que Jonatán corrió un riesgo real que podría haberle costado la vida, y que del mismo modo nuestras vidas, cuando las entregamos por completo a Dios, se enfrentan con posibilidades similares.

En 1992 me mudé a Los Ángeles en parte para encabezar un proyecto llamado LAZER. Un equipo de Los Ángeles comenzó a trabajar en un proyecto en el que iniciaríamos cien iglesias durante una temporada de verano. Kim y yo vendimos nuestra casa de Dallas para mudarnos a Los Ángeles. No teníamos financiamiento, ni salario, ni gente suficiente. Durante el año siguiente, tomamos cada centavo de nuestros recursos personales para lograr que se concretara este proyecto.

Más de diez años antes, había sentido que Dios me conducía a Los Ángeles. Kim y yo nos habíamos casado sabiendo que algún día nos mudaríamos a allí. Era claro que Los Ángeles era una ciudad crítica, y que el potencial para difundir el evangelio al mundo desde este lugar era casi inimaginable.

Todo parecía estar en correspondencia con el corazón de Dios Era un proyecto importante. En línea con el carácter de Dios. Era estratégico, y fracasó. Y al decir fracaso no quiero decir que no llegamos del todo a cumplir con nuestras metas. No es que iniciamos 96 de las 100 iglesias planificadas, ni 70, ni 80. Nuestra desilusión no provino de ver solo 20 o 30 iglesias iniciadas. Sería mucho más fácil poder decir que todo lo que vimos fue solo un puñado de iglesias iniciadas. En verdad, al final del período teníamos solo una pequeña congregación surgiendo en Huntington Park, y eso fue solo porque estaba yo allí, presente, esforzándome. El proyecto, desde el punto de vista humano, fue un fracaso total. Y lo que hizo esto más difícil fue que el proyecto tenía atención nacional. Parecía que todos los habitantes del país estaban al tanto de LAZER. Finalmente, y siendo el único que quedaba, me despedí y cerré el proyecto.

Si fuera Cenicienta, podría terminar este relato diciéndole que el bien parecido príncipe finalmente apareció y cumplió mis sueños. Si fuese Blancanieves, podría decirle que finalmente desperté de mi horrible pesadilla. Pero entre el «había una vez» y el «vivieron felices para siempre» esta el ahora. Y en el ahora, hay todo tipo de fracasos con los que debemos convivir. El fracaso nos puede cambiar, formar, enseñar y motivar. El fracaso puede ser nuestro amigo. El fracaso está íntimamente relacionado con el riesgo, el cual está íntimamente relacionado con el éxito.

CUENTA REGRESIVA

Cuando llegué a Mosaic, éramos una iglesia comunitaria en el este de Los Ángeles. Cada año que pasaba, nuestro espectro de alcance se extendía por toda la ciudad. Siete años después de iniciado el viaje, era claro que nuestra congregación necesitaba aventurarse más al norte. Teníamos dos servicios en el este de Los Ángeles, otro en el centro, pero la receptividad y apertura del norte estaba atrayendo gente de esta impredecible región de la ciudad. La gente venía desde Burbank,

Glendale, Pasadena, y desde lo que llamábamos «el valle remoto». En nuestra búsqueda, no podíamos encontrar un lugar donde congregarnos. Finalmente hicimos el anuncio. Y comenzó nuestra cuenta regresiva.

Un domingo por la mañana anunciamos que en siete semanas más estaríamos abriendo un nuevo servicio en el norte de la ciudad. Cuando la congregación preguntó dónde sería, dijimos que no teníamos idea. Solo sabíamos cuándo y por qué, pero no sabíamos dónde ni cómo. El llamado era a todas las personas que sentían que Dios los estaba guiando a ser parte de este servicio. Buscábamos cincuenta personas que se convertirían en el núcleo de un nuevo servicio los días domingo. Y luego, faltaban seis semanas, no contábamos con el lugar, pero teníamos las cincuenta personas. Más tarde, faltaban cinco semanas y aún no contábamos con el lugar. Seguíamos entrenando a los nuevos equipos para la celebración. Entonces, faltaban cuatro semanas y el lugar, pero la banda comenzó a ensayar y se formaron los equipos de comunicación. Luego, faltaban tres semanas y el lugar, pero la congregación estaba muy motivada, y orábamos juntos. Llegamos a las dos semanas previas, todavía sin lugar.

Debo admitir que en este momento estaba poniéndome un tanto nervioso. El equipo de liderazgo también se sentía un tanto ansioso. *¿Y si no encontramos una propiedad en dos semanas? ¿Qué es lo que haríamos entonces?* Les recordé lo que había sucedido unos años antes con una de las iglesias que habíamos fundado. Nos congregábamos al aire libre, en el área céntrica de Fort Worth. Y comenzamos a preguntarnos: ¿Qué haremos si no tenemos un lugar físico donde congregarnos? ¿Dejaremos de existir como iglesia? ¿Es necesario contar con instalaciones para que nuestra iglesia exista? ¿Seguíamos teniendo confianza en que Dios estaba en esto? ¿Era esta la respuesta al llamado del Espíritu de Dios? ¿Estaba esto en línea con la misión de Dios? ¿Traeríamos honor a Dios aun con nuestro fracaso?». La respuesta a todas estas preguntas era: Sí. Así que nos pusimos de pie y anunciamos: «En dos semanas comenzamos nuestro servicio, incluso en caso de que no consigamos un lugar».

Al finalizar el servicio de la mañana, un invitado que nos visitaba por primera vez se ofreció a ayudar. Su nombre era James, explicó que vivía en el norte de Los Ángeles y que estaría encantado de poder servir. No tenía idea de quién era este hombre, pero le dije que si quería ayudar, podría buscar un lugar donde reunirnos. Ni siquiera pestañeó. Su respuesta fue: «¿Necesitan un lugar donde reunirse? Conozco una compañía que busca a una iglesia que desee congregarse en sus instalaciones». Era un antiguo empleado de una editorial que operaba en ese mismo lugar, en el segundo piso de un edificio de ladrillos. Estaban a dos casas de un club de desnudistas.

Catorce días antes de nuestra fecha de lanzamiento nos reunimos con el propietario de lo que llamaríamos luego «el desván». Habían estado orando porque una iglesia se congregara en el área libre de sus instalaciones. Y nosotros habíamos estado orando por un lugar que no fuese caro donde reunirnos en menos de diez días. A una semana de la apertura, pudimos anunciar nuestro nuevo domicilio. Su ubicación parecía ser consecuencia del singular sentido del humor de Dios, uno iba conduciendo por una calle, y en vez de doblar a la derecha, siguiendo el fluir del tráfico, debía girar hacia la izquierda, cruzando la vía para tomar el carril en sentido contrario. Cuando viéramos el cartel que decía «Desnudos, desnudos, desnudos», debíamos doblar a la derecha, seguir dos casas más y encontrar a «Mosaic, Mosaic, Mosaic». Una semana más tarde, más de doscientos adultos participaron de nuestro primer servicio allí, sentados en futones y asientos de espuma de goma. La cuenta regresiva había garantizado el lanzamiento. ¿Habría resultado si nunca hubiéramos iniciado la cuenta regresiva?

Llega un momento en el que simplemente debemos ponernos de pie, salir de debajo de nuestra pantalla, reunir al equipo y salir hacia el punto sin retorno. Según entiendo, la fe es confiar en Dios lo suficiente como para obedecer su palabra, y la esperanza es tener

> Según entiendo, la fe es confiar en Dios lo suficiente como para obedecer su palabra, y la esperanza es tener la certeza de que Dios hará todo lo que ha prometido. Una nos empuja; la otra nos atrae.

la certeza de que Dios hará todo lo que ha prometido. Una nos empuja; la otra nos atrae. Nos llevan hacia la maravilla de experimentar nuestros momentos divinos. Pero sin lugar a duda, entre la fe y la esperanza, está el riesgo.

Mucho antes del 11 de septiembre, me comprometí en una cruzada contra una frase estereotipada que los cristianos han usado durante mucho tiempo. En *Una Fuerza Imparable* lamenté que hubiera llegado a ser una parte aceptada de la teología pop pensar que lo más seguro es estar en el centro de la voluntad de Dios. No digo que esta afirmación tenga mala intención, sino que apunta al lugar equivocado y puede desorientar.

A menudo he pensado en la motivación que subyace en esta afirmación. Quizás la hayan dicho un padre o una madre preocupados que intentaban consolar a su hijo. Después de todo, cuando nuestros hijos temen a la oscuridad, ¿no intentamos consolarles dándoles seguridad? También puede ser que fuera expresada por unos padres preocupados que veían cómo su hijo adolescente partía hacia la universidad. Una advertencia sutil: *Sal de la voluntad de Dios y estarás en graves problemas.* Cualquiera que haya sido la motivación, el resultado causó más daño que bien. Si el lugar más seguro es estar en el centro de la voluntad de Dios, entonces mediríamos la voluntad de Dios preguntándonos: *¿Es segura?*

La inversión en esta afirmación ha afectado claramente nuestra fe occidental. Hemos llegado a la conclusión de que Dios promete seguridad. De que quienes estén fuera de la voluntad de Dios experimentarán el peligro. Uno no puede correr riesgos y garantizar la seguridad. Nuestra teología pop ha eliminado el lugar del riesgo, asilándonos en una teología de comodidad y seguridad. Esta visión va en contra de lo que encontramos en las Escrituras. Quiero reiterar el hecho de que el centro de la voluntad de Dios no es un lugar seguro, sino el más peligroso del mundo. Dios no le teme a nada ni a nadie. Dios se mueve con intención y poder. Vivir fuera de la voluntad de Dios nos pone en peligro, pero vivir en su voluntad nos hace peligrosos. (Véase *Una Fuerza Imparable*, páginas 32-33). Cuando comenzamos a atrapar nuestros momentos divinos no comenzamos a vivir libres de riesgo, sino a volvernos libres para arriesgarnos.

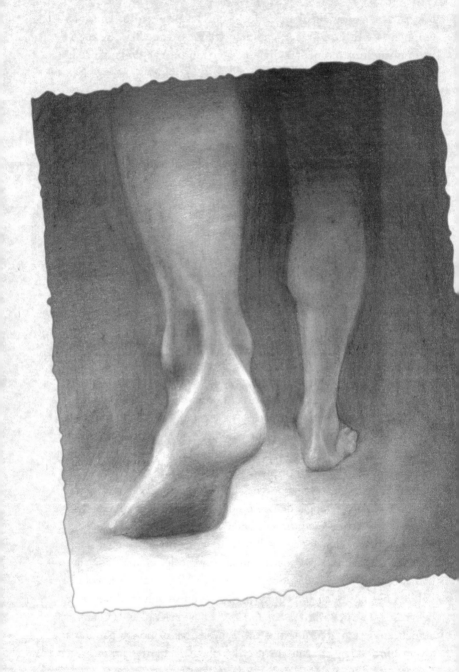

Ayden iba delante, mientras Kembr le seguía. A cada paso, el camino se hacía más y más oscuro. Sus ojos podían ayudarles poco, pero de algún modo, lograban encontrar su camino.

Todo llevaba en sí mismo su propio calor y vibración. La oscuridad no aminoraba los colores, los cuales iban desde los más cálidos hasta los más fríos.

Y en medio del silencio, podían sentir los sonidos que les rodeaban. Sonidos tan melodiosos que harían que el caminante solo quisiera detenerse para sentarse a escucharlos. Sin embargo, detrás de ellos había gritos de desesperación y hasta de tormento. Se hacía cada vez más difícil avanzar. La oscuridad era casi sofocante.

Ayden interrumpió la lucha de Kembr con un potente recordatorio:

—Tienen la fuerza para matarte con un solo golpe. El temor te atrapará y luchará por hacer que te detengas. No pueden dañarnos mientras avancemos. Solo pueden pegarnos si dudamos o retrocedemos.

—Retroceder, será asegurarnos la muerte. ¡Entonces, avancemos y vivamos! —dijo Kembr confirmando sus palabras.

—Inscripción 1223/ The Perils of Ayden.

6

ΛvɑNce

Siga adelante a menos que le digan no

CRECER EN MIAMI SIGNIFICABA QUE PARTE DE NUESTRA EDUCACIÓN física era tomar lecciones de natación. Cuando uno está virtualmente rodeado por el agua, saber nadar es parte importante de la supervivencia. Cada semana pasábamos una hora en la piscina que estaba junto a la escuela, y allí, enfrentábamos dos desafíos. El trampolín alto y el bajo. Casi todos conquistaban el bajo. Era solo un salto corto. Pero el trampolín alto trazaba la línea que separaba a los niños de los hombres.

Durante semanas observé a los que saltaban desde allí. Todos salían sanos y salvos, y podía ver que se divertían. ¡Pero se veía tan alto! Mientras pienso en esa experiencia recuerdo que muchas niñas saltaban desde allí. La línea no separaba a los niños de los hombres, sino a los cobardes de los que tenían coraje. Yo nadaba, seguro, en medio de la categoría de los cobardes.

Un día, ya no lo soporté más. Tenía que experimentar aquello que tanto me aterraba. Me paré en la fila y la espera pareció durar una eternidad, hasta que llegué a la escalera que me llevaría arriba. Mientras mis manos tocaban el acero frío y mojado, comencé a subir. Sentía que mi corazón galopaba mientras me decía a mí mismo que lo lograría. Pasé la escalera y me paré sobre la peligrosa tabla blanca. Con cuidado, me acerqué al borde. Miré hacia abajo, y allí me di cuenta de que estaba mucho más alto de lo que me había parecido desde abajo. Todos decían: «¡Salta!». Y yo pensaba: *¡Salta!* Pero mis pies no se movían. Estaba paralizado.

Pensé en mi situación y decidí que solo podía hacer una cosa. Me di vuelta con mucho cuidado y caminé de regreso hacia la escalera. Quería bajar, pero había dos problemas. El primero, la multitud de niños que esperaban su turno. Había demasiados como para que pudiera abrirme paso. El segundo problema era la persona que estaba justamente detrás de mí: mi hermano mayor. Me miró y dijo: «No vas a salir por aquí». Claramente me decía que había una sola salida, y que no estaba hacia atrás, sino hacia adelante.

Mi ira hacia él por no dejarme volver fue el combustible que me dio el coraje para saltar. Inhalé profundamente, tragué mi corazón, y salté hacia mi muerte. Me alegra decir que sobreviví, y que en verdad, lo disfruté.

Recuerdo cuán desesperadamente quería retroceder en lugar de avanzar y cuán dispuesto estaba a vivir con la humillación de haber retrocedido. Si lo hubiera hecho, jamás habría disfrutado de la zambullida, y siempre habría vivido dentro del límite creado por el miedo.

La vida está llena de trampolines, de lugares donde nos paramos para mirar hacia abajo y ver que está mucho más alto de lo esperado. De lugares donde no hay punto muerto... solo podemos ir hacia adelante o hacia atrás. Muchas veces esta es la línea divisoria, la que separa a quienes solo ven su oportunidad divina de aquellos que la atrapan. En este punto del juego uno está lo suficientemente cerca como para sentirle el gusto. Uno ya ha tomado decisiones importantes acerca de vivir su aventura divina, pero ahora debe decidir: «¿Avanzar o retroceder?».

UNA MOVIDA PELIGROSA

Ese era el lugar en que se hallaba Jonatán. No había retorno. Los filisteos vieron a su enemigo parado en el desfiladero. Jonatán ya había tomado la decisión de ir más allá del punto sin retorno. Claramente, estaba dispuesto a morir por la causa que sabía que era correcta. Ahora vemos parte del filtro por el que Jonatán comprendía la obra de Dios. Jonatán le explicó a su armero: «Si nos dicen que esperemos a que bajen hasta donde estamos, nos quedaremos allí y no subiremos adonde ellos están. Pero si nos dicen que subamos, lo haremos así, porque eso será una señal de que el Señor nos dará la victoria». Luego, se mostraron ante el centinela de los filisteos.

Así pues, los dos dejaron que los filisteos del destacamento los vieran. Y estos, al verlos, dijeron: "Miren, ya están saliendo los hebreos de las cuevas en que se habían escondido". Y en seguida les gritaron a Jonatán y a su ayudante:

—¡Suban adonde estamos, que les vamos a contar algo!
Entonces Jonatán le dijo a su ayudante:
—Sígueme, porque el Señor va a entregarlos en manos de los israelitas (1 Samuel 14:11-12).

En términos de estrategia militar no describiríamos a Jonatán como genio. No hace falta decir que uno no deja que el enemigo le vea. Pero él fue aún más allá de esta decisión irracional. Le explicó a su armero lo que tenía en mente: «Si los filisteos deciden bajar hacia donde estamos, les esperaremos, pero anda sabiendo que terminaremos muertos. Si nos llaman para que subamos, si nos desafían a que trepemos por el acantilado y nos trabemos en batalla con ellos, esa será la señal de Dios de que su victoria es cierta».

En cualquier guerra, el lado que está en posición más alta tiene la ventaja. Si uno puede controlar el terreno alto, podrá controlar el resultado. La logística que Jonatán describía parecía hacer que la victoria fuera imposible. ¿Cómo esperaba derrotar a los filisteos solo con una espada, cuando tendría que usar sus manos y pies para trepar por el acantilado? Su armero se habrá preguntado si Jonatán era suicida, o si la información que le daba no era completa. Sin embargo, lo que encontramos en el plan de Jonatán no es una estrategia de guerra. Él era un siervo convencido de que Dios estaba más que dispuesto a actuar.

No podemos saber con exactitud cuándo se le ocurrió esta idea a Jonatán. Lo que sí sabemos es que fue coherente con el modo en que históricamente Dios había obrado por medio de su pueblo, Israel. Desde los tiempos de Abraham, eran un pueblo con una misión por cumplir. A pesar de que su llamado era específico, la aplicación de ese llamado siempre era dinámica. Israel era llamado a adorar solo al Señor, y por medio de los israelitas, Dios bendeciría a las naciones. Moisés fue utilizado por Dios para llevar a Israel desde Egipto a las orillas de la tierra prometida. Su viaje se extendió durante cuarenta años como resultado de las malas elecciones que hicieron mientras andaban por el desierto. El llamado y la promesa de Dios hacia ellos eran claros, sin embargo, la respuesta de ellos estaba conformada por cómo se desempeñaran en su jornada.

> **Sin embargo, lo que encontramos en el plan de Jonatán no es una estrategia de guerra. Él era un siervo convencido de que Dios estaba más que dispuesto a actuar.**

En los tiempos de Josué, el Señor nuevamente desafió a su pueblo para que cumpliese las promesas que él les había hecho. Ordenó a Josué ir a tomar posesión de la tierra que el Señor les daría. Josué era uno de los doce hombres elegidos para espiar a los habitantes de la tierra prometida y volver con información. Diez de los hombres informaron que la tierra estaba habitaba por gigantes y desalentaron la invasión. Josué y Caleb, sin embargo, vieron que la tierra era lo que Dios les había prometido. Estos diez estaban dispuestos a renunciar al cumplimiento de la promesa de Dios cuando sopesaron el desafío. Josué y Caleb concluyeron que no podía haber cantidad

Dios les daría la victoria en la batalla, sí, pero él no pelearía la batalla por ellos.

suficiente de gigantes que le impidieran a Dios cumplir su promesa hacia ellos. Si había gigantes en esta tierra, parte del mandato era hacerles la guerra. Si los adversarios eran más altos, más fuertes, más poderosos o más numerosos, eso era problema de Dios. Tenían un llamado y una promesa que recibir. La tierra era de ellos tan solo si la tomaban. Dios les daría la victoria en la batalla, sí, pero él no pelearía la batalla por ellos.

¿CUÁL ES SU SEÑAL?

Jonatán actuaba basado en la convicción de que se le había llamado a avanzar. El ejército de Dios ya había sido encargado con esta misión. La victoria sobre los filisteos era una promesa que simplemente esperaba para cumplirse. Jonatán confiaba tanto en que sus acciones estaban en línea con el propósito de Dios, que solo necesitaba una señal que dijese: «Avanza». Y esperaba que viniera del lugar más extraño... de la boca de los enemigos de Dios. Si los filisteos eran lo suficientemente arrogantes como para desafiarles, esa sería la señal de que Dios ya les había entregado en sus manos. Las únicas palabras que Jonatan no quería oír eran: «Quédense donde están». La llamada a avanzar era la señal de la victoria. La llamada hacia el peligro. La invitación a entrar en acalorada batalla. Se le consideraría un tonto, seguramente según el punto de vista de muchos, pero desde el punto de vista de Jonatán, la cosa se ponía cada vez más interesante. Habrá pensado: *¡No habrá ocasión mejor que esta!*

Y así, los filisteos les vieron y comenzaron a burlarse de Jonatán. Gritaron: «Los hebreos salen arrastrándose de las cuevas en las que se habían escondido». Se reían de Jonatán, y le dijeron a él y a su armero: «Suban hasta donde estamos, y les daremos una lección».

Cualquier persona razonable habría temblado de miedo buscando escapar. Pero Jonatán se volvió hacia su armero y le dijo: «Trepa detrás de mí. El Señor los ha entregado en nuestras manos». Casi puedo oír el entusiasmo en su voz. «Esta es la señal que esperábamos». Estaban ansiosos de oír la palabra que les hiciera avanzar.

Debemos observar que esto es liderado por la intuición. Sin embargo, no está reñido con la fe. De algún modo Jonatán comprendía que cuando uno se mueve con Dios, debe moverse con mentalidad de avanzada. Uno se mueve hacia adelante a menos que Dios le indique detenerse. Uno avanza a menos que Dios le indique que debe esperar. Hay ciertas cosas para las que no necesitamos pedir permiso. Uno ya se ha comprometido a hacerlas. Y hay ciertas cosas para las que no necesitamos un llamado. Ya se nos ha ordenado hacerlas.

Gran parte del lenguaje de nuestra religión se ha concentrado más en los «no» que en los «sí». Del mismo modo, actuamos como si la palabra principal de Dios fuese: «Detente», en lugar de: «Avanza». Perdemos demasiadas oportunidades divinas al mantenernos esperando una palabra que ya nos ha sido dada. Para Jonatán, la palabra «esperar» era el beso de la muerte, pero «avanza» era la señal de Dios. «Esperar» tenía mucho más sentido y requería menos esfuerzo. «Avanza» implicaba más esfuerzo y peligro. Esto nos lleva a una importante pregunta: «¿Qué tipo de señal está esperando usted?».

Jonatán se movía hacia adelante alineado con el propósito de Dios, y el desafío de avanzar era la afirmación de su mano de poder y bendición. Jonatán no se quedó sentado, esperando la señal. Avanzó todo lo que podía. La confirmación le llegó en medio de la acción. No señaló la necesidad de una señal como justificación para su temerosa pasividad o para una sutil rebelión.

Hemos hecho de Gedeón un héroe, y un modelo de su vellón ante Dios. Y aunque Gedeón hizo muchas cosas admirables, elegimos una equivocada para imitar. Gedeón recibió al ángel de Señor que le dijo: «El Señor está contigo, hombre fuerte y valiente».

La respuesta de Gedeón fue una pregunta que a menudo hacemos nosotros también:

«Perdón Señor, pero si Dios está con nosotros, ¿por qué nos pasa todo esto?» (Véase Jueces 6:12-13).

El Señor respondió con la palabra que se mantiene a lo largo de las Escrituras: «Ve con esta tu fuerza, y salvarás a Israel de la mano de los madianitas. ¿No te envío yo?» (Jueces 6:14).

Esta es la intersección que debemos cruzar: Dios comienza con *avanza*, y nosotros a menudo comenzamos con *espera*. Fue a causa de la falta de confianza en Dios, a causa de la falta de fe, que Gedeón puso su vellón ante Dios. Puso un vellón de lana sobre el suelo, y le dijo a Dios: «Si vas a salvar a Israel por medio de mi mano, entonces haz que caiga rocío solo en el vellón, y que el suelo quede seco». Entonces Dios lo hizo. Gedeón estrujó el vellón y llenó un tazón con agua.

> **Esta es la intersección que debemos cruzar: Dios comienza con *avanza*, y nosotros a menudo empezamos con *espera*.**

Y luego Gedeón obedeció y fue, ¿verdad? No. Lo hizo de nuevo. Volvió a poner a prueba a Dios. Esta vez quería que el vellón quedara seco, y que el suelo se cubriera de rocío. Así que a la noche siguiente Dios hizo lo que Gedeón le pedía.

Es sorprendente que Dios sea tan paciente con nosotros, que no abandone, aun cuando hay tanta falta de fe en él. Sí, Dios respondió al vellón de Gedeón, pero esto no es un modelo de acción. Cuando Dios dice que avancemos, debemos hacerlo sin reservas. También es importante observar que Dios le dijo: «Ve con esta tu fuerza». Es por eso que Gedeón tenía miedo de ir. Sabía cuánta fuerza tenía y cuánta fuerza le faltaba. Cuando enfrentamos desafíos del tamaño de Dios con nuestra capacidad de tamaño humano, queremos echar un vellón en el suelo y posponer el compromiso. Sin embargo, todo esto es parte de la aventura. Dios nos invita a ir con nuestra propia fuerza, confiando en él y obedeciendo recibiremos su fuerza.

Finalmente, Gedeón aceptó el desafío. Esto no debiera hacernos creer que las oportunidades perdidas vuelven y que no hay consecuencias. Cuando se llamó a los israelitas a responder al desafío, perdieron su momento, y esto les costó cuarenta años de su historia.

Cuarenta años que podrían haber pasado disfrutando de la tierra prometida, y que sin embargo, pasaron vagando en un desierto.

¿Es posible que usted haya estado esquilando el vellón de sus momentos divinos en lugar de atraparlos? ¿Que le haya dicho a Dios: «No haré nada, no arriesgaré nada, no iré a ninguna parte hasta que tú me des una señal»? ¿Ha elegido usted vivir en comodidad, seguridad, conveniencia, justificando su estilo de vida porque Dios no le ha llamado a una vida diferente? ¿Su justificación por vivir una vida de bajo riesgo es la ausencia de señales para que viva de manera diferente?

SOLO DIGA SÍ

La señal para Jonatán fue la burla del guerrero filisteo. La única señal que necesitaba era que la voluntad de Dios debía cumplirse, y él estaba en una posición como para intentar cumplirla. Pero, ¿qué sucedería si cambiáramos nuestra manera de pensar? ¿Si oyéramos la primera palabra de Jesús en su Gran Mandamiento: *Vayan*, como el único permiso que necesitamos para hacer la voluntad de Dios? ¿Cómo cambiarían nuestras vidas si obráramos desde un gigante SÍ, en lugar de un gigante NO?

Aunque hay momentos en que Dios nos llama a una tarea especial, aún sin este tipo de instrucción, no se nos deja sin misión o sin llamado. Cada uno de los seguidores de Cristo tiene la instrucción primordial de representarle a él en esta tierra. Todos estamos llamados a ser sus testigos. Todos tenemos la tarea de hacer discípulos. A todos se nos da la tarea de servir como sus embajadores de reconciliación. A

> Cada uno de los seguidores de Cristo tiene la instrucción primordial de representarle a él en esta tierra.

todos se nos ordena no solo amar únicamente a Dios, sino también a nuestro prójimo como a nosotros mismos. Todos estamos enviados a seguir su ejemplo, a servir a otros como Cristo nos sirvió a nosotros.

Hace varios años, uno de los miembros de nuestra iglesia estaba en una reunión relacionada con la movilización para determinar nuestra misión. Un salón repleto de mujeres estudiaba cuál era la misión específica de Dios para sus vidas. Una de ellas enumeró una serie de oportunidades que ella y su esposo habían considerado. Describió cinco o seis diferentes oportunidades internacionales, y luego explicó que en cada una de ellas Dios había dicho que no. Impactado más por su patrón de pensamiento que por las oportunidades rechazadas, el miembro de nuestro grupo le preguntó una sola cosa: «¿Hay algo a lo que Dios haya dicho sí?». Y la respuesta de la mujer fue: «No lo creo». Puede llegar a ser muy frustrante el sentir que todo lo que recibimos de Dios es un listado rechazado. Al mirar hacia atrás ahora, veo que no era Dios quien siempre decía no.

¿Qué es lo que sucede en nuestras conversaciones con Dios que nos hace oír más el no que el sí? Muchas veces, cuando decimos que estamos esperando a Dios, es él quien nos está esperando a nosotros. Es verdad que Jesús instruyó a sus discípulos a esperar hasta recibir el Espíritu Santo. Pero luego les dijo que una vez que recibieran la promesa del Espíritu de Dios, debían salir y cambiar al mundo. Nosotros también hemos recibido el Espíritu de Dios, y se espera que salgamos con la confianza de que Dios está con nosotros.

> **Muchas veces, cuando decimos que estamos esperando a Dios, es él quien nos está esperando a nosotros.**

¿Alguna vez se ha visto demorado por el tráfico? Quizás precisamente un día en que estaba apurado, llegando tarde a un compromiso importante. Hay solo uno auto enfrente suyo. Usted mira el semáforo continuamente, esperando que cambie de rojo a verde. Parece tardar una eternidad, pero finalmente sucede. Deja de pisar el freno, está por acelerar, y entonces, ve que la persona que está delante no se ha enterado de que tiene permiso para avanzar. En lugar de mirar hacia adelante, está mirándose en el espejo retrovisor. Seguramente recuerde que pensó: *Vamos, señora, ya está la luz verde para avanzar*. Me pregunto si esto es lo que Dios piensa también.

El libro de los Hechos ciertamente no describe a un pueblo apático, sino a personas aprehensivas. Describe a gente que se movilizaba con Dios. Claramente, se movían a partir de una mentalidad que indicaba avanzar. Vivían sus vidas alimentados por el sí divino, y era este permiso inspirado por Dios lo que les hacía una fuerza imparable. Esto va más allá de la iniciativa y la proactividad. Es un sentimiento de destino manifiesto, una confianza en que nadie puede impedirnos cumplir el propósito de Dios para nuestras vidas. No hay desafío o enemigo lo suficientemente poderoso como para ser un obstáculo en nuestro camino.

Se nos llama a ser conquistadores, no sobrevivientes. Con pasión y anticipación, nos movemos con determinación hacia el ojo del huracán. Este Factor Jonatán nos impulsa a enfrentar los desafíos más grandes de frente, no de espaldas con la cola entre las patas. No sé lo que significará para otros, pero para los seguidores de Jesucristo significa vivir al borde, estar parado en el epicentro del lugar en el que el reino de Dios se enfrenta con el reino de la oscuridad. Cuando el mal levanta su fea cabeza, burlándose de Dios y atormentando a los débiles, el aventurero se alza y se mueve hacia su reto. Como un misil guiado, el espíritu del aventurero avanza hacia su más grande desafío.

> No sé lo que significará para otros, pero para los seguidores de Jesucristo significa vivir al borde, estar parado en el epicentro del lugar en el que el reino de Dios se enfrenta con el reino de la oscuridad.

COMPLICÁNDOLO TODO

En el libro de los Hechos y en los escritos de Pablo también encontramos que la vida real es complicada. A ellos no todo les salía bien. Las primeras comunidades cristianas distaban mucho de ser perfectas. Nadie tenía un entendimiento perfecto, ni siquiera los apóstoles. Muchos queremos un mapa, pero en su lugar recibimos solo una brújula. No se nos da un boceto detallado sobre cómo vivir cada día. Se nos da un norte, una dirección hacia la que debemos avanzar. En este viaje una cosa es cierta: cuando avanzamos sobre lo que sabemos, las cosas se aclaran. Cuando nos negamos a actuar sobre lo que sabemos, todo lo que no sabemos nos paraliza.

Si es usted un perfeccionista, este viaje de aventura requerirá de más herramientas. A pesar de que adoramos a un Dios perfecto, el viaje está lleno de lo que considerará imperfecciones inaceptables. La vida del aventurero no es como organizar una oficina, sino como andar sobre una tabla de surfing. Está llena de variables desconocidas e inesperadas. Jamás hay un punto en el que podamos decir que la tarea está terminada, hasta que llegamos al destino final.

Tanto en el Antiguo como en el Nuevo Testamento el Espíritu de Dios se describe con la misma palabra, que también se traduce como *viento*. Cuando nos convertimos en personas del Espíritu, nos unimos al viento de Dios mientras él se mueve a lo largo y ancho de la historia humana. Vamos a cometer errores en esta vida, seguro, así que mejor que sean errores buenos. Es en esta debilidad donde Dios se muestra fuerte. Aun cuando nos comprometemos a hacer el bien, no debemos engañarnos pensando que estamos haciendo lo perfecto. Sin embargo, en su maravillosa gracia, Dios nos brinda apoyo en nuestra obra cuando nuestros corazones son enteramente suyos. En el Paraíso que Dios le dio al hombre, había un solo no, en medio de muchos sí. Una sola opción mala, y absoluta libertad para elegir entre todo lo bueno, para elegir lo que uno prefiriese.

Esto es coherente con el patrón que Dios tiene para nosotros, pero la apuesta ahora es mayor. No se trata de elegir una entre muchas

buenas opciones; se trata también de luchar contra las fuerzas del
mal que quieren consumir a la humanidad. El único árbol malo se
ha convertido en jungla. Dios busca aventureros que se abran camino para ir al rescate de aquellos que están perdidos en la oscuridad.

Quienes atrapan sus momentos divinos, se mueven con el sí de
Dios, a menos que él diga no. Trabajan desde el sí, y esperan el no.
Entienden que la misión les da permiso. Saben que la crisis envuel-
ve su vocación y llamado. Saben que el peligro es la invitación que
tienen para enfrentar el desafío.

¿HACIA QUÉ LADO SE INCLINA USTED?

En 1887, Elisha A. Hoffman escribió una canción que se ha convertido en un clásico de la vida de las iglesias norteamericanas. Su nombre es «Apoyados en los brazos eternos». El estribillo dice:

Apoyados, apoyados, seguros y a salvo de toda alarma.
Apoyados, apoyados, apoyados en los brazos eternos.

Estoy seguro de que estas palabras han dado consuelo a miles de
millones a lo largo de los años, pero al mismo tiempo, nos muestran
que durante mucho tiempo hemos estado inclinándonos y buscando apoyo en cierta dirección. La imagen que nos da este gran him-
no es la de que estamos inclinados hacia atrás. Nos dice que si nos
apoyamos en los brazos eternos de Dios estaremos libres y a salvo de
toda alarma. El mensaje es obvio. Si nos apoyamos en los brazos
protectores de Dios, él no permitirá que nada nos lastime.

Quiero afirmar de forma absoluta que debemos apoyarnos en
los brazos de Dios, pero quiero aclarar y quizás confrontar la idea
de la dirección de dicho apoyo y su resultado. Cuando nos apoyamos en los brazos de Dios, podemos encontrarnos en situaciones de
alarma, no a salvo de ellas. Y lo que es más importante, cuando uno
comienza a apoyarse en Dios, comienza a inclinarse hacia delante,
no hacia atrás.

Hace varios años se me explicó un fenómeno sociológico descrito como categorizaciones de adopción, el cual describe cuán rápidamente respondemos a los cambios.

El gráfico en forma de campana nos dice básicamente que el 50% de la población se inclina hacia adelante, y que el otro 50% lo hace hacia atrás. En un análisis más específico nos dice que un 2% aproximadamente recibe la denominación de innovadores, cerca del 13% son adoptadores tempranos, un 34% son considerados una mayoría temprana, y un 34% como mayoría tardía. Alrededor del 13% son adoptadores tardíos, y un 2% queda rezagado.

En otras palabras, un 15% aproximadamente está parado sobre la punta de los pies, preparándose para avanzar, mientras otro 15% está clavando los talones, resistiéndose al avance. En mis años como estudiante y como profesor me ha impactado lo mucho que nuestros himnos y nuestra teología se han referido a un solo extremo de esta situación.

Nuestro lenguaje para describir a Dios ha sido tomado mayormente de las imágenes bíblicas de Dios como nuestra roca, nuestro baluarte y nuestra fortaleza. Y estoy seguro de que todos hemos encontrado consuelo y fuerzas en los atributos relacionados con Dios que se describen en estas expresiones. Pero no hemos sido igual de fieles para capturar otros aspectos del Dios que se describe como viento y fuego.

HACIA ADELANTE

Hace unos años, en el invierno, un amigo mío llamado Bob estaba de visita en nuestra casa en Los Ángeles. Me invitó a ir a esquiar con él, y eso era algo que yo siempre había querido hacer. Había practicado esquí acuático durante años, pero nunca había intentado esquiar sobre agua congelada. Esta sería mi primera vez.

Fuimos al área de Big Bear y me anoté en una de esas lecciones para principiantes, de esas que enseñan lo básico en unos quince a treinta minutos. Le dan a uno nociones sobre cómo calzarse los esquís y mantenerse parado sin caer, cómo abordar el elevador y desmontarse sin caer y, por supuesto, cómo levantarse una vez que las dos experiencias previas no han resultado positivas.

Luego de esta breve clase de instrucción, Bob se acercó y me guió hasta uno de los elevadores, para que pudiera disfrutar de mi primera experiencia cuesta abajo. Algunas de las palabras del instructor me habían sonado algo confusas, pero sí recordaba algo claramente: «Usted es un principiante. Debe permanecer en el área del círculo verde. Espere hasta un poco más adelante para intentar en el cuadro azul. Y jamás, repito, jamás intente esquiar en el área del rombo negro».

Al montar el elevador, y a medida que nos arrastraba hacia arriba, supuse que habría diferentes lugares donde podría desmontar. Podía quedarme en el sector verde, o esperar hasta el sector azul, o aun seguir hasta el sector negro. Pronto supe que no es esta la manera en que están organizados los elevadores. Cada uno tiene un destino. Y Bob me dijo al rato que este era el que llevaba hacia el rombo negro. Allí tendría yo mi primera experiencia. Bob me aseguraba continuamente que se había equivocado, que no lo había hecho adrede. Debo creerle, porque Bob es pastor.

Tenía una simple estrategia para mi descenso. Apuntar hacia lo que parecía ser el lugar más blando, y dirigirme hacia allí. Cuando llegué abajo, sentí que había logrado algo increíble, e inmediatamente me dirigí hacia el sector azul. Después de todo, había sobrevivido al rombo negro y solo me había caído unas diez o doce veces. El sector azul sería muy fácil.

Cuando bajé del elevador del sector azul, apunté mis esquíes hacia abajo, y me di cuenta de que no tenía idea sobre cómo moverme de lado a lado. Bajar la ladera en línea recta, tomando la ruta más corta entre dos puntos, me haría llegar a destino sin otro modo de detenerme más que cayendo. El impulso me llevó hasta el área del patio del refugio de esquiadores, donde finalmente me detuve. Un instructor se acercó para decirme que jamás había visto a nadie bajar en línea recta, sin zigzagueos. Pensaba que había sido increíble. Le expliqué que no sabía detenerme y que había tenido miedo de caer.

Las instrucciones de Dios son avanzar, vivir la vida, correr riesgos, ir hacia adelante, avanzar siempre.

Mientras bajaba, pensaba continuamente: *Dobla las rodillas e inclínate hacia adelante.*

Ninguna otra instrucción importaba en realidad, excepto: *No te inclines hacia atrás, siempre hacia adelante.* Es un buen consejo para todos los que somos novatos en la aventura divina: inclinarse en la dirección en que debemos ir. Reconocer que cuando nos calzamos los esquíes del reino, Dios nos envía en una dirección específica. Y sí, hay que bajarse del elevador. Las instrucciones de Dios son avanzar, vivir la vida, correr riesgos, ir hacia adelante, avanzar siempre.

UNA INVITACIÓN DIVINA

En 1991, Kim y yo debimos tomar nuevamente una importante decisión en nuestra vida. ¿Era ya tiempo de mudarnos de Dallas a Los Ángeles y comenzar nuestra aventura nueva con Dios? En muchos aspectos, esta decisión era mucho más difícil entonces de lo que había sido antes. Teníamos mucho que perder, muchas cosas que dejar.

Cuando éramos recién casados, solo estábamos los dos. No teníamos mucho, ni teníamos hijos en quienes pensar. Avanzar era mucho más simple entonces. Ahora teníamos un hijo de tres años, y Kim esperaba otro bebé. Mi trabajo como consultor denominacional había terminado, y el resultado de nuestro trabajo nos había traído seguridad financiera. En pocos años habíamos pasado de alquilar un apartamento, y dormir en el piso, a ser dueños de una casa nueva y de un auto que habíamos pagado en efectivo. Pero parecía que Dios nos estaba invitando a dejarlo todo y comenzar nuevamente.

Mientras evaluábamos esta decisión, Kim tuvo un encuentro único con Dios en las Escrituras. Se me acercó, con lágrimas en los ojos, y me leyó Lucas 14:15-24:

Al oír esto, uno de los que estaban sentados a la mesa le dijo a Jesús:

—¡Dichoso el que participe del banquete del reino de Dios!

Jesús le dijo:

—Un hombre dio una gran cena, y mandó invitar a

muchas personas. A la hora de la cena, mandó a su criado a decir a los invitados: "Vengan, porque ya la cena está lista". Pero todos comenzaron a disculparse. El primero dijo: "Acabo de comprar un terreno, y tengo que ir a verlo. Te ruego que me disculpes". Otro dijo: "He comprado cinco yuntas de bueyes y voy a probarlas. Te ruego que me disculpes". Y otro dijo: "Acabo de casarme, y no puedo ir". El criado regresó y se lo contó todo a su amo. Entonces el amo se enojó, y le dijo al criado: "Ve pronto por las calles y los callejones de la ciudad, y trae acá a los pobres, los inválidos, los ciegos y los cojos". Más tarde, el criado dijo: "Señor, ya hice lo que usted me mandó, y todavía hay lugar". Entonces el amo le dijo al criado: "Ve por los caminos y los cercados, y obliga a otros a entrar, para que se llene mi casa. Porque les digo que ninguno de aquellos primeros invitados comerá de mi cena".

Era la parábola del gran banquete. Esta parábola significó mucho más en ese momento, mientras Kim comenzó a compartirla conmigo. Dios no solo nos ha invitado a todos al banquete en su reino, sino además nos invitaba específicamente a unirnos a él en su banquete. Con lágrimas en los ojos, Kim explicó: «Dios nos está invitando a unirnos a él en una celebración. Da la fiesta en Los Ángeles. Tiene todo preparado, aun cuando no lo veamos. Si no vamos, habrá dos asientos vacíos allí».

La parábola es un fuerte recordatorio de que hay muchas oportunidades perdidas, la oportunidad perdida de rechazar la invitación de Dios de conocerle por medio de su Hijo Jesucristo, y sí, la infinidad de oportunidades perdidas cuando ignoramos la invitación que Dios nos hace para que nos unamos a

De manera muy real, Dios está dando una fiesta, y estamos todos invitados. Los participantes serán quienes oigan la invitación de Dios y atrapen su momento divino.

él en lo que está haciendo, en el lugar en donde lo está haciendo. De manera muy real, Dios está dando una fiesta, y estamos todos invitados. Los participantes serán quienes oigan la invitación de Dios y atrapen su momento divino.

Al igual que aquellos que se perdieron la fiesta, todos estamos llenos de excusas. Uno dijo: «Acabo de comprar un campo. Debo ir a verlo. Por favor, discúlpame». Otro dijo: «Acabo de comprar cinco yuntas de bueyes. Voy en camino a probarlas. Por favor, discúlpame». Otro dijo: «Acabo de casarme y no puedo ir». Las mismas viejas excusas. Tengo que ir a algún lado, tengo que hacer cosas, tengo que ver a alguien. Estoy demasiado ocupado como para aceptar la invitación que Dios me hace a la vida. Pienso que es curioso que los dos primeros dijeran: «Elijo no ir», y que el que acababa de casarse dijese: «No me permiten ir».

Es sorprendente que a menudo las mismas personas que se supone debieran alentarnos a avanzar, son aquellas que nos retienen. Personalmente he conocido a muchas mujeres cuyos corazones están llenos de pasión por Dios, pero que no pueden atrapar sus momentos divinos a causa de la pasividad de sus esposos.

Nuestras vidas debieran estar llenas de amigos y familiares que deseen ir hacia adelante y tomar todo lo que hay en la vida para que experimentemos. Esta es una de las características que hace de Mosaic algo tan especial para mí. Somos una comunidad de personas paradas en puntas de pie, no con los talones clavados. Hay algo excitante y especial en una comunidad entera que se inclina hacia adelante para hacer avanzar el bien que desea el corazón de Dios, en lugar de inclinarse hacia atrás intentando resistirse a él.

EMPAQUE Y PREPÁRESE

Una de las preguntas más frecuentes con relación a nuestra congregación es: ¿Cómo es posible que movilicemos a tantas personas hacia misiones en otros países? Es bastante fácil de explicar. Si su iglesia está llena de miembros, encontrará el misionero. Si su iglesia está llena de misioneros, el resto es solo geografía. La mayoría de las iglesias no envían misioneros porque no los tienen. Durante varios años, nuestro promedio ha sido enviar un adulto al mes como misionero hacia lo que llamamos la ventana diez-cuarenta, donde se halla la gente con mayor necesidad de oír acerca de Dios. Estas personas no fueron llamadas a las misiones repentinamente. Eran personas que ya estaban en la misión, y luego Dios eligió cambiarles el domicilio.

Uno de los períodos más excitantes en la historia de nuestra iglesia fue un intervalo de tiempo de aproximadamente trece meses, durante los cuales más del 50 % de nuestros asistentes dejaron los Estados Unidos en algún tipo de misión o proyecto de servicio. Durante ese año, recibimos una llamada de ayuda de un equipo de misioneros en la región de China y Mongolia. En pocos meses tendrían su reunión anual, a la que asistirían más de quinientos obreros.

El líder regional me explicó la naturaleza integral de su necesidad durante ese período de diez días. La reunión compilaba un año entero de iglesia en unos pocos días. Yo estaba incluido entre los disertantes, y me preguntaron si podría llevar a un equipo.

—¿Un equipo de adoración? —pregunté.

—Sí —me respondió.

—¿Y qué te parece teatro y artes creativas?

—Sería excelente —dijo.

—¿Necesitan algo más?

—Bueno, sería muy útil un grupo de obreras para preescolares —dijo entonces.

—¿Algo más?

—Bien, necesitamos un ministerio para niños.

Luego me dijo que también tenían necesidad de trabajadores para los últimos años de escuela primaria y para los de secundaria. Cuando terminó de enumerar sus necesidades para la reunión anual, la cantidad total era de aproximadamente cuarenta apersonas.

Era increíble pensar que nuestra congregación, de unos seiscientos adultos, pudiera movilizar cuarenta profesionales para que dedicaran dos semanas de sus vacaciones, reunieran más de 40.000 dólares, y fueran a Asia a cambiar pañales. Avanzamos, y dijimos: «Seguro. Lo haremos». Deseara poder decirle que fue difícil, que me llevó meses de esfuerzo reunir el equipo. Pero en realidad, solo me llevó una hora reunir todo lo que necesitaba. Y ni siquiera habían pasado dos semanas cuando el equipo de cuarenta y dos personas se hallaba listo. Fue casi sin esfuerzo que reunimos los 40.000 dólares, a pesar de que se requirió verdadero sacrificio de parte de muchas personas. Esto jamás habría sido posible si los miembros de la iglesia no hubiesen sido ya misioneros. Habría sido imposible hacer que aquellos que tenían los talones clavados en el suelo, se pusieran en puntas de pie, con este tipo de noticia. Uno no puede avanzar el reino de Dios con personas que están inclinadas al retroceso. Cada uno de nosotros, al igual que Jonatán, puede vivir con mentalidad de avanzar. Podemos inclinarnos hacia adelante sobre los brazos eternos de Dios.

> **Uno no puede avanzar el reino de Dios con personas que están inclinadas al retroceso.**

UN DESAFÍO A SUS TEMORES

Mi hermano Alex tenía fobia de volar. Había sufrido esto desde que tengo memoria. De niños, comenzamos a volar a la edad de cinco años. Íbamos y volvíamos de los Estados Unidos al Salvador continuamente. Alex, como era mayor, siempre conseguía el codiciado asiento junto a la ventana. Pronto aprendí que no tenía sentido pelearnos por el asiento de la ventana, ya que apenas despegaba el avión, Alex correría al fondo para pasar la mayor parte del vuelo en el baño. No estoy seguro de si su fobia estaba directamente relacionada con esta experiencia de la infancia, pero volar jamás había sido uno de sus medios de transporte favoritos.

Cuando comenzamos a trabajar juntos en el ministerio, me explicó que no apreciaba mis invitaciones a viajar conmigo. En efecto, me explicó que en realidad le molestaban muchísimo. No era solo que no disfrutara de volar, o que solo tuviera temor; en realidad, odiaba volar. Y dijo: «No tengo miedo a volar; tengo miedo de que el avión se caiga». Esto fue antes del 11 de septiembre.

Luego sucedió algo extraño. Cuando dos aviones se estrellaron contra el World Trade Center, y dos más cayeron en la costa Este, descubrimos que toda una nación tenía miedo a volar. Innumerables eventos en nuestro país han reducido la cantidad de participantes, y ha habido muchas cancelaciones a raíz de la nueva crisis. Sin embargo, para Alex sucedió todo lo contrario. Dijo que estaba parado cerca del campus de la Universidad de Carolina del Sur y vio pasar un avión. Era el primer avión de pasajeros que veía desde el ataque del 11 de septiembre. Y reveló que en ese momento supo que estaba viendo un acto de desafío, que ser un pasajero anteriormente requería de muy poca reflexión previa. Pero ahora, se trataba de una decisión consciente entre quedar paralizado o avanzar hacia adelante.

Sin fobia, sin miedo, solo con puro desafío... inclinándose hacia adelante, atrapando los momentos divinos, haciendo avanzar el reino de Dios.

Desde entonces, mi hermano jamás ha sido el mismo de antes. Ha subido a los aviones gran cantidad de veces. Sin fobia, sin miedo, solo con puro desafío... inclinándose hacia adelante, atrapando los momentos divinos, haciendo avanzar el reino de Dios. Es como si hubiera oído al filisteo diciendo: «Sube hasta donde estamos, y te daremos una lección». Lo oyó como una señal de Dios que le llamaba a avanzar.

Jonatán no estaba solamente desafiando su suerte; desafiaba al temor en sí mismo. Nada le impediría avanzar y hacer lo correcto. ¿Cómo se vería nuestro mundo si fuéramos una sociedad llena de hombres como Jonatán?

ACEPTE EL DESAFÍO

Jamás olvidaré el pánico del Y2K. Parecía que nos rodeaba una sensación de fatal destino. Por cierto, no fue uno de los mejores momentos para los cristianos norteamericanos. La literatura cristiana solo parecía capitalizar esta histeria. Se escribía y decía muy poco acerca de una perspectiva y dirección positivas. Nuestro apetito por la literatura apocalíptica solo parecía echar combustible sobre el frenesí del momento. Me pregunto cuántos cristianos habrán quedado con sus despensas llenas de latas de atún y alimentos no perecederos. Los cristianos más cautelosos, tomaban decisiones irracionales, como dejar sus casas para ir hacia refugios aislados. Las congregaciones del país buscaban líderes espirituales que dieran el ejemplo y proveyeran perspectiva bíblica.

Como familia, tomamos una decisión. No nos rendiríamos a la histeria del momento. El mundo no se terminaría. Necesitábamos desarrollar una estrategia que hiciera avanzar los propósitos de Dios hacia el siglo veintiuno.

En medio de esta crisis, Dios nos dio una perfecta oportunidad para poner nuestra acción donde estaban nuestras palabras. Me invitaron a hablar en diferentes partes del país durante la transición del milenio, por lo que volamos a Filadelfia. Hablé en el lugar donde nación nuestra nación y luego volé a Houston, dirigiéndome a miles de estudiantes que recibían el año nuevo juntos. Y el 1 de enero, volé a Los Ángeles de vuelta a casa con mi esposa y los dos niños. Como una declaración de nuestra confianza en el futuro de Dios, viajamos de costa a costa, y hablé a la mañana siguiente sobre nuestro compromiso frente al tercer milenio.

Si va a atrapar sus momentos divinos debe estar dispuesto a enfrentarse con sus gigantes. Recuerde, los filisteos eran un pueblo de gigantes. Eran la familia de Goliat y sus hermanos. Jonatán avanzó, aun antes de que David tomara la cabeza de Goliat. Supongo que se podría decir que para poder cortarle la cabeza al gigante primero hay que matarlo.

Después del riesgo viene el avance. Luego del «no retorno»

> **Después del riesgo viene el avance. Luego del «no retorno» viene «hay que avanzar». Cuanto más nos acercamos a un desafío divino, más grande se verá este, y más pequeños nos sentiremos.**

viene «hay que avanzar». Cuanto más nos acercamos a un desafío divino, más grande se verá este, y más pequeños nos sentiremos. Si las señales que está buscando son las que garanticen el éxito, podrá retroceder en lugar de avanzar. Sería muy bueno si las señales de Dios con respecto a que debemos avanzar siempre fueran situaciones perfectas, con todos los recursos necesarios para el éxito, con la garantía de la victoria. Pero si ese fuera el caso, no habría aventura.

Además, esta no es la realidad. Muy frecuentemente las señales que nos indican avanzar serán inquietantes. Harán que evaluemos quiénes somos, y quién creemos que es Dios. Nos pondrán en claro nuestras prioridades ¿Estamos aquí por lo que podemos recibir o por lo que podemos dar? Las señales pondrán de manifiesto nuestros corazones, mostrarán nuestros temores y darán rienda suelta a nuestra fe. Hay una palabra para la forma de pensar de aquellos que atrapan sus momentos divinos: avanzar. Hay un contexto para su viaje: el aventurero vive para el desafío.

Después del impacto

La creación gime porque todo vuelva a estar bien.

La tierra ruge con violencia,

irrumpiendo en lo que es para hacer lugar a lo que vendrá.

Solo después de que todo se estremece

es que cada cosa encuentra el lugar que le corresponde.

Su movimiento destruye, divide y define.

Hasta las montañas tiemblas.

Y sin embargo, hay un reino que permanece.

—Maven, The Perils of Ayden

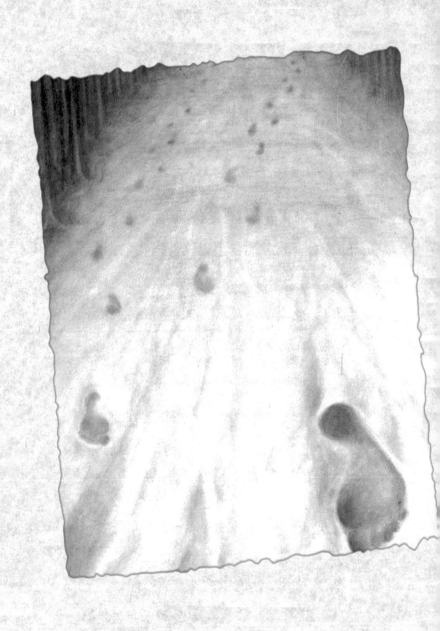

—¿Qué armas traes? —preguntó Kembr a Ayden al sentir que el conflicto era inminente.

—No había armas que traer —explicó Ayden.

—¿Y Maven permitiría que viniésemos indefensos? —preguntó Kembr sin poder creerlo.

—No vinimos a defender, sino a conquistar —declaró Ayden como si no hubiera comprendido—. Somos el guerrero y el arma al mismo tiempo. Hay una sola esperanza contra las sombras, y es la luz que llevamos dentro. Si no es suficiente, no habrá filo que pueda cortar la densa oscuridad —continuó.

Los pies de Kembr le pesaban mientras avanzaba. ¿Será este el modo en el que el miedo nos paraliza?, pensó. Sin embargo, con cada paso parecía que el suelo temblaba. ¿O era ella?

—¿Qué está sucediendo debajo de mis pies? —gritó a Ayden mientras la tierra se estremecía cada vez con más fuerza.

—¡Es la densidad de la luz! —contestó Ayden con entusiasmo y haciéndose oír—. ¡Es el peso de la presencia!

—Inscripción 1771 *The Perils of Ayden.*

7

IMPACTO

deje una marca

¿RECUERDA USTED AQUELLA VIEJA FRASE QUE DICE QUE SI DIOS cierra una puerta, abrirá una ventana? ¿Alguna vez se ha encontrado esperando demasiado tiempo junto al lado equivocado de la puerta cerrada, intentando descubrir cuándo construirá Dios la ventana que le permitirá escapar? Permítame hacer una simple observación que podría cambiarlo todo para usted: hay muchas más paredes que puertas y ventanas.

Esto no quiere decir que no llegamos a este dilema sin una causa. Cada cierto tiempo, tenemos una oportunidad, un momento tan dulce que es virtualmente imposible de perder. No hay nada sutil en él. Simplemente llega como una bola rápida lanzada por el punto exacto en que le podemos pegar con toda la fuerza del bate, un momento tan lleno de posibilidades que ni siquiera nosotros podríamos fallar.

Es como cuando le pedí a Kim que se casara conmigo. Lo hice todo mal, pero igualmente ella dijo que sí sería mi esposa. Recuerdo la noche en que estábamos sentados en su automóvil, y yo estaba a punto de darle el anillo de compromiso. Pasé casi una hora preparando el momento. No, no pintaba el cuadro de nuestro eterno amor. Intentaba desarrollar un discurso teológico en contra del materialismo. Esto es lo que sucede cuando la educación del seminario y la natural estupidez masculina se unen en un mismo momento. Hice que ella se sintiera tan mal, que cuando le di el anillo, se negó a aceptarlo. Me sorprendió que respondiera de esa manera a mi generosidad y a mi obvio símbolo de amor. Y sin embargo, con la abrumadora cantidad de torpezas de este tipo que cometí, aun así quiso casarse conmigo. El amor es raro. Realmente, deja pasar una multitud de pecados... y la estupidez. Pedirle a Kim que se casara conmigo no era solo un momento divino, sino además, uno de los momentos que definirían nuestra vida. Era un momento que tendría implicancias permanentes.

Esas puertas y ventanas abiertas, llenas de oportunidades, están envueltas en lo que aparece como el momento adecuado. Es lo que a menudo describimos como estar en el lugar correcto en el momento justo. Es entrar con nuestro currículum cinco minutos después de que haya renunciado alguien que tiene nuestras mismas calificaciones. Es ir finalmente a compartir el mensaje de Jesucristo con un amigo que acaba de pedirle a Dios: *Si estás ahí, dame una señal.* Es trabajar detrás de bambalinas durante una audición, y que repentinamente decidan que uno es justamente la cara que estaban buscando.

Pero desafortunadamente, no siempre es así. La mayoría de los momentos divinos necesitan ser atrapados, no caminamos a través de ellos. Hay muchas ocasiones en la vida en que pensábamos que una oportunidad era la puerta de Dios, y luego encontramos a último momento que estaba cerrada. En medio de la desilusión, vemos que Dios crea una nueva oportunidad, algo que jamás habríamos imaginado... esa sería la ventana. Y sin embargo, muchas veces encontramos puertas cerradas, ventanas cerradas, largos corredores, pasillos sin fin... en otras palabras, encontramos paredes y murallas. Es fácil ver las puertas de la oportunidad, y siempre se siente éxtasis al ver que una ventana de oportunidad se abre ante nuestros ojos. Lo que podemos perder son las oportunidades divinas que se esconden detrás de las paredes, y que solo descubriremos si atravesamos los muros.

Algunas de las oportunidades más grandes se hallan no detrás de puertas o ventanas, sino detrás de paredes. Se requiere genuino esfuerzo. Más allá del riesgo, se requiere sudor de verdad. Nuestra integración religiosa del cristianismo con el capitalismo y el consumismo ha dado como resultado un punto de vista que dice que si Dios está en ello, vendrá fácilmente. Luego, cuando aparecen las inevitables dificultades, cuando chocamos contra la pared, suponemos que Dios no estaba en ello, o concluimos que elegimos mal.

Los años me han convencido de que los momentos más importantes hay que atraparlos, las oportunidades divinas de mayor significado son las que no llegan fácilmente. Aun cuando lo hicieran, a menudo se vuelven mucho más complejas y difíciles en la fase posterior al comienzo. No debiera sorprendernos que si vamos a regalarnos cosas grandes, esto tenga un costo. Después de todo, si los momentos divinos fueran fáciles de atrapar, todo el mundo estaría viviendo en la abundancia de la que habló Jesús.

DETRÁS DE LA LÍNEA DEL ENEMIGO

Samuel nos dijo que después de que Jonatán recibiera su señal de Dios, trepó usando sus manos y sus pies, con el armero siguiéndole detrás. Luego nos dice que los filisteos cayeron ante Jonatán. En el primer ataque, se registra que él y su armero mataron a veinte hombres en una superficie de casi medio acre. Eso sí es guerra. No es una metáfora, sino una batalla, con sangre de verdad, con heridas de verdad, dolor de verdad, sufrimiento de verdad y muerte de verdad.

En esta situación en particular, era la guerra entre los israelitas y los filisteos. Dios estaba estableciendo para sí un pueblo por medio del cual invitaría a las demás naciones a unirse a él. Los filisteos expresaban tal idolatría e inmoralidad que Dios no permitiría que Israel la asimilara o aceptara. En este primer encuentro solamente, el «ejército» de Jonatán se enfrentó con una fuerza veinte veces mayor: veinte espadas contra una sola. Sea cual fuere la fe que Jonatán hubiera tenido en ese momento, pasó de la teoría a la práctica. Se trabó en batalla, en una batalla en la que una sola espada bien dirigida le habría costado la vida. Jonatán comprendía una realidad básica: no se puede ser conquistador si no se está dispuesto a dar batalla.

Uno puede hablar todo el día acerca de lo que Dios ha prometido hacer por medio de su pueblo, pero nunca vivirá esas promesas hasta tanto no se anime a actuar. Y si uno actúa según las promesas de Dios, si uno elige atrapar su momento divino, finalmente esto sucederá. Es inevitable. Habrá un momento de impacto en que nuestra insistencia se encontrará con la resistencia del mundo. Este bien podría ser el momento en que uno se pregunta: *¿Qué es lo que estoy haciendo aquí? ¿En qué estaba pensando? ¿Hay alguna salida de esta situación que yo mismo he creado?*

El relato no nos dice qué es lo que Jonatán pensaba en ese momento. No enumera la cantidad de pensamientos o reservas que pasarían por su mente. Brevemente, le menciona a su armero que las cosas podrían salir mal. Le explica: «Si nos dicen que esperemos a que bajen hasta donde estamos, nos quedaremos allí y no subiremos adonde ellos están». Jonatán le estaba diciendo: «Si la evidencia indica que la cosa no saldrá bien, moriremos en un fallido intento, pero no escaparemos. Esperaremos nuestro destino con "coraje"». Jonatán no tenía la ventaja de saber el final de la historia, como la tenemos nosotros. Y si el éxtasis ante la señal de avanzar es indicación suficiente, el momento previo debe haber sido muy tenso.

Es aquí donde podemos aventurarnos a decir que hay algo específico en aquellas personas que son como Jonatán. Mientras todos los demás dormían, él estaba librando batalla. Y cuando estaba cercano a la muerte, de manera muy real, era el único que estaba verdaderamente vivo. Se negó a dormir durante su oportunidad divina. Y a causa de esto, fue el pararrayos y la fuerza de la actividad de Dios.

> **Uno puede hablar todo el día acerca de lo que Dios ha prometido hacer por medio de su pueblo, pero nunca vivirá en esas promesas hasta tanto no se anime a actuar.**

Mi hijo Aaron tendría unos cuatro años cuando comenzó a tener pesadillas. Se sentía aterrado por ellas a tal extremo que solía salir corriendo de su dormitorio para buscar la seguridad en nuestra cama. Insistía en que había elfos gigantes que saltaban en su cama. Sé que los niños tienen una imaginación exuberante, pero esto me parecía particularmente inusual. Hice lo que hace la mayoría de los padres. Intenté explicarle que no había elfos gigantes en su cuarto, y que en caso de que los hubiere, ¿por qué querrían saltar sobre su cama, molestándolo? Pero nada parecía funcionar. Las pesadillas eran recurrentes, noche tras noche.

Kim y yo nos esforzábamos por comprender qué sucedía. Y luego, repentinamente, todo se aclaró. Hasta nos sorprendió ver de qué se trataba. Unos días antes, el terremoto Reseda había azotado a Los Ángeles. Y a pesar de que nuestra casa en Alhambra estaba intacta, el terremoto la había sacudido como si fuera una muñeca de trapo. Jamás se nos ocurrió hablar demasiado sobre el tema, pero aparentemente, nuestro hijito estaba aterrado. Había traducido su experiencia y la reinterpretaba en sus sueños.

Cuando supe qué era lo que estaba sucediendo, rápidamente intenté explicárselo. Le dije que no había elfos. Que había sido un terremoto el que había sacudido la tierra y que todos se habían asustado. No sirvió de nada. Las pesadillas siguieron... hasta el sábado. Supe qué era lo que tenía que hacer. Puse a Aaron en el automóvil y nos unimos a un equipo de nuestra congregación que iba hacia Northbridge para trabajar con los miles de personas que habían sido desalojados o lastimados en el epicentro del terremoto. Les servimos comida, les dimos de beber, les ayudamos con sus paquetes de supervivencia, hablamos y oramos con ellos. Hicimos todo lo que podíamos para aliviar su sufrimiento. Aaron estuvo allí, sirviendo a aquellos que lo necesitaban, y esa noche, durmió como un bebé. No hubo más pesadillas. De manera muy real, le habíamos llevado hasta la boca del dragón, para que pudiera sobreponerse a sus temores.

Estoy convencido de que cuando enfrentamos nuestros temores, miramos a la oportunidad a los ojos, y el coraje que necesitamos para enfrentar nuestro más grande desafío puede encontrarse únicamente cuando nos comprometemos con este desafío. Hay un punto, cuando atrapamos nuestros momentos divinos, en que comienza la batalla. Es en este punto de impacto cuando experimentamos el conflicto, la oposición y la resistencia. Pero es también en este punto de impacto donde tenemos la oportunidad más grande. Es en el campo de batalla donde reflejamos lo que hay en el corazón de Dios, y parados en ese lugar, estamos donde Dios desea hacerse conocer.

¿QUÉ ESTÁ HACIENDO USTED AQUÍ?

¿Recuerda cuando Elías escapaba de Jezabel? Es difícil imaginar a un hombre que había hecho bajar fuego del cielo, escondido por temor a una amenaza de segunda mano. En un momento, Elías estaba parado sobre el monte Carmelo. Cara a cara, se enfrentaba a cuatrocientos cincuenta profetas de un dios llamado Baal, y a cuatrocientos profetas de un dios llamado Asera. Los ochocientos cincuenta eran los guerreros demoníacos de la malvada reina Jezabel. Y aunque estaba solo, Elías se enfrentó con ellos sin temor y llamó al pueblo de Israel a rechazar el dominio de Jezabel y a seguir al Señor Dios únicamente. Desafió a los profetas a un duelo de fuego. Construirían dos altares. Los profetas de Baal y Asera orarían a sus dioses. Les convocarían a enviar fuego del cielo para consumir el altar.

Luego Elías haría lo mismo. En el nombre del Dios viviente, le pediría que consumiera el altar. Llamó al pueblo como testigo de este conflicto entre los cielos y el infierno, y les desafió a reconocer que cualquiera de los dioses que respondiera con fuego, sería Dios. El pueblo estuvo de acuerdo con la propuesta.

Y así comenzó el desafío. Los profetas de Jezabel actuaron primero. Llamaron a su dios. Gritaron, pero no hubo respuesta. Bailaban alrededor del altar con la esperanza de inspirar a su dios a la acción. No sucedió nada. Elías los tentaba. Les decía que gritaran más fuerte. Les dijo: «Griten más fuerte, porque es un dios. A lo mejor está ocupado, o está haciendo sus necesidades, o ha salido de viaje. ¡Tal vez esté dormido y haya que despertarlo!» (1 Reyes 18:27). En el texto está implícito que Elías aludía a un dios con diarrea espiritual, que estaba atrapado en el baño desafortunadamente indispuesto. Sus declaraciones inspiraron a los profetas a pedir con mayor desesperación. Gritaron aún más fuerte y hasta se laceraban con espadas y lanzas hasta sangrar, según era su costumbre. El día pasó, pero todos sus desesperados intentos por conmover a su dios, no obtuvieron respuesta. Finalmente, nadie contestó a sus ruegos.

Luego, Elías reunió al pueblo. Reparó el altar del Señor. Tomó doce piedras, que representaban a las doce tribus de Israel. Cavó un foso alrededor del altar. Puso la madera, cortó el toro en trozos, y puso los trozos sobre el altar. Luego instruyó al pueblo para que llenaran cuatro grandes cántaros con agua. Les dijo que vertieran el agua sobre la madera y la ofrenda. Y luego les dijo que lo hicieran otra vez. Y una tercera vez también.

El agua fluía desde el altar, todo estaba empapado y el foso estaba lleno de agua. Elías oró al Señor Dios. Simplemente reconoció quién es Dios, se dio a conocer como siervo suyo, confesó que solo actuaba por obediencia a lo que él ordenaba, y luego le pidió a Dios que actuara. Oró: «¡Respóndeme, Señor, respóndeme, para que esta gente sepa que tú eres Dios, y que los invitas a volverse de nuevo a ti!» (1 Reyes 18:37). Con total confianza, clamó a Dios para que enviara fuego, y Dios lo hizo inmediatamente. En 1 Reyes 18:38 se nos dice: «En aquel momento, el fuego del Señor cayó y quemó el holocausto, la leña y hasta las piedras y el polvo, y consumió el agua que había en la zanja». Y luego sucedió lo inesperado. Con Elías en la cima de su ministerio, encontramos a este hombre de fe increíble yaciendo en el fondo de una alcantarilla espiritual. Jezabel oyó lo que había sucedido con sus profetas, y por medio de un mensajero, amenazó con matarlo. Inexplicablemente, Elías tuvo miedo y escapó para salvar su vida. Luego de vagar durante un tiempo por el desierto, luchando con pensamientos suicidas, se encontró en una cueva en el Monte Horeb. Mientras estaba escondido en la cueva, Dios vino y le preguntó algo muy importante: «¿Qué haces aquí, Elías?» (1 Reyes 19:9). Él había atrapado muchos momentos divinos, pero aun así, había chocado contra la pared. Sobrecogido y exhausto, sentía que ya estaba al borde de sus fuerzas. La solución de Dios fue sencilla. Ordenó a Elías: «Sal fuera, y quédate ante mí, sobre la montaña» (1 Reyes 19:11).

Cuando Dios pasó por allí, hubo un viento muy fuerte, seguido de un terremoto, a su vez seguido por un fuego, y Elías explicó que Dios no estaba en ninguna de esas cosas. Dios, descubrimos luego, estaba solo en una apacible y delicada voz que le preguntaba: «¿Qué haces aquí, Elías?»

Cada vez que escapamos de los desafíos que Dios pone delante de nosotros, él nos pregunta: «¿Qué haces aquí?». Cada vez que nos contentamos con una vida en la mediocridad, Dios nos pregunta lo mismo: «¿Qué haces aquí?». Cada vez que decidimos que con el promedio nos contentamos, él de nuevo pregunta: «¿Qué haces aquí?». Cada vez que nos conformamos con solo existir, Dios nos pregunta: «¿Qué haces aquí?».

La solución está en dejar de correr y de escondernos de Dios, y en escuchar su voz una vez más. Dondequiera que estemos, Dios nos encontrará. Esto no es una amenaza; es una promesa. Cuando él viene hacia nosotros y pasa delante de nosotros, no debemos quedarnos allí sin más; vayamos con él. Recuerde, Dios está haciendo algo en la historia de la humanidad. Cuando escapamos de su propósito, escapamos de su presencia. No se sorprenda si en su temor y debilidad, Dios le desafía a levantarse y ser fuerte. Porque el mismo Dios que ha venido a sanarle a usted, es el que le guiará de vuelta hacia la batalla. Él le llamará a enfrentar al enemigo de su propósito y a cumplir su destino divino. Él le enviará de vuelta a enfrentar sus temores.

> La solución está en dejar de correr y de escondernos de Dios, y en escuchar su voz una vez más. Dondequiera que estemos, Dios nos encontrará. Esto no es una amenaza; es una promesa.

Hay momentos en que se nos llama a avanzar, y lo peor que podemos hacer es retroceder ante el desafío que tenemos por delante para refugiarnos en la seguridad que tenemos detrás. Hay otros momentos en que la cosa más valiente que podemos hacer es retroceder. Cuando hemos escapado de un desafío divino, debemos regresar para avanzar. Lo siguiente que el Señor le dijo a Elías fue: «Vé, vuélvete por tu camino» (1 Reyes 19:15). Lo único que podía hacer Elías era avanzar para ir de regreso, para terminar lo que había dejado incompleto, para entrar en los lugares oscuros y traer a ellos la luz de la presencia de Dios. Lo que a veces no vemos es que Dios desea revelarse a sí mismo por medio de nuestras decisiones y elecciones. Si escapamos de la batalla, será difícil que Dios pueda ganarla a través de nosotros. Es imperativo que elijamos ir hacia donde Dios desea obrar. El instrumento correcto, en el lugar equivocado, no es más que una terrible tragedia.

En 2 Crónicas 16:9, leemos: «Pues el Señor está atento a lo que ocurre en todo el mundo, para dar fuerza a los que confían sinceramente en él». Eso es exactamente lo que hizo Jonatán: su corazón pertenecía enteramente a Dios, y se hallaba parado justamente en el lugar en el que Dios quería que estuviese. Y en ese momento, en medio de la batalla, con todas las posibilidades en contra, los ojos del Señor le vieron y enseguida llegó el fuerte apoyo de Dios. Samuel escribió: Todos los que estaban en el campamento y fuera de él se llenaron de miedo. Los soldados del destacamento y los grupos de guerrilleros también tuvieron miedo. Al mismo tiempo hubo un temblor de tierra, y se produjo un pánico enorme».¡Era pánico enviado por Dios!»

Jonatán se movía con Dios, y Dios con Jonatán. Puede sonar extraño, pero Dios se unió al esfuerzo de Jonatán. No es que él hiciera que el Señor cambiase de idea, sino que en realidad Jonatán expresaba lo que había en el corazón de Dios. Él expresó lo que estaba en la mente de Dios, y su acción creó una oportunidad para que el Señor actuara en su apoyo. Todo cambió en segundos, la lucha dejó de ser de Jonatán y su armero contra el ejército filisteo y pasó ser de Jonatán, su armero y el Dios viviente luchando contra los enemigos del propósito de Dios.

Samuel describe la total confusión entre los filisteos que se herían unos a otros con sus propias espadas. A causa de que Jonatán se convirtió en un guerrero para Dios, Dios se convirtió en un guerrero para Jonatán. Samuel quería dejar bien en claro que no había incertidumbre ni ambigüedad acerca de quién había enviado el temblor.

No fue una coincidencia, ni un desastre natural ocurrido justamente en ese momento. La tierra se estremeció, y era pánico enviado por Dios. Jonatán estaba dispuesto a vivir al borde, y Dios lo convirtió en el epicentro. Su vida marca el mover de Dios, el Señor quería asegurarse de que todos comprendieran que la vida de este hombre reflejaba aquello que él estaba haciendo en la historia.

DISPUESTOS A ESTAR SOLOS

La definición técnica de la palabra *impacto* es: «Un fuerte contacto entre dos o más objetos». Es una descripción exacta de cómo Dios utiliza a los hombres y las mujeres para dar forma al curso de la historia humana. Cada vez que Dios hace algo nuevo, lo hace a través de las personas. Y aquellos que elige como líderes a menudo son considerados afortunados solo en retrospectiva. La realidad en el momento es casi siempre muy diferente. Es un privilegio ser llamado a ir delante incluso cuando esto signifique que uno será el primero en sufrir y el único que corra riesgos. Esto significa que uno lleva el peso de la responsabilidad, y acepta las consecuencias que el privilegio conlleva.

Cada vez que Dios avanza, ocurre un conflicto con muchas otras fuerzas. El reino de Dios solo puede expandirse a causa de conflicto con el reino de la oscuridad. El odio no se rinde fácilmente ante el amor, ni la maldad se somete al bien sin protesta. Cuando uno atrapa un momento divino hay una colisión espiritual, y parte de atrapar ese momento en su plenitud es tener la disposición de soportar el impacto inicial estando solos.

> Es un privilegio ser llamado a ir delante incluso cuando esto signifique que uno será el primero en sufrir y el único que corra riesgos.

Casi todas las semanas llegan personas de todo el mundo a Mosaic, y a menudo no es simplemente porque desean experimentar el sentimiento de comunidad y celebración que hay en nuestra congregación, sino también para ver de qué modo «somos iglesia». Es inevitable que nos pregunten cómo hicimos para que una iglesia como Mosaic floreciera. La mayoría de las preguntas, bien intencionadas por cierto, son sobre el crecimiento de la iglesia. La más frecuente es: «¿Qué hicieron para que la iglesia creciera?». Antes de ofrecer una repuesta, siempre tengo una pregunta propia: «¿Está usted dispuesto a hacer lo correcto aun si el resultado es negativo?». Y luego les explico por qué esta pregunta es esencial. Estamos haciendo lo mismo, ahora que estamos creciendo, que antes, cuando estábamos decreciendo.

En cierto aspecto, podríamos decir que sufríamos de hemorragia. Se parecía mucho a esas escenas que vemos en el cuarto de emergencia de un hospital, cuando comienzan a abrir el pecho del paciente y serruchan las costillas para llegar hasta el corazón. Inicialmente parece un abuso, pero cuando uno lo comprende, nota que es un acto de misericordia e intervención.

Era sábado por la mañana cuando recibí una llamada telefónica abrupta de uno de nuestros ancianos. Casi enseguida, Robert dijo algo que cualquier pastor podría temer: «Erwin, los ancianos de la iglesia han decidido reunirse sin que estés presente, y me eligieron para que te llame y te cuente sobre el resultado de nuestra reunión». Pude sentir que todo mi cuerpo reaccionaba a este anuncio. Las cosas se habían puesto difíciles, y parecía que iban a ser todavía peores.

Yo admiraba a los ancianos, el pastor anterior los había elegido a todos. Su servicio había durado casi veinticinco años, y más tarde había permanecido en el grupo de ancianos durante más de cinco años mientras yo era pastor. Lo que durante una temporada había sido un desacuerdo privado, se había convertido en una división pública. Su partida había herido a la congregación y nos había costado mucho a todos. Sabía que no saldría ileso, pero no sabía cómo pasar por esta situación. No habría culpado a los mayores si se hubieran reunido para pedir mi renuncia. Y luego, oí sus palabras: «Enrique, Rick y yo nos hemos reunido, y queremos que sepas que aun si solo quedaran tres familias, estamos contigo. No claudiques, no te vayas, porque lo que estás haciendo es lo correcto».

Esa llamada telefónica fue como viento nuevo en mis velas. Era Dios que me fortalecía con una fuerza magnética. Tenía un grupo de hombres a mi alrededor que estaban más comprometidos a hacer lo que estaba bien que a hacer lo que era más fácil. Creían que nuestro sufrimiento se vería recompensado con la aprobación de Dios. Las cosas no mejoraron del todo después de esta conversación. En realidad, los conflictos se aceleraron. Durante seis meses, el peso de mi responsabilidad no solo afectó mi salud física, sino además causó gran dolor a mi familia. Uno de los pequeños recordatorios de que aun cuando sentía que estaba haciendo lo correcto me estaba dañando era un involuntario tic en mi ojo derecho.

A menudo me preguntaba si podría pasar por esta situación y volver a gozar de la salud que tenía antes de este momento en mi vida. Sin embargo, los recuerdos de las cosas por las que tuve que pasar solo le agregan increíble gozo a lo que hoy experimentamos. No puedo siquiera imaginar dejar Mosaic. El hecho de que permanecimos allí durante los tiempos más duros solo refuerza la idea de que no me iré en los tiempos buenos. Esto no significa que todo sea fácil, sino que hay muy pocas cosas tan fuertes como el impacto inicial cuando nos comprometemos a luchar una batalla.

Todo aquel que ha servido como líder comprende la soledad de este rol. Hay momentos en que uno no puede compartir con nadie. Parte del llamado es cargar con el impacto inicial, por el bien de otros. Esto es verdad en toda empresa de importancia, y fue materializado de manera preciosa en nuestro Señor Jesucristo. La cruz fue para él solo. Nadie más podía cargarla por él. Desde Getsemaní hasta el Calvario, Jesús eligió la soledad. Hasta su clamor al Padre: «Mi Dios, mi Dios, ¿por qué me has abandonado?», nos recuerda que Dios nos permite ir a lugares donde el peso de la desesperación ahoga nuestro corazón. Los hombres y mujeres a quienes Dios utiliza para escribir las páginas de la historia comprenden la profundidad de este principio, que Dios pavimenta el camino por medio del sacrificio voluntario de ciertos individuos. Por medio de estos individuos, Dios da a conocer a todos los que quieran oír lo que está en su corazón.

Todo aquel que ha servido como líder comprende la soledad de este rol. Hay momentos en que uno no puede compartir con nadie.

Uno de los miembros de mi equipo y yo salimos en un viaje de exploración a diversos lugares en el extranjero. El viaje nos llevó a la India, Pakistán, Camboya, China, Hong Kong y finalmente a Japón. En la última parte del itinerario, estábamos en el distrito Shabuya de Tokio. Era una de las intersecciones más activas que hubiera visto jamás. El tráfico de los ejecutivos en medio de la multitud era casi sobrecogedor. Había una extraña contradicción entre el ambiente limpio y profesional en que nos hallábamos parados y los hoteles de sexo que se encontraban cerca. Siempre había sentido que Japón era un país esencialmente sin religión, y por lo tanto, lo que sucedió me tomó con la guardia baja.

Un pequeño ejército de evangelistas descendió sobre la multitud. Estaban en todas partes, acercándose a los ejecutivos —hombres y mujeres— y preguntándoles si podían orar por ellos. Uno se acercó a nosotros y en muy buen inglés nos preguntó si podía orar por nosotros también. Le pregunté a quién le oraría. Él evitó la pregunta y volvió a preguntar si podía orar por nosotros. Esta vez le ofrecí orar por él, le expliqué que oraría al Dios viviente llamado Jesús. Pronto oí que eran parte de un culto con base en Pasadena, California. Sabían muy bien que había un vacío espiritual en el pueblo de Japón. El líder de su movimiento parecía saber que la influencia norteamericana trasmitía el capitalismo, pero fallaba al transmitir la fe cristiana.

Había, sin embargo, una luz brillante en medio de esta conmoción. Nuestra guía esa tarde era una joven japonesa que llamaremos Yoshiko. Era una sincera seguidora de Jesucristo. Su carga al intentar llegar a sus compatriotas con el amor de Dios era convincente y conmovedora. Por alguna razón, parecía sentirse alentada por el hecho de que había llegado a Tokio a traer algo de ayuda y apoyo. Su oración era simple y transparente. Llorando, le confesó a Dios: «Pensé que estaba sola». De algún modo, el saber que había allí alguien más era como un regalo para ella. Parecía frágil y poderosa al mismo tiempo. Una confesión honesta acerca del dolor de la soledad y de una determinación inconmovible de traer a su nación hacia Cristo, aun encontrándose sola.

Los momentos divinos abundan para quienes están dispuestos a soportar el impacto inicial. A menudo solos con relación a otras personas, pero nunca en soledad cuando hablamos de Dios.

EL CORAZÓN DE DIOS HECHO CARNE

Puede haber sido la contribución más grande de Jonatán. Por medio de sus acciones, personificó lo que Dios tenía en mente, lo que había en el corazón de Dios. Se convirtió en un testimonio personal de los valores e instrucciones que el pueblo de Dios debía expresar. Era como si Dios hubiera hecho carne y sangre a su propósito, llamándolo Jonatán. Si uno quisiera saber qué es lo que estaba haciendo Dios, solo necesitaría mirarlo a él.

Cada vez que atrapamos un momento divino, magnificamos la presencia de Dios. Actuar en representación de Dios es expresar lo que hay en su mente y en su corazón. Al hacer esto, llevamos la bandera de Dios. Es el equivalente contemporáneo de lo que los paganos llamaban seguidores de Jesús. Cristianos, porque se veían como Cristo. Se movían con un ritmo divino. Ver la vida de un creyente era ver cómo se movía Dios. No eran copias al carbón de Jesús, sino la expresión dinámica de su carácter. Y cuando las cosas se ponían duras, la imagen de Cristo en ellos se hacía más clara. No importaba cuán oscuro estuviese, jamás bastaba para apagar su luz.

Cuando Kim y yo estábamos preparándonos para nuestra boda, compartíamos un viejo automóvil. El viejo Ford Pinto de Kim. Fui al aeropuerto una vez a buscar a mi hermano, y el Pinto se descompuso. Mi esposa amaba su primer automóvil, por lo que le dimos sepultura misericordiosamente. Al poco tiempo, un amigo nuestro nos llamó para ofrecernos varios miles de dólares para comprar un auto. Nos dijo que sentía que Dios le había instruido para darnos ese regalo. Nos detuvimos en una agencia de ventas de automóviles y comenzamos a hablar con un vendedor llamado Dan.

En muchos aspectos, la conversación era una comedia. Él buscaba llegar

No eran copias al carbón de Jesús, sino la expresión dinámica de su carácter.

a los hechos, como el ingreso, el monto del pago anticipado, las cuotas que pudiéramos pagar. Le explicábamos que estábamos aún en le escuela, que no teníamos dinero, y que no sabíamos cuánto ganaríamos en el futuro, pero que sí sabíamos que Dios siempre proveía, y que continuaría haciéndolo. Era una oportunidad para compartir nuestra vida en Cristo con este hombre, cuyo único objetivo era vendernos un automóvil.

Aquella noche, al regresar a mi dormitorio estudiantil, había una nota pegada en la puerta. Al abrirla, vi que era del vendedor de automóviles. Era un desesperado grito pidiendo ayuda. Jamás olvidaré cómo comenzaba: «No sé por qué estoy aquí ni por qué estoy escribiendo esta nota. Solo sentí que quizás ustedes pudieran ayudarme».

Lo llamé y comenzamos a conversar con él y su esposa. Descubrí que era un dibujante profesional que había perdido su empleo. En frustración, ira y desesperación, había incendiado la compañía que lo había despedido. Lo encontraron y fue llevado a prisión. Ahora intentaba proveer para su familia vendiendo automóviles. Era el único trabajo que había logrado encontrar.

Cuando nos ofrecemos como instrumentos para los propósitos de Dios, creamos oportunidades para que otros sientan a Dios por medio de nosotros.

En Navidad, me hallaba en su hogar, y me arrodillé junto a Da y su esposa, y en su dolor, ambos recibieron a Jesucristo como su Señor y su Dios. Fue un privilegio para nosotros continuar sirviéndoles durante varios meses y saber que, finalmente, pudo volver a su profesión original.

Dan es un buen recordatorio de lo que se puede ver como un encuentro rutinario desde un punto de vista, y sin embargo puede tener todas las características de un momento divino si se ve desde el punto de vista opuesto. Realmente, no fue que yo atrapara el momento, sino que el momento me atrapó a mí. Yo entré en ese momento, pero jamás pude prever el resultado. La sinceridad de Dan por encontrarme me recuerda que las personas están buscando a Dios. Cuando nos ofrecemos como instrumentos para los propósitos de Dios, creamos oportunidades para que otros sientan a Dios por medio de nosotros. Nuestras vidas llegan a ser la «X» que marca el sitio. Vivimos como pararrayos de la actividad de Dios. Nuestra obediencia crea un epicentro espiritual a través del cual Dios estremece al mundo que nos rodea y otros llegan a conocerlo a él.

VENGA A NOSOTROS SU REINO

En cuanto nuestras acciones reflejan y muestran lo que Dios está haciendo, los momentos divinos crean una oportunidad para mucho más. Es cuando atrapamos los momentos divinos que estamos en mejor situación para ver la obra de Dios de manera innegable. Mientras Jonatán peleaba con todas sus fuerzas, poniendo lo mejor de sí, Dios hizo mucho más. Hizo que la tierra se estremeciera. Envió el pánico para que invadiera el campamento de los filisteos. Se aseguró de que esto no pasara inadvertido, para que todos supiesen que Jonatán no estaba solo, sino con Dios. A Dios le encanta afirmar su propósito, y más aún a su pueblo, cuando este se apropia de corazón de su propósito.

Hasta ahora podría decirse que Jonatán se había movido sin Dios, pero Dios claramente redirige nuestros pensamientos. Sin lugar a dudas, Dios estaba allí. Creo que podemos decir que a Dios le entusiasmaba afirmar y apoyar la acción de Jonatán. A Dios le gusta mucho que alguien haga lo correcto, sin importar las consecuencias personales. Cuando hacemos su voluntad, y no obstante a eso tenemos asegurado el fracaso a menos que él intervenga, estamos en el contexto perfecto para Dios.

Nunca podremos llegar a cumplir el propósito de Dios para nuestras vidas sin él, y sin embargo, jamás conoceremos el poder de Dios si no comenzamos a avanzar en su propósito. Puede que no haya nada más excitante que el tomar la oportunidad que Dios nos da, saber que uno no tiene las fuerzas ni la capacidad para cumplir con la misión, y luego ver cómo Dios llega en nuestro auxilio. Este camino a menudo significará que tendremos que soportar solos el impacto inicial, y que mientras encontremos satisfacción al saber que nuestra vida expresa el corazón y la mente de Dios, no habrá nada que pueda compararse cuando la mano de Dios se manifieste de manera innegable para hacer visible lo invisible. Es como si Dios estuviera subrayando los compromisos más urgentes en nuestra agenda de vida. Una y otra vez, me ha sorprendido el modo en que Dios ha tomado la obra hecha por nosotros en silencio y oscuridad, para iluminarla y subrayarla según sus propósitos.

Hace unos quince años, nuestra pequeña obra en el sur de Dallas parecía estar llamando la atención de manera inusual. Aunque éramos una congregación pequeña, veíamos cómo Dios nos utilizaba para crear un impacto mucho más grande. La influencia de Cornerstone parecía crecer desproporcionadamente con relación a nuestro tamaño. Las juntas de misión nacionales e internacionales de nuestra denominación decidieron utilizar nuestra obra como punto principal en un corto fílmico que estaban haciendo, con especial atención a nuestro programa cooperativo para misiones. Aquel fin de semana enviaron un equipo de filmación para que me siguiera por la jungla de cemento y filmara la obra que estábamos llevando a cabo.

El domingo por la mañana, el procedimiento fue bastante sencillo. El equipo de filmación permaneció fuera de la iglesia, y durante el servicio matutino se programaron diferentes entrevistas con los miembros de nuestra congregación. Mientras estaban cómodamente trabajando afuera, los que estábamos dentro sentíamos algo diferente.

Un hombre alto y delgado, vestido con ropa de cuero de color negro, entró en el edificio de la iglesia exigiendo hablar con el pastor. Nuestro pastor asociado le guió hasta mi oficina y envió a alguien para que me buscara en el auditorio. Eran casi las 11.00 a.m. y el servicio estaba por comenzar, por lo que sabía que no tenía demasiado tiempo.

Nos sentamos los tres en la oficina, y el hombre comenzó a decir que unas voces le habían dicho que debía impedir que yo predicara el evangelio de Jesucristo. Tomó un cuchillo del bolsillo de su abrigo y lo puso sobre mi escritorio, diciendo que podía tenerlo

guardado para que supiese que él no tenía intención de lastimarme.
A mí no me preocupaba el cuchillo en realidad. En retrospectiva,
creo que habría sido más importante si me hubiera dado el revólver
que llevaba sujeto a la pierna.

Mientras me explicaba que su vida consistía en vagar por las
calles, obedeciendo a las voces que le hablaban dentro de su cabeza,
miré con toda calma a este hombre llamado John y dije: «Señor, si
está oyendo voces puede ser debido a dos cosas. O que necesita ayuda psiquiátrica, o que está poseído por un demonio». No pareció
ofenderse porque le dijera que estaba potencialmente loco, pero la
parte de la posesión por el demonio pareció molestarle mucho.

Miró a mi pastor asociado David, que estaba sentado a su lado,
y dijo: «¿Qué dice, que estoy poseído por un demonio?». David simplemente asintió con la cabeza. El hombre me miró, y no puedo explicar lo que oí. Solo puedo decirle que lo que percibí fueron muchas
voces que provenían al mismo tiempo de este hombre, diciendo:
«¿Quieres hacer que salgamos llamándonos por nuestros nombres?».

No podía recordar una sola clase en el seminario que me hubiera preparado para ese momento. Mi título de sicología de la Universidad de Carolina del Norte tampoco parecía serme de utilidad en
ese momento. Ojalá pudiera decir que mi respuesta fue profunda o
valiente, pero dije:

—No, solo quiero hablar con John —y enseguida me ofrecí a
orar por él.

El hombre estaba furioso, y dijo:

—No, déjeme a mí orar por usted.

—Bien. Ore a su Dios, que luego yo oraré al mío —le contesté.

En un acto de ira, salió de la oficina. Pensé que había salido del
edificio. Corrí al sector donde estaban los niños para asegurarme de
que no estuviera allí. En realidad se había dirigido directamente al
santuario, caminando por el pasillo había subido al púlpito, y desde
allí, llamaba a la congregación a hacer silencio para que le escucha-
ran. Alguien corrió hacia el fondo y me tomó por el brazo, contán-
dome lo que estaba sucediendo. Caminé hacia el auditorio, avancé
por el pasillo central, y le ordené en el nombre de Jesús que se baja-
ra del púlpito.

Siempre me he preguntado qué es lo que quiso decir Jesús con: «Lo que pidan en mi nombre, se los daré». Siempre me he sentido incómodo con la gente que ora en nombre de Jesús y solo supone que las cosas sucederán porque utilizaron la frase indicada. La frase me pareció siempre una frase hecha de los cristianos, o un mantra, un encantamiento. Es como si decir «en el nombre de Jesús» fuese lo que trae la magia. Cuando Jesús dijo que hay poder en la oración en su nombre, estaba queriendo decirnos algo mucho más profundo que una confesión.

En ese momento, supe que estaba haciendo lo que habría hecho Jesús. Tenía una sensación muy clara acerca de lo que había en la mente y el corazón de Jesús. Tenía la autoridad de su nombre porque iba hacia donde él iba. Mientras me acercaba al podio, seguía diciendo: «En el nombre de Jesús te ordeno que bajes de ahí».

Luego de la tercera o cuarta vez, dejó de clamar y gritar. En silencio, bajó del podio y cayó de rodillas en el suelo, con el rostro tocando el suelo.

Junto a él se hallaba el pastor David, que había estado conmigo en la oficina. Me explicó luego que John lo miró y le dijo:

—¿Quieres saber lo que estoy orando?

—Sí —dijo David.

—Estoy orando porque esta gente deje de seguir a este hombre, porque estas ovejas dejen de seguir a este pastor —dijo entonces.

Luego se puso de pie y me preguntó cuál era mi nombre.

—Erwin —le respondí.

—Volveré, Erwin —dijo comenzando a gritar mi nombre y mirándome de modo amenazante.

—Aquí estaré —le contesté mirándole.

Salió del auditorio hecho una furia, viró hacia la derecha, luego nuevamente hacia la derecha, y accidentalmente llegó a donde estaba el equipo de filmación. Ellos supusieron que era el miembro de la congregación que seguía en la lista de entrevistados, por lo que lo tenemos en la filmación. Le preguntaron lo mismo que a los demás: «¿Cuál es el mayor problema que enfrenta el sur de Dallas?». Listos para filmar la respuesta, se sorprendieron cuando el hombre dijo: «El hombre blanco». Se reagruparon y le pidieron que mencionara otro problema. Y su respuesta fue mucho más intrigante. Dijo: «Tienen a los necesitados y a los codiciosos, un lugar lleno de necesidad y codicia». Luego explicó que el verdadero desafío consiste en poder distinguir entre ambos.

John se convirtió en parte de nuestro esfuerzo del programa de misión cooperativo. Era casi como si Dios, con su singular sentido del humor, quisiera que supiésemos que hay más de lo que se ve a simple vista. Estoy convencido de que este era uno de esos momentos divinos con muchos niveles. Dios se estaba asegurando de que filmáramos más de lo que estaba haciendo la iglesia. Quería asegurarse de que tuviésemos un entendimiento más profundo acerca de lo que él estaba haciendo por medio de nuestra congregación. Había una verdadera batalla espiritual, con cautivos reales en poder de la oscuridad, con peligro verdadero al acecho, no solo en las sombras, sino en los corazones de los hombres. Sí, Dios quería tener un registro no de un lindo ministerio entre los pobres de la ciudad, sino de una guerra que arrasaba y buscaba llevarse las almas de hombres, mujeres y niños.

Cuando Jesús enseñaba a sus discípulos a orar, les instruyó a hacerlo con estas palabras: «Venga tu reino. Hágase tu voluntad en la tierra, así como se hace en el cielo» (Mateo 6:10). Los momentos divinos tienen el poder de dar entrada al reino de Dios. Cuando elegimos vivir de modo que su voluntad se cumpla en la tierra así como en el cielo, el reino de Dios prevalece por sobre el reino de la oscuridad. Cada vez que estemos dispuestos a soportar el impacto inicial, cada vez que elijamos atrapar estos momentos divinos sin importar el costo, creamos una oportunidad para que Dios haga visible lo invisible, para que Dios haga que todo se estremezca, para que Dios se dé a conocer. Cuando atrapamos nuestros momentos divinos, marcamos el epicentro de la actividad de Dios. Cuando elegimos vivir la vida del aventurero, Dios nos utiliza para hacer que todo se estremezca.

El fragor de la batalla cambiaba de un lugar y momento a otro. El enemigo tenía una ventaja muy injusta. Conocía cada temor, cada duda, cada una de las debilidades de su adversario. Elegía el campo de batalla, y luego lo cambiaba cuando le resultaba conveniente.

Ayden y Kembr estaban parados uno junto a otro, peleando contra la infinita oscuridad. La luz les servía como una hoz que cortaba las sombras.

Sus gritos revelaban dónde se hallaban, mientras acudían a atacar a Ayden y Kembr. Las sombras sabían que si lograban separarlos, se debilitarían y quizás cayeran vencidos.

—Estamos casi en el lugar más oscuro —exclamó Ayden mientras luchaban por avanzar. Fue allí que Maven le dijo que la luz encontraría su más alta densidad.

Todos oyeron el distante rugido. Luego, como si se tratara del amanecer más glorioso, apareció la luz, expandiéndose y marcando el horizonte.

—Mira —gritó Ayden—. ¡La luz nos busca!

—Inscripción 2358/ The Perils of Ayden

8

MovimiEntO

inicie una reacción

Me habían invitado a liderar un fin de semana de discipulado
para jóvenes profesionales que trabajaban en la capital de la nación.
Washington, D.C. es un imán para los profesionales jóvenes, agresivos y ambiciosos. El tema del retiro de este fin de semana era el
evangelismo y el modo de invertir nuestras vidas en las vidas de
otros con el propósito de traerlos a Cristo. Estaba muy entusiasmado con el potencial, los dones y la influencia que habría en esta conferencia. El lugar era hermoso... todo lo que podría esperarse para
este tipo de público. Rodeado por un lago, con un extenso bosque,
con la serenidad que solo los profesionales urbanos pueden darse el
lujo de disfrutar.

Mi evaluación del fin de semana arrojó resultados positivos.
Parecían más que atentos; genuinamente comprometidos con el
contenido. Por lo tanto, me sentí inspirado a hacer el ofrecimiento
de extender la experiencia de aprendizaje. Les sugerí que volviéra-
mos a encontrarnos en Washington, llevando lo aprendido para

aplicarlo juntos. Establecimos una fecha y hora para encontrarnos en la Iglesia Bautista Metropolitana Capitol Hill. Estaba seguro de que me encontraría con una multitud de gente ávida de aprender. Sin embargo, sufrí una desilusión. En pocas palabras, me dejaron plantado. El grupo pudo haber estado motivado, pero por cierto, no estaban movilizados.

La tarde, sin embargo, no fue una pérdida. Ese mismo fin de semana, uno de los profesionales que trabajaba en la Casa Blanca me había invitado a visitar el hogar del presidente en un tour privado. Nadie había aparecido a la hora de aplicar lo aprendido en nuestro seminario, sin embargo, un pequeño pero entusiasmado grupo llegó una hora más tarde porque habían oído que se me había invitado a ir a la Casa Blanca. El presidente Reagan iba a dar un discurso a la nación aquel día, por lo que por la tarde, mi anfitrión y yo, acompañados por el grupo que se había auto invitado, nos dirigimos a la Casa Blanca. El tour estaba programado para una hora después de mi fallida reunión de evangelización. Y luego, sucedió algo desagradable. No se sentían para nada culpables al explicar el porqué de su ausencia a la reunión y su temprana llegada a la cita posterior.

Rechazaron la primera invitación y vinieron a la segunda cita, sin ser invitados. Parece que la mayoría de nosotros preferiría ver al presidente en lugar de ver a Dios, o en este caso, ver donde trabaja el presidente en lugar de ver el lugar en el que trabaja Dios. Así que salimos hacia la oficina oval y entramos en el centro del poder global.

Había una cosa que omití decirles: que había atrasado el horario de la experiencia de evangelización y alterado el lugar. Estaba claro que este era nuestro momento divino. En realidad, uno no puede establecer horario alguno para Dios. Por lo que los trabajadores del turno de noche de la Casa Blanca fueron nuestra primera oportunidad para compartir nuestra fe. A pesar de que mi conversación era bastante limitada, al menos vieron que hice un esfuerzo. Lo que sucedió luego fue aún más interesante.

Eran ya casi las tres de la mañana, y como jamás había visto el Jefferson Memorial, acordamos pasar con el automóvil junto a este bello tributo al genio y la libertad. Mientras bajábamos las escaleras, vimos un grupo de jóvenes profesionales urbanos bebiendo champaña en las escalinatas. Uno de los profesionales que me acompañaba señaló al grupo y me instó a acercarme a ellos para hablarles. Respondí: «Si crees que debiéramos hablarles, entonces hazlo tú». Se negó, y dije que no haría lo que Dios le había indicado hacer a él. Después de todo, era él quien había notado esta oportunidad, quien había sentido claramente que debía hablarles. Era obvio que no se sentía impedido de hacerlo por falta de deseo, sino a causa del temor. A lo largo de los años he aprendido a reconocer que este tipo de impulso proviene del Espíritu de Dios que nos habla. Esperaba que al negarme a ir en su lugar, le instigaría a atrapar su momento divino.

Y luego, oí el grito:

—¡Oye, tú!

Al principio no sabía de dónde venía. Luego lo oí nuevamente:

—¡Oye, tú!

—¿Perdón? —pregunté volviéndome.

—No, no digas "perdón". Debes decir "Dios te bendiga" o "salud" —dijo

Me sentía un tanto confundido.

—Cuando alguien estornuda debes decir "Dios te bendiga" o "salud" —me explicó.

No había dicho «Oye, tú», sino «Achús». Había estornudado, no me había llamado. Pero de todos modos, la conversación se había iniciado.

Luego de que me explicara lo que se debía decir cuando alguien estornuda, le miré y dije: —Bueno, Dios puede bendecirte y darte salud si lo deseas.

—Claro, ven aquí y dime cómo puede bendecirme Dios.

A las tres de la mañana, en la escalinata del Jefferson Memorial, atrapamos otro momento divino. Jamás olvidaré el modo en que estos profesionales poderosos y agresivos se alinearon detrás de mí como patitos detrás de su madre, intimidados y entusiasmados por el momento que vivíamos.

Nos acercamos al pequeño grupo de profesionales de D.C., parecido al grupo que se hallaba detrás de mí. Eran cordiales y amables, y parecían ansiosos de conversar. Cuando comencé a explicarles el modo en que Dios podía bendecirles por medio de la persona de Jesucristo, el joven ejecutivo que estaba en medio del grupo se irritó muchísimo al enterarse de que yo era cristiano. Me di cuenta a raíz de un comentario que hizo. Algo así como: «¡Oh, no! Eres cristiano. ¿Sabes qué es lo que más odio de los cristianos?» Años de entrenamiento me han dado la capacidad de leer entre líneas. Enseguida llegué a la conclusión de que este tipo odiaba a los cristianos. Y como yo soy cristiano, me odiaba a mí.

No estaba seguro de querer oír la respuesta, pero dije:

—¿Qué es lo que odias de los cristianos?

—Que ustedes los cristianos viven por la fe —afirmó.

—¿Y por qué es que vives tú?

—Yo vivo por la razón —respondió burlonamente

—¿Y de quién es esa razón?

Habíamos pasado un tiempo hablando de Locke, Hume, Descartes y otros filósofos, así que continué:

—¿La razón de Locke? ¿De Hume? —y señalando a los demás añadí— ¿O la razón de tus amigos? ¿Por la razón de quién vives?

—Por la mía —replicó sin dudar.

—¿Y cómo sabes si tu razón es la correcta? —quise saber luego.

Hubo un momento de silenciosa meditación. Estoy seguro de que no estaba orando, porque no creía en Dios. Finalmente rompió el silencio.

—Por fe —dijo con una voz que parecía afligida.

Allí, todos vimos que ambos vivíamos por la fe. Por lo tanto, le hice una última pregunta: —He elegido poner mi fe en Jesucristo, quien fue crucificado y luego resucitó de entre los muertos. Tú has elegido poner tu fe en ti mismo. Sé qué es lo que hizo Jesús. ¿Qué has hecho tú últimamente?

Admito que quizás otro tipo de acercamiento habría sido mejor, pero en ese momento, fue lo único que me pareció adecuado. Diré que la respuesta de sus amigos fue muy positiva. La fe en la razón no es una fe razonable. Al final, todos necesitamos depositar nuestra confianza en algo. Para él, era en su propio intelecto. Para mí, es en la persona de Jesucristo. Sentí gratitud por el hecho de que este pequeño grupo de buscadores depositaba aparentemente su fe en algo más razonable que la razón.

Cada vez que elegimos comprometernos con una oportunidad divina, hay un potencial real de traer a otros hacia la presencia y el propósito de Dios.

Uno de los más grandes privilegios que nos da Dios es que podemos atraer a otros hacia su obra. Cada vez que elegimos comprometernos con una oportunidad divina, hay un potencial real de traer a otros a la presencia y el propósito de Dios. Dios utiliza a los hombres y mujeres que eligen vivir en la línea de combate para atraer a su pueblo hacia la batalla

Samuel nos dice que después del temblor:

> Los centinelas de Saúl que estaban en Guibeá de Benjamín, vieron a los filisteos correr en tropel de un lado a otro. Entonces Saúl dijo al ejército que lo acompañaba.
> —Pasen revista para ver quién falta de los nuestros.
> Al pasar revista, se vio que faltaban Jonatán y su ayudante. Y como ese día el efod de Dios se hallaba entre los israelitas, Saúl le dijo a Ahías:
> —Trae aquí el efod de Dios.
> Pero mientras Saúl hablaba con el sacerdote, la confusión en el campamento filisteo iba en aumento. Entonces Saúl le dijo al sacerdote:
> —Ya no lo traigas (1 Samuel 14:16-19).

Jonatán no tenía tiempo ni ganas de llamar la atención sobre sí mismo. No intentaba venderse o hacerse propaganda para que todos supiesen qué era lo que estaba haciendo. Estaba concentrado en su tarea. Estaba en medio de la batalla. Estaba en guerra. No tenía tiempo de pensar en sí mismo ni de pensar en cómo capitalizar esta aventura. En ese momento estaba haciendo solo lo correcto. Dios fue el que hizo que las acciones de Jonatán se hicieran evidentes. No había necesidad de auto promocionarse. Pero sin lugar a dudas, Dios sí quería promocionar lo que estaba haciendo Jonatán.

Los centinelas de Israel vieron qué era lo que sucedía, lo cual solo pudieron describir como una dispersión del ejército filisteo en todas direcciones. Saúl instintivamente supo que uno de su ejército tenía que haber sido el catalizador del evento. No debe sorprendernos que cuando Dios avanza, haya un agente humano que inicia el cambio. Cuando reunió al ejército, había solo un soldado que estaba haciendo lo que se supone que hagan los soldados. El resto estaba durmiendo. Solo Jonatán estaba dando batalla.

Entonces Saúl hizo algo que pareciera ser la cosa más espiritual. Llamó al sacerdote de Dios para que trajera el arca de Dios, con la intención de que oraran y buscaran al Señor. Después de todo, ¿cómo puede uno actuar sin conocer la voluntad de Dios? Pero había demasiada conmoción como para poder orar. Mientras Saúl hablaba con el sacerdote, el tumulto entre los filisteos aumentaba cada vez más. Y entonces Saúl le dijo al sacerdote «Ya no lo traigas». Que traducido al lenguaje moderno significaba: *No hay tiempo para orar ahora.*

PLANTADO EN EL ALTAR

¿Alguna vez ha sentido que siempre está un paso atrás? ¿Que siempre intenta atrapar el momento divino demasiado tarde? ¿Alguna vez ha vivido la pesadilla de que se ha disparado el primer fusil y usted todavía está en la barraca? Para mí, fue más que una pesadilla; fue una realidad.

Me hallaba en un evento de la Unión de Atletas Amateurs en Miami, Florida. Asistía a la escuela secundaria, y el escenario de un campo de deportes de la universidad era más que intimidante para mí. Tenía que correr la carrera de los 400 metros como primera participación. Al medir la fuerza de mis competidores se veía claramente que eran superiores a mí, que me encontraba fuera de su categoría. Sabía que mi única esperanza de competir bien sería una salida extraordinaria. Se permiten dos falsas alarmas de salida, y yo tenía una. Sabía que si volvía a saltar al oír el disparo, me descalificarían. Deseaba salir temprano, pero la adrenalina me había jugado una mala pasada. Así que esperé, sabiendo que no podía volver a equivocarme. Ni siquiera puedo explicar lo que pasó. Todo fue tan rápido. Bien, fue rápido para todos... menos para mí. Resonó el disparo, todos salieron, y yo quedé paralizado. Para cuando empecé a correr, ya era demasiado tarde. Había salido primero la primera vez, y terminé último la segunda.

Así era Saúl. Actuaba cuando debía estar a la espera; controlaba cuando debía estar orando; dormía cuando debía estar peleando; y otras veces, oraba cuando debía estar moviéndose.

Así era Saúl. Actuaba cuando debía estar a la espera; controlaba cuando debía estar orando; dormía cuando debía estar peleando; y otras veces, oraba cuando debía estar moviéndose. Simplemente no lograba dar en la tecla. Sin embargo, cuando uno analiza la situación, nunca fue porque las cosas no fuesen claras. Dios continuamente le decía qué hacer. Saúl sabía que aunque fuera rey, solo Samuel tenía autorización de hacer la ofrenda ante el Señor. Él le había indicado que esperara siete días hasta su llegada. Cuando no llegó temprano el séptimo día, Saúl se hizo cargo. Al llegar Samuel, se enojó con Saúl porque no había actuado por ignorancia, sino había desobedecido las órdenes de Dios.

Saúl sabía que debía esperar a Samuel, pero no lo hizo. Sabía que debía ir a la guerra, pero no lo hizo. No era porque fuese difícil comprender la voluntad de Dios que Saúl perdía sus momentos divinos. Simplemente, elegía no confiar en Dios ni actuar según su palabra. No pierda de vista lo esencial aquí: Dios no ha guardado silencio. Ha hablado tanto por medio de la Palabra, de Aquel que caminó entre nosotros, como por medio de la Palabra escrita para guiarnos. La aventura comienza aquí. Viva lo que Dios ya ha dicho, y descubrirá que Dios no guarda silencio.

Lo que hizo Saúl luego fue muy religioso. A primera vista, parece profundamente espiritual. Llamó al sacerdote para que trajera el arca de Dios y comenzó el procedimiento de preguntarle a Dios qué hacer. Es obviamente esencial que debemos buscar el rostro de Dios, tomarnos el tiempo de entrar en su presencia para ser transformados por su persona. Vivir una vida sin oración es vivir sin tener la vida que Dios ha creado para nosotros. Sin embargo, hay ocasiones en las que la oración puede ser un velo religioso para una vida vacía.

Vivir una vida sin oración es vivir sin tener la vida que Dios ha creado para nosotros. Sin embargo, hay ocasiones en las que la oración puede ser un velo religioso para una vida vacía.

Jesús nos advierte acerca de esto. Nos dijo específicamente que no debemos orar como lo hacen los paganos. Se refería a la práctica de la repetición de rezos sin significado. Por alguna razón, no podemos librarnos de la idea de que Dios quiere que nuestras oraciones sean largas e importantes.

Recuerdo mi primera confesión durante mi catecismo. El procedimiento es sencillo. Uno entra en el confesionario, le cuenta al sacerdote todos los pecados que puede recordar, y él le da entonces a uno la penitencia de rezos adecuada según los pecados que deban perdonarse. No supe qué decir. Simplemente, no podía contarle al sacerdote mis secretos más profundos y oscuros. Seguramente se habría sentido impactado por la nefasta vida de este niño de diez años. Pero finalmente, pude decir algo. Confesé que en un momento de ira, había dicho que Jesús era estúpido. En retrospectiva, no sé exactamente qué es lo que le enojó. Quizás fuera mi anterior afirmación de que no tenía pecados que contar. Yo había insistido en que no tenía nada que decirle. Y mientras me recomendaba reflexionar acerca de ciertos pecados, yo seguía afirmando que jamás había cometido ninguno de ellos. Después de esta confesión acerca de Jesús, me aferré a la idea de mi perfección. ¿Cómo podría yo saber que este sacerdote no le contaría luego a mi madre?

Entonces llegó mi penitencia. No recuerdo el número exacto, pero sé que la cantidad era aproximadamente la siguiente: unos doscientos Padrenuestros, y más de trescientos Actos de Contrición. Supongo que la teoría es que cuanto más pecamos, más hay que rezar. Obviamente, me encontraba en serios problemas con la deidad. No le iba a decir al sacerdote que jamás había memorizado el Acto de Contrición. En realidad, durante mis clases de catecismo había hecho trampa.

Solemnemente, me dirigí hacia el altar. Había muchas personas arrodilladas en la catedral, rezando innumerables oraciones. Yo me arrodillé con toda la reverencia que pude, y comencé mi negociación diciendo: «Dios, no sé de memoria el Acto de Contrición, por lo que no puedo rezar ninguno de esos. Sí sé el Padrenuestro, pero no veo el propósito de repetirlo una y otra vez. Por lo tanto, lo diré tres veces: una para ti Padre, una para el Espíritu Santo, y una para Jesús, y espero que sea suficiente».

Aun entonces no llegaba a comprender por qué se esperaba que la redundancia agradara a Dios. Es como si pensáramos que Dios lleva un registro de la cantidad de palabras que le ofrecemos en oración. Jesús dijo: «Y al orar, no repitan ustedes palabras inútiles, como hacen los paganos, que se imaginan que cuanto más hablen más caso les hará Dios. No sean como ellos, porque su Padre ya sabe lo que ustedes necesitan, antes que se lo pidan» (Mateo 6:7-8).

Hay demasiada literatura cristiana sobre la oración que se concentra en *cuánto* oramos, pero pierde de vista lo que sucede *cuando* oramos. Si hay un peligro relacionado con la oración en cuanto a no orar lo suficiente, también lo hay en cuanto a orar mucho y permanecer vacío del contacto genuino con Dios.

Jesús atacó este patrón que indica que seremos oídos por la cantidad de palabras que digamos. Hasta implícitamente indica que este es el resultado de ver a Dios de manera incorrecta. Dijo: «No sean como ellos, porque su Padre ya sabe lo que ustedes necesitan, antes que se lo pidan».

La oración no es para informar a Dios acerca de nuestras necesidades, tampoco es para intentar convencer a Dios de que nos ayude. La oración es para conectarnos con Dios. Se relaciona con experimentar su presencia y avanzar con él en íntima comunión. Jesús nos recuerda que Dios no es insensible a nuestras necesidades. Muchas veces, nuestra visión acerca de la oración implica que Dios se muestra apático, que no se preocupa

> La oración no es para informar a Dios acerca de nuestras necesidades, tampoco es para intentar convencer a Dios de que nos ayude. La oración es para conectarnos con Dios. Se relaciona con experimentar su presencia y avanzar con él en íntima comunión.

por nosotros. Él nos da el simbolismo. Contrastó a Dios Padre con el hombre que se niega a levantarse para darle pan a un amigo, pero que luego accede a causa de la perseverancia del otro hombre. Dios ansía darnos sus dones y darse a sí mismo si se lo pedimos, sin embargo, hay un peligro todavía mayor y más sutil en el área de la oración. Se da cuando la oración es reactiva, en lugar de ser proactiva. Es el modo en que sutilmente utilizamos la oración no para buscar la voluntad de Dios, sino para demorar nuestra obediencia a su voluntad.

Mientras Saúl oraba, Jonatán estaba obedeciendo. Mientras Saúl intentaba descubrir cuál era la voluntad de Dios, Jonatán estaba ocupado llevando a cabo la voluntad de Dios. No puedo contar la cantidad de veces que he dado consejos a individuos que parecían no poder discernir qué hacer. Uno pensaría que esas situaciones eran muy complejas y difíciles de comprender, y sin embargo, la mayoría de las veces mi consejo no era el resultado de un alto discernimiento o de una intuición única y particular. Su situación se definía tan claramente en las Escrituras, que no había dudas acerca de lo que debían hacer. Pero casi siempre la respuesta de ellos era: «Debo orar acerca de esto».

Una joven mujer cristiana tiene una relación amorosa destructiva con un hombre no creyente, pero no desea terminar la relación aun cuando sabe que no debiera unirse en yugo desigual.

Un marido cuyo negocio «pertenece a Dios» trabaja prácticamente veinticuatro horas los siete días de la semana, mientras su matrimonio se derrumba y sus hijos se desvían.

Un vicario o secretario financiero comienza a reunir a una turba de miembros inactivos de su iglesia con el fin de echar al nuevo pastor.

Una joven pareja que vive junta está convencida de que estar enamorados sobrepasa al llamado bíblico de no tener relaciones sexuales antes de casarse.

Puede resultar difícil de creer, pero en estar circunstancias y en muchas otras, la respuesta de las personas que se consideran cristianos sinceros es: «Necesito orar acerca de esto».

EL OBSTÁCULO PARA LA ORACIÓN

La oración puede ser una forma religiosa de rebelión. Al fingir tener necesidad de claridad ante Dios, en realidad estamos evitando aquello que Dios ha puesto claramente de manifiesto. No nos gusta lo que dicen las Escrituras. Lo que la Biblia nos llama a hacer es diferente de lo que queremos hacer. El modo en que Dios desea que respondamos a los conflictos no es el modo en el que queremos responder. Incluso cuando las instrucciones son claras, y aun cuando la voluntad de Dios está escrita sin ambigüedades, fingimos obediencia diciendo que necesitamos buscar a Dios en la oración. Hay ciertas cosas por las que ciertamente no necesitamos orar.

Cuando no oramos, esto es un obstáculo para que atrapemos nuestros momentos divinos.

No podemos pensar que vamos a hacer cambiar de idea a Dios acerca de las cosas que él ha dicho.

Cuando no oramos, esto es un obstáculo para que atrapemos nuestros momentos divinos.

La oración nos mantiene en ritmo con el Espíritu de Dios y con su voz. Si usted vive una vida sin oración, entonces tendrá que oír el llamado del apóstol Pablo a que oremos sin cesar. Nuestras vidas tienen que ser una conversación continua con Dios. Este tipo de vida de oración es la que nos hace sensibles a todo llamado, a cada susurro de Dios. No solo estamos informando a Dios, sino también Dios nos está informando a nosotros. Es un participante activo e íntimo en nuestras elecciones cotidianas.

Pero la oración puede ser un obstáculo cuando oramos todo el tiempo por cosas de las que Dios ya ha hablado. Si él nos lo ha ordenado en su palabra, no hay nada por qué orar... solo resta obedecer.

La oración también puede ser un obstáculo cuando nos escondemos detrás de ella en momentos en que se requiere actuar. Hay momentos en que es demasiado tarde para orar. Es cuando Dios ya ha hablado y llegamos tarde a la cita. Cuando esto sucede, tenemos que correr.

No necesitamos orar acerca del amor. Ya se nos ha ordenado amar. No necesitamos orar acerca del perdón. Ya se nos ha ordenado perdonar. No necesitamos orar acerca de estar en comunidad o confesar nuestra fe. Ni necesitamos orar acerca de si debiéramos ser arrogantes o humildes, dadores o tomadores, servidores o indulgentes. Dios ya ha hablado sobre todo esto y mucho más. Cuando oramos sobre estas cosas, Dios confirma lo que él ha dicho, agregando: «*¿Qué estás esperando?*».

Saúl oraba cuando debiera haber estado obedeciendo. ¿Estaremos cometiendo el mismo pecado? ¿Está usted utilizando la oración como un modo de resistirse a la voluntad de Dios en lugar de acceder a ella? Jesús no le dio valor a la oración por la oración en sí.

> Jesús no le dio valor a la oración por la oración en sí. Le dio valor por la comunión íntima entre Dios y el hombre.

Le dio valor por la comunión íntima entre Dios y el hombre. El propósito de la oración es el de conocer a Dios, y al conocerle, oír su voz y comprender que Dios ha oído la nuestra. El resultado final de este tipo de oración es un corazón lo suficientemente maleable como para avanzar hacia donde sea que Dios nos esté llamando.

El propósito de la oración es mantenernos conectados, y cuando estamos conectados con Dios, avanzamos con él.

La oración que nos conecta con Dios nos pone en posición para atrapar nuestros momentos divinos. Este tipo de oración nos da el coraje de vivir la vida de un aventurero. La oración debiera hacernos mover, no paralizarnos. Y cuando oramos con interés de obedecer, nos convertimos en imanes que atraen a otros a la presencia de Dios. Uno puede elegir entre hacerle un monumento a la oración u orar para desatar un movimiento. Un aspecto es religioso; el otro es revolucionario.

En 1 Reyes 18 entramos en una de las reuniones de oración más singulares: Elías frente a los profetas de Baal. Si examinamos el pasaje con cuidado, encontraremos que los profetas de Baal excedían a Elías tanto en tiempo como en esfuerzo de oración. Habían construido dos altares. Los profetas y Elías debían orar a su deidad o deidades e invocarles para que enviaran fuego desde el cielo, y cualquiera de las deidades que respondiera, sería considerada como el único y verdadero Dios por todos los espectadores.

Los profetas de Baal oraron desde la mañana hasta el mediodía: «"Contéstanos Baal!", y daban pequeños brincos alrededor del altar que habían construido, pero ninguna voz les respondía» (1 Reyes 18:26).

Cerca del mediodía, Elías comenzó a burlarse de ellos:

Griten más fuerte, porque es un dios. A lo mejor está ocupado, o está haciendo sus necesidades, o ha salido de viaje. ¡Tal vez esté dormido y haya que despertarlo!

Ellos seguían gritando y cortándose con cuchillos y lancetas, como tenían por costumbre, hasta quedar bañados en sangre. Pero pasó el mediodía, y aunque ellos continuaron gritando y saltando como locos hasta la hora de ofrecer el sacrificio, no hubo ninguna respuesta ¡Nadie contestó ni escuchó! (1 Reyes 18:27-29).

Oraron duro y parejo. Pero había un pequeño problema: estaban orándole a un dios que no existía, a nadie. Es terrible cuando desperdiciamos una vida de oración en un dios equivocado.

Elías, por su parte, oró una oración muy breve: «¡Señor, Dios de Abraham, Isaac e Israel: haz que hoy se sepa que tú eres el Dios de Israel, y que yo soy tu siervo, y que hago todo esto porque me lo has mandado. ¡Respóndeme, Señor, respóndeme, para que esta gente sepa que tú eres Dios, y que los invitas a volverse de nuevo a ti!» (1 Reyes 18:36-37). Fin de la oración.

Las Escrituras describen lo que sucedió en ese momento: «En aquel momento, el fuego del Señor cayó y quemó el holocausto, la leña y hasta las piedras y el polvo, y consumió el agua que había en la zanja. Al ver esto, toda la gente se inclinó hasta tocar el suelo con la frente, y dijo: "¡El Señor es Dios, el Señor es Dios!"» (vv. 38-39).

La verdad del asunto es que en todo el mundo las personas oran, y que hay infinidad de religiones en las que las personas oran con sinceridad, sin cesar. Hay quienes oran cinco veces al día mirando al este; otros han escapado del ruido del mundo real y se han encerrado en cuevas o castillos para poder solo orar. No creo que Dios nos llame a una vida de oración que nos aísle para siempre del mundo que nos rodea. El mismo Dios que nos llama a encontrarnos con él en la soledad de algún lugar, también nos encomienda volver a las calles donde las multitudes desesperadamente necesitan a Dios.

Elías nos dio una tremenda y poderosa visión de lo que es el propósito de la oración: «¡Respóndeme Señor, para que todos sepan que tú eres Dios y que yo soy tu siervo, que simplemente hace lo que tú me has ordenado hacer».

> **Cuando obedecemos primero y luego oramos, reconocemos que Dios ha iniciado la relación con nosotros.**

Algunas oraciones tienen gran impacto cuando vienen de personas que viven una vida de obediencia a Dios. Él no oró primero para obedecer después. Él obedeció primero, y luego oró. Cuando oramos antes de obedecer, estamos implícitamente diciendo que somos los que iniciamos la relación con Dios. Cuando obedecemos primero y luego oramos, reconocemos que Dios ha iniciado la relación con nosotros. Dios ha hablado. Él envió la primera palabra. Nuestra primera respuesta es oír su voz y avanzar en línea con su mandato. De esta obediencia nace nuestra intimidad con él, y cuando hablamos con él, nos responde y se da a conocer.

En todos sus errores, hubo algo que Saúl hizo bien. Cuando la batalla a su alrededor se volvió demasiado fuerte como para que pudiera orar, reconoció que no era momento de hacer esto. Era tiempo de obedecer. Dios ya estaba trabajando. Necesitaba movilizar al pueblo de Dios y entrar en lo que Dios estaba haciendo.

Recuerdo la pregunta que Samuel le hizo a Saúl más adelante: «¿Por qué no obedeciste al Señor?». Y luego, Samuel le recordó: «¿Es que el Señor se deleita en holocaustos y sacrificios tanto como se deleita en la obediencia? Más le agrada al Señor que se le obedezca, y no que se le ofrezcan sacrificios y holocaustos; vale más obedecerlo y prestarle atención que ofrecerle sacrificios y grasa de carneros» (1 Samuel 15:19-22).

Hay momentos en que nuestra obediencia consiste en detenernos y orar, y en esos momentos, llega la palabra que debemos obedecer. Y es en esta obediencia que la voz de Dios se vuelve íntimamente clara.

ORE EN LA MADRIGUERA DEL ZORRO

Recién nos habíamos mudado a Los Ángeles y estábamos sirviendo como voluntarios en la Iglesia de Brady. Habíamos vivido en el complejo metropolitano de Dallas-Fort Worth durante casi diez años. Kim y yo habíamos terminado nuestras maestrías y nos habíamos quedado en la región trabajando con los necesitados urbanos. Durante ese tiempo, comencé a trabajar con la Junta Misionera Norteamericana como consultor evangélico metropolitano. Al cabo de un período de tres años, decidimos mudarnos a Los Ángeles para la siguiente fase de nuestro ministerio. La Iglesia de Brady parecía perfecta como nuestra base de ministerio. Sabiendo que mi trabajo requería de muchos viajes, quería asegurarme de que fuésemos parte de una comunidad de fe que se convirtiera en una familia para nosotros. Aún estábamos reorganizando nuestras vidas, el ministerio y nuestras finanzas. Durante ese período la iglesia había ofrecido cubrir nuestro seguro, pero de algún modo nuestros papeles se perdieron. Sin que lo supiéramos, pasamos aproximadamente un año sin seguro.

Mi esposa Kim jamás ha estado enferma en todos nuestros años de matrimonio. Yo solía decirle que tenía una historia clínica de salud perfecta, a excepción de las dos veces que había necesitado ir al hospital. Pero con toda amabilidad Kim me recordaba que el estar embarazada y tener un bebé no es una enfermedad. Así que, si no tomábamos en cuenta los dos partos, Kim gozaba de perfecta salud.

Bien, podrá adivinar lo que sucedió entonces. El mejor modo de seguir con buena salud es tener un seguro. El mejor modo de asegurarse una enfermedad es no tenerlo. En medio de la temporada, Kim comenzó a sufrir fuertes dolores abdominales. El dolor se hacía insoportable. Yo veía cómo mi esposa de repente se ponía en posición fetal, retorciéndose con angustia. Durante uno de esos ataques, la llevamos inmediatamente al hospital, donde debió permanecer durante varios días. Nos explicaron que tenía cálculos biliares, y que tres de ellos se habían alojado en áreas críticas, poniendo en peligro su vida. En poco tiempo las facturas médicas sumaron miles de dólares, y la cirugía que necesitaría Kim aumentaría el monto todavía más.

En medio de esta crisis, dicho sea de paso, fue que descubrí que nuestros papeles se habían perdido, y que no teníamos seguro de salud. Hiciéramos lo que hiciéramos, tendría que encontrar el modo de pagar las cuentas. De por sí era ya difícil ver cómo mi esposa sufría por el dolor, además del peligro para su vida, y el modo en que esto afectaba a nuestros dos pequeños hijos. Y ahora, sabiendo que a raíz de un grave error no podía brindarle la cobertura médica que necesitaba, sentí que había llegado a mi límite. No tenía duda de que estábamos en el lugar donde Dios quería que estuviéramos. Kim y yo no éramos turistas; estábamos juntos aquí, en misión para Dios. Era uno de esos momentos en que lo mejor que podíamos hacer, lo único que podíamos hacer, era orar.

Entré en su habitación del hospital con desesperación, la cual me llevaría a la depresión o a la intercesión. En Santiago 5:16 se nos dice que la oración de un hombre justo es poderosa y eficaz. Utilizó a Elías como ejemplo de la promesa. Elías oró por que no lloviera, y no llovió durante tres años y medio. Y luego oró nuevamente, y los cielos se abrieron, y la lluvia cayó y regó generosamente la tierra. Yo tenía una confianza inexplicable acerca de que en este momento la intención de Dios era la de sanar a Kim. Puse mis manos sobre ella, pero no oré diciendo: «Señor, no sé cuál es tu voluntad, pero si quieres sanar a Kim, seguro te lo agradeceré». En lugar de esto, oré por la sanidad instantánea, divina, de mi esposa Kim. No era que estaba insistiendo en algo inesperado, ni intentaba conmover a Dios mediante el poder de mi fe. Era más como si Dios le hubiera hablado a mi espíritu, instruyéndome a orar esa oración para que yo viera su obra. Puedo decirle que en ese momento Dios sanó a mi esposa. Salió del hospital ese mismo día. Sin dolor, y durante los siguientes diez años, jamás volvió a sentir los síntomas.

Sé claramente que Dios no siempre sana, y que toda sanidad es temporaria. Pero también sé que cuando obedecemos y luego oramos, hay un poder inexplicable. Quiero señalar esto porque Saúl cometió equivocaciones importantes. Se detuvo a orar en el momento incorrecto y por motivos y razones que no eran correctos. No hay registro de esto en el texto, pero no puedo imaginar que Jonatán no estuviera orando. No el tipo de oraciones largas de los hombres que carecen de la urgencia de la guerra, sino las oraciones sinceras y precisas de un hombre que sabe que la

> **Hay un viejo dicho que dice que en la madriguera del zorro no hay ateos. Me pregunto si también será verdad que no hay verdaderos creyentes en los refugios antibombas.**

ausencia de Dios significa su muerte. Hay un viejo dicho que dice que en la madriguera del zorro no hay ateos. Me pregunto si también será verdad que no hay verdaderos creyentes en los refugios antibombas.

Cuando Elías oró, bajó fuego del cielo, y todos supieron que Dios estaba con él. El resultado fue que el pueblo de Dios fue hacia donde estaba Elías. Y esto también sucedió con Jonatán. Él se movió hacia donde estaba Dios; y Dios se movió hacia donde él estaba. Pronto, el pueblo de Dios fue hacia donde estaban ambos. Las personas como Jonatán atraen al pueblo de Dios hacia el lugar donde Dios actúa.

¿Es esta la descripción de su vida? ¿Es tan potente a su alrededor la actividad de Dios que impulsa a otros a unírsele? ¿Sigue usted a Cristo con tal pasión que otros se sienten atraídos hacia él? ¿Es usted un imán de Dios? ¿Las personas al verle a usted dicen: «Dondequiera que va, Dios está»? Usted sabe que la descripción más adecuada debe ser que dondequiera que Dios esté, allí estará usted. Si esto aún no sucede, quizás haya un Jonatán esperándole.

ALGO PERSONAL

Mucho antes de que llegáramos a la Iglesia de Brady, esta había adoptado como su objetivo a siete naciones en el mundo. Eran naciones con necesidades importantes, y el liderazgo de la iglesia estaba comprometido a servir a las personas de esos países llevándoles el evangelio de Jesucristo. A pocos años de comenzar esta obra, uno de los ancianos de la iglesia y su esposa sintieron un llamado hacia los Kurdos. Sentían que debían mudarse con su familia para enfocarse en la nación de Turquía. Pero había un pequeño problema; no era una de las siete naciones en el programa. En ese momento esto estaba fuera del campo de visión que la congregación y su liderazgo sostenían. Había algo de incomodidad acerca de que uno de los líderes de la iglesia eligiera ir a una nación que no estaba dentro de los objetivos programados. Pero cuando se les preguntó acerca de su llamado, Chris y Karen simplemente dijeron que sabían que Dios les estaba llamando. No tenían deseos de rebelarse en contra del liderazgo espiritual, sino simplemente la vocación y el llamado innegable era ir a servir a los Kurdos.

Como resultado de su acto de obediencia y de su ministerio en la construcción de refugios para los pueblos perseguidos, nació un especial sentimiento por los Kurdos en nuestra congregación. Desde ese momento, el enfoque de la iglesia en las siete naciones se expandió para comprender al mundo entero. Cuatro familias de nuestra congregación viven ahora en Turquía, y varios equipos ya han servido allí en proyectos de corto plazo. Y hasta hemos llegado a asociarnos para abrir un café en el corazón de Estambul. No puedo relatar todos los detalles de este sorprendente lugar, pero sí puedo decir que es un café temático que hace referencia a Los Ángeles, un lugar en el que las personas se reúnen para conocer a otras y conversar hasta cambiar sus vidas.

Uno de los resultados más maravillosos que tiene esto de atrapar nuestros momentos divinos es que suelen atraer a muchas otras personas hacia ellos. No todos nos movemos al mismo paso. Algunas personas se mueven con la velocidad de la luz, pero hay otras para quienes la luz verde no llega jamás. Lo que quizás nunca sepamos es la cantidad de personas que son atraídas hacia el propósito que Dios tiene para sus vidas a través de la estela que deja nuestra obediencia.

Esta es una de las razones de por qué es tan importante atrapar cada momento divino. Uno jamás sabe al comienzo cuáles son las intenciones de Dios que pueden cumplirse a través de nuestra obediencia.

Cuando Samuel nos informa que Saúl y todos sus hombres se reunieron y fueron hacia la batalla, está describiendo un dramático cambio en el protocolo. El rey guerrero estaba siguiendo a su hijo. Su reticencia hacia la batalla se convirtió en abdicación de su rol como comandante en jefe. Lo que no estaba dispuesto a hacer anteriormente, ahora era un impulso. Si no atacaba, seguramente perdería a su hijo. Para Saúl, esto se había convertido en algo más personal. La falta de urgencia podría costarle la vida de Jonatán. Esta es una de las razones de por qué es tan importante atrapar cada momento divino. Uno jamás sabe al comienzo cuáles son las intenciones de Dios que pueden cumplirse a través de nuestra obediencia. Puede ser que sea un momento solitario entre nosotros y Dios, en el que le sentimos más íntimamente. Nuestro campo de influencia puede llegar solo a quienes son directamente afectados por nuestros actos. Pero lo más probable es que nuestra influencia vaya mucho más allá.

A Dios le encanta utilizar nuestra fidelidad para inspirar la fe de otras personas. Con cada decisión de tomar el potencial que Dios nos da cada día nos volvemos más magnéticos, reflejando cada vez más el carácter de Dios. Uno puede no darse cuenta de esto, pero la mano de Dios en nuestra vida se vuelve innegable a los que están alrededor de nosotros. No debe sorprendernos que por medio de un simple acto de obediencia, Dios elija estremecerlo todo, cambiando las cosas de raíz. Dios hizo esto a través de Jonatán, y ha estado haciéndolo a lo largo de la historia, utilizando a hombres y mujeres. Y lo hará nuevamente, en los momentos más inesperados, y a menudo, de la manera más sorprendente.

LLEVE A JESÚS A LA GENTE SIN DIOS

En *Una Fuerza Imparable* comento una de esas experiencias en que vimos a Dios estremecerlo todo, más allá del alcance normal de nuestra influencia. Pude describirlo únicamente como un impacto desproporcionado en relación con el tamaño del esfuerzo. Habíamos estado en una conferencia en la que aprendimos que el mercadeo efectivo era claramente un elemento importante para el éxito de una iglesia, pero el problema era que había tres millones de personas en el corazón de Los Ángeles, y nueve millones en el condado entero. Necesitaríamos varios millones de dólares para poner en marcha una campaña que se hiciera notar. Al mismo tiempo, tuvimos la oportunidad de iniciar un servicio de fin de semana en el club nocturno que estábamos alquilando desde hacía ya tres años. El *Downtown Soho* no es un antiguo club nocturno, sino uno que aún está en actividad. Jamás podríamos haber previsto que uno de nuestros primeros invitados sería un periodista del *Los Ángeles Times*. Michael Luo no vino para escribir un artículo, pero quedó tan intrigado por lo que sucedía, que al salir ya lo tenía.

Desde su artículo de casi una página entera en la sección Metro del *Los Ángeles Times*, la cadena de noticias KABC se enteró de la historia. Nos enviaron a un corresponsal del noticiero televisivo de

Philip Palmer para verificar la historia de esta iglesia que adoraba a Dios en un escenario de Jack Daniels y Jim Beam. Jack y Jim no están allí cuando estamos nosotros, pero el bar, por supuesto, siempre está bien provisto. Mientras abrimos la iglesia, el bar no está abierto. Pero de seguro, tan pronto cerramos, Jack y Jim vuelven a escena. La KABC sintió que la historia era tan buena que la anunció durante la semana en una estación de radio local. La frase «iglesia en un club nocturno» llamó la atención de muchos y se convirtió en un imán para la publicidad. Para nuestra sorpresa, la estación también anunciaba con tráilers televisivos, anunciándole a la gente cuándo se pondría al aire la historia. Tan bien funcionó la historia, que decidieron repetirla durante la siguiente semana. Fue la noche en que se estrenaba *La Guerra de Las Galaxias*. En esa oportunidad, incrementaron su marketing. Veíamos que la ciudad estaba llena de anuncios que decían: «Dios en un club nocturno». Debo admitir que me ponía un tanto nervioso toda la situación. Filmaron el club nocturno mientras funcionaba, con lo sensual, lo seductor y toda la actividad propia del lugar, para luego hacer un corte abrupto a nuestro servicio de adoración a Dios, borrando la línea que separaba ambos ámbitos.

Dios estaba utilizando lo que había sido una decisión controvertida de mudarnos a un club nocturno como un modo de sacudir la ciudad y decirle a la gente que Dios está obrando activamente. Me sorprendió el alcance de influencia que esta decisión nos dio, desde una entrevista con la 20/20 de Nueva York, hasta un ministerio que comenzó en un café de Wellington, Nueva Zelanda, llamado Mosaic.

Hay una línea de demarcación que aquellos que son religiosos parecen establecer; hay lugares a los que no irán, y hay cosas que no harán. Algunas personas de nuestra congregación se sintieron molestas cuando nos mudamos de un santuario a un auditorio de universidad. Pensaban que nos mudábamos de lo sagrado a lo secular. Usted puede solo imaginar la respuesta que obtuvimos cuando vieron que nos mudaríamos a un club nocturno. Si lo primero nos llevaba de lo sagrado a lo secular, esto nos llevaba de lo secular a lo sacrílego.

Cuando comenzamos con los servicios en el club nocturno, solíamos repartir tarjetas entre los asistentes para que escribieran los temas que deseaban tratar durante esa tarde. La primera vez que hice esto, me sorprendió la pregunta que leí en la primera tarjeta: «¿Qué es lo que hace una iglesia en un club nocturno?». No pude resistirme a responder: «¿Qué es lo que está haciendo usted en un club nocturno?», y explicar luego que Jesús tenía una terrible reputación por hacerse amigo de los pecadores. No hay lugar más apropiado para la iglesia que allí donde las personas tienen mayor necesidad de Dios. Mi esperanza consistía en que nuestra decisión alentara a otras iglesias del mundo a arriesgarse hacia la misma aventura. Todos estábamos igualmente comprometidos a no ser del mundo, pero también a estar agresivamente dentro del mundo.

Es por esa razón que la vida de Jesús es tan potente y atrayente. Más allá de que fuera Dios, el modo en que vivía como ser humano era conmovedor. Las personas se sentían atraídas hacia su vida. Cuando él se movía, ellos veían a Dios.

La ironía es que a menudo los lugares que eliminamos son justamente aquellos que Jesús visitaba, donde él obraba. Su reputación siempre estaba en juego. Solía andar con las personas equivocadas, en todos los lugares incorrectos. Continuamente estaba en medio de la batalla, nunca escondido bajo el árbol de granadas. Es por esa razón que la vida de Jesús es tan potente y atrayente. Más allá de que fuera Dios, el modo en que vivía como ser humano era conmovedor. Las personas se sentían atraídas hacia su vida. Cuando él se movía, ellos veían a Dios.

UN ARGUMENTO POTENTE

Jesús explicó una vez a quienes se le oponían que al verlo a él, habían visto al Padre. Jesús, por supuesto, estaba reafirmando su divinidad. Ver a Jesús es ver a Dios. Pero la aplicación secundaria es igualmente profunda. Jesús explicó que solo decía lo que oía decir al Padre, y que hacía solo lo que el Padre hacía. De manera más concreta Jesús estaba diciendo: «Observen mi vida y verán obrar a Dios».

La vida de Jesús fue una expresión de la vida de Dios, y quizás el mayor milagro es que nosotros también podemos conocer la misma experiencia. Nuestras vidas pueden ser una respuesta a la vida de Dios. Imagine el poder de nuestras vidas si pudiéramos saber con toda confianza que cuando otros nos ven, también estarían viendo a Dios; que Dios se revelaría a sí mismo a través de un ser humano común; que aquellos que hoy son ciegos a Dios abrirán los ojos a causa de la vida que cada uno de nosotros vive. Fue en Antioquia que los discípulos de Jesús fueron llamados cristianos por primera vez. No fue una designación que se arrogaron a sí mismos. Fue el resultado de lo que otros veían al observar sus vidas y ver a Cristo en ellas. Se veían como Jesús. Sus vidas reflejaban el adjetivo *cristiano*. Era una descripción, no un título.

Pablo lleva la idea aún más lejos en Gálatas 2. En el versículo 20, declara: «Ya no soy yo quien vive, sino que es Cristo quien vive en mí. Y la vida que ahora vivo en el cuerpo, la vivo por mi fe en el Hijo de Dios, que me amó y se entregó a la muerte por mí». Somos contenedores de carne y hueso del Dios viviente. Somos su habitáculo. Nuestros cuerpos son su templo, su morada. Y si él vive en nosotros, ¿a quién debieran ver los demás cuando ven nuestras vidas? Si no pueden ver a Dios, ¿cómo podemos afirmar que él vive en nuestras almas? Al igual que Jesús, debemos vivir una vida que refleje al Padre. ¿Qué pasaría si habláramos lo que oímos decir al Padre y si hiciéramos lo que vemos hacer al

Padre? O, para decirlo de otro modo, ¿cómo serían nuestras vidas si Dios fuera la Fuente de toda nuestra inspiración?

Marcus Gerakos es uno de los músicos más extraordinarios que conozco. Ha creado una banda musical internacional llamada Escenas. Vivía en el complejo en el que vivía la mayoría de los miembros de Mosaic, donde se reunía semanalmente un pequeño grupo. A menudo invitaban a Marcus para que se les uniera, pero él no se mostraba muy entusiasmado —y era comprensible hasta cierto punto— porque sabía lo que solía pasar justamente cuando la reunión estaba por acabar. Muchos de nosotros tuvimos la oportunidad de conocerle en esa época. Por un tiempo, yo tomé lecciones de guitarra con él. Esta era una manera de asegurarnos de que uno de nosotros se reunía con él de algún modo.

Una de las parejas que Marcus conoció fue la de Matt y Paige. Durante el mismo período en que Marcus estaba procesando la idea de quién era Jesús, Matt y Paige se estaban preparando para mudarse a Medio Oriente, para llegar a los musulmanes de Libia. Uno de los obstáculos que se le presentaban a Marcus para llegar a creer en Jesucristo era que pensaba que una religión verdadera debía abarcarlo todo. Debería ser global en cuanto al alcance de su preocupación por las personas.

Mientras luchaba por creer, Matt y Paige se preparaban para partir. A pesar de que las líneas eran invisibles, había una relación directa entre la mudanza de Matt y Paige y el cambio que se daba en Marcus. Cuando ellos se mudaron a Libia, él se mudó a Cristo. Me explicó más tarde que ver la profundidad de su fe y su compromiso, ayudó para que pasara de la duda a la fe. Me dijo: «Se toman todo esto muy en serio, ¿verdad?» Después de todo, Libia no es Maui. Mudarse al corazón del islam, con dos hijas pequeñas, es algo que no resulta fácil para los padres. Su decisión por mudarse al corazón de la batalla fue una parte importante en la decisión de Marcus de acercarse al reino de Dios.

Cuando nos movemos con Dios, atraemos a otros a moverse con nosotros. Al principio la actividad los despertará, luego les molestará y romperá su rutina o su vida religiosa. Pero finalmente, para quienes tienen oídos para oír y ojos para ver, todo se unirá para hacer que se muevan hacia el lugar de la batalla.

Maven estaba una vez más con ellos. Él también estaba cansado después de haber luchado en la batalla. Aun en la victoria hay dolor y muerte, y sus pensamientos iban mucho más allá del momento presente.

Se volvió hacia Ayden y parecía responder a sus pensamientos:

—Hoy hemos visto una gran victoria, y celebrar será un placer que no dejaremos de disfrutar.

—¡El valle de la oscuridad ahora es un bosque de luces! —respondió Ayden con gozosa exuberancia.

—Sí —respondió Maven—. La densidad de la luz restringe el peso de la oscuridad.

—¿Nos quedaremos aquí? —preguntó Kembr mientras se regodeaba en la belleza del paisaje.

—No —dijo Maven—. La luz de la humanidad solo brilla cuando avanza para luchar contra la oscuridad.

—¿Están listos para el viaje? ¿No deberíamos esperar hasta que sea seguro partir? —insistió Kembr.

Ayden habló en tono calmado:

—¡No es el lugar sino la presencia lo que los sostiene! Esta es su única certeza.

—Inscripción 715/ The Perils of Ayden

9

DESPERTAR

despierte a los muertos

KENTAROU NO TENÍA SIQUIERA UNA OPORTUNIDAD. ¿QUÉ ES LO QUE podía hacer una sola persona contra un ejército entero? Era un estudiante de sociología de la Universidad de Kyoto en Japón. El deseo de ver y sentir lo que era Norteamérica le llevó a planificar su estadía en una casa de familia allí, en lugar de ir a un hotel. Su único conocimiento de Dios provenía de sus estudios, en particular del trabajo del sociólogo Max Weber. ¿Cómo podría saber que estaba a punto de entrar en un mosaico de fe, amor y esperanza? Se alojó en casa de Gerardo y Laura Marti, y expresó gran interés en conocer la diferencia entre el catolicismo y el protestantismo. Cuando le preguntaron si alguna vez había leído la Biblia, respondió: «Jamás». En realidad, jamás había siquiera visto una Biblia. Los primeros días comenzó a leer la Biblia y el libro *Journey of Desire* [Viaje de Deseo] de John Eldredge. Dos días más tarde, le mostraron la película *The Jesus Film*. Al terminar de ver la película, preguntó con curiosidad:

—¿Así que Jesús vive?

—Sí —le contestaron.

—¿Y tienen idea de dónde está él ahora mismo? —preguntó.

—Está en el cielo, llamando y guiando activamente a las personas hacia él —le explicó Gerardo.

Luego conoció a Mark y Jenea Havner, que le invitaron a cenar barbacoa coreana y le presentaron a otros que también eran seguidores de Jesucristo. Y al salir de la reunión, otro líder llamado John Worlfkill lo llevó en su automóvil, juntos compartieron aún más durante el camino. Kentarou estaba fascinado, y compartió esto con los Martis: «Jamás pensé que podría venir a Norteamérica y pasar tan buenos momentos».

Estaba muy excitado, y al día siguiente tendría la oportunidad de volver a ver a todos sus nuevos amigos y conocer por primera vez lo que era la iglesia. Entró en una experiencia llena de música, danzas y potencia. Kentarou lo describió como arte humano. Yo había decidido explicar el evangelio esa mañana pintando a uno de mis amigos con cinco colores diferentes. Kentarou me explicó después del servicio que yo hablaba inglés demasiado rápido como para que él pudiera entender algo, pero que el arte humano había transmitido el mensaje claramente: «Jesús está vivo».

El lunes, Chad Becker pasó el día con él, explicándole las diferencias entre el cristianismo y el shintoismo. El martes, el hijito de Laura, Zacarías, tomó algo del cuarto de huéspedes donde dormía Kentarou, y Laura se disculpó por ello. Su respuesta le sorprendió: «Por supuesto que te perdono. Ahora soy cristiano». Más tarde explicó que su experiencia con la comunidad de Mosaic le había llevado a la fe en Jesucristo.

El jueves por la mañana estaba preparándose para salir hacia el aeropuerto. Gerardo dedicó un momento para asegurarse de que Kentarou entendía totalmente lo que estaba haciendo. Era claro que él creía en la persona y el mensaje de Jesucristo, pero, ¿entendía realmente lo que significaba ser un seguidor de Jesús? Gerardo le explicó:

—Lo que hacemos es orar y decirle a Jesús que él es nuestro líder, que estamos dejando una vida en la que no le seguimos a él para comenzar otra en la que sí le seguimos.

Inmediatamente, Kentarou unió sus manos en oración y cerró los ojos en silencio. Luego, miró a Gerardo y le dijo:

—¿Algo más?

—Sí —dijo Gerardo—. Debes pedirle a Jesús que te ayude a crecer y a ser un líder que le cuente a otras personas acerca de él.

Una vez más, cerró los ojos en oración silenciosa, levantó luego la vista y simplemente respondió:

—Está bien.

Esta respuesta hizo que Gerardo comenzara a llorar, y que luego cerrara la conversación llevándole a Mateo 28, donde Jesús les encomienda a sus seguidores hacer discípulos de todas las naciones. Gerardo le explicó que del mismo modo en que él tenía este compromiso, ahora Kentarou también lo tendría al regresar a Japón. Gerardo lo miró con mucho afecto, y le dijo:

—Ahora eres mi hermano.

—Encantado de conocerte —respondió Kentarou extendiendo su mano hacia Gerardo.

Mientras oraban juntos justo fuera de la terminal internacional, afirmó su nuevo llamado a servir al pueblo de Japón. Kentarou se sentía sobrecogido por el ejército de Dios, armado con las armas de la comunidad, la verdad y la creatividad. Ahora él también era un guerrero reclutado para llevar el evangelio a la tierra de donde venía. Dormidos en medio del pueblo de Dios, hay un ejército entero que está esperando que le despierten. En cada individuo hay un potencial que jamás podrá ser descubierto fuera del propósito de Dios.

ABRA UN MUNDO DE POTENCIAL

«Jamás pensé que podría hacer esto». Estas son unas maravillosas palabras de auto descubrimiento. ¿Alguna vez le han echado al fuego? Sin advertencia, sin preparación, sin precalentamiento. Alguien vio que usted tenía el talento en crudo, y pensó que era hora de hacer que saliera a la luz, por lo que le arrojó al juego de la vida real, donde usted tendría dos opciones: terminar destruido, o cambiar y ser una persona nueva.

Las personas como Jonatán tienen un modo especial de crear este tipo de ambientes. Uno les sigue hacia un momento lleno de aprehensión e inseguridad, dando por cierta nuestra incapacidad e incompetencia, para descubrir al mismo tiempo que todos los demás que podíamos enfrentar el desafío y salir airosos. Uno odia el momento cuando llega, pero al salir y dejarlo atrás, termina amándolo. Esto es el potencial.

Se habla mucho sobre el potencial en nuestra cultura, como si fuera todo lo que conduce al éxito. ¿Alguna vez se enteró de que se dijera sobre usted: «Tiene mucho potencial»? Si tiene menos de veinte años —digamos de veinticinco quizás— tómelo como un elogio. El potencial... su capacidad escondida. El potencial... el atisbo de grandeza aún no desarrollada. «Tiene mucho potencial»... una afirmación de alabanza y quizás hasta de adoración. Y luego, usted llega a los treinta años, y sigue teniendo todo este potencial. Cuando está cercano a los cuarenta, continúa lleno de potencial. Pero si tiene ya cuarenta y cinco años, y alguien le dice: «Tienes mucho potencial», haga una pausa, pida disculpas, entre al baño y llore todo lo que quiera.

Lo que en un tiempo fue una promesa, ahora es la revelación de oportunidades perdidas. Hay un punto en que ya no se espera que uno tenga mucho potencial, se espera que uno tenga talento, capacidad, producción. El potencial es un vistazo de lo que se puede llegar a ser, pero tiene que haber un movimiento desde el lugar en que uno tiene potencial hasta el lugar en que uno es potente.

> El potencial es un vistazo de lo que se puede llegar a ser, pero tiene que haber un movimiento desde el lugar en que uno tiene potencial hasta el lugar en que uno es potente.

Sin embargo, y con todo el potencial que pudiéramos tener, esta transición no es tan fácil de hacer. No es algo que todos podamos hacer solos. En realidad, según mis cálculos, nadie va del potencial a la máxima capacidad sin la ayuda de otros. A menudo, el potencial perdido es resultado de falta de inversión. Esto no nos quita responsabilidad personal. A fin de cuentas, somos responsables de nuestro potencial. Es solo un recordatorio de que nuestra responsabilidad va más allá de contener nuestro potencial hacia desarrollar el potencial de los demás.

Lo que comenzó como una gesta personal de Jonatán, culminó

como una experiencia de grandeza colectiva. Jonatán la había presentido antes de que sucediera. ¿Recuerda usted cuando él y su armero enfrentaron solos a los filisteos, cuando esperaba oír qué sería lo que los guerreros filisteos le dirían? ¿Recuerda el modo en que se alegró cuando le tentaron y lo desafiaron a subir para enfrentarse con su furia? Jonatán le explicó a su armero: «Trepa detrás de mí. El Señor los ha entregado en manos de Israel».

¿Dónde estaba Israel? En cualquier parte, menos allí. No había Israel detrás de Jonatán. Él estaba prácticamente solo en la batalla, acompañado únicamente por su armero. Y aún entonces, Jonatán comprendió que la batalla no se trataba de él. Se trataba del pueblo de Dios. Jamás había sido una cruzada personal. Era el cumplimiento del propósito de Dios a través del pueblo de Dios. No habría victoria para él solamente. El Señor no los estaba entregando en manos de Jonatán. Los entregaba en manos de Israel. Y esto era lo que le daba impulso a Jonatán. Esto era lo que traía esperanza a su espíritu. Él era simplemente la primera parte del total.

Para los que hemos crecido con mentalidad occidental, este es un concepto difícil. El desarrollo de los Estados Unidos ha probado ser un experimento no intencionado sobre la individualidad. Quizás ninguna otra nación haya visto al individuo tan claramente. Nuestras leyes no se escribieron en torno a los derechos y la importancia del individuo, pero sí han tomado forma basándose en un exacerbado individualismo. Los derechos personales son más importantes que el bien común. La responsabilidad comunitaria ha desaparecido casi por completo al dar prioridad a la elección personal. Damos prioridad a nuestro filtro individualista tanto en lo que se refiere a las experiencias como a las personas que encontramos en las Escrituras.

La Biblia nos enseña un claro sentido de la importancia y singularidad de cada individuo. Después de todo, cada uno de nosotros ha sido creado a imagen y semejanza de Dios. Cada uno de nosotros tiene la huella digital divina, única de Dios, en su alma. A partir de la Biblia y la biología vemos evidencia de que no hay dos personas iguales. Las Escrituras y la ciencia anuncian y celebran la singularidad de cada persona, pero esto no debe confundirse con el punto de vista mundano del individualismo.

Tanto la palabra como el pueblo de Dios expresan la naturaleza comunitaria de nuestro Creador. Dios mismo se expresa en comunidad. Él es Padre, Hijo y Espíritu Santo. Aquél que es Dios, se expresa por tres. En el misterio que sobrepasa mi entendimiento, Dios vive en perfecta relación consigo mismo. Este aspecto de la naturaleza de Dios se expresa a través de su capacidad de relación. En otras palabras, todo lo que él crea, tiene una relación única con él, especialmente la humanidad.

Dios nos creó con la capacidad de relacionarnos, no solo para que nos relacionemos con él, sino para que lo hagamos con otros. El hombre fue creado para vivir en comunidad. Cuando estamos fuera de relación, fuera de la comunidad, operamos en contra de nuestro diseño y nuestro designio. A veces, nuestra atención sobre nosotros mismos nos ciega a la intensidad de nuestra interconexión. ¿Cuántos padres alcohólicos se defienden diciendo: «No le hago daño a nadie más que a mí mismo». No hay tal cosa. Jamás podemos darnos el lujo de lastimarnos solo a nosotros mismos. Cuando nos lastimamos, siempre afectamos a alguien más. Y lo contrario también es verdad. Cuando elegimos hacer lo correcto, lo verdadero, lo bueno, siempre afectamos para bien a otras personas.

Jonatán actuó en representación de Israel mucho antes de que Israel actuara por él. Del mismo modo, quienes están dispuestos a vivir la vida del aventurero, pueden tener que sufrir grandes dificultades por el bien del reino. Habrá lugares de la aventura en los que uno tendrá que estar solo. Si Dios le está utilizando para lanzar una nueva aventura, quizás usted tenga que soportar la carga de ser el pionero en una senda de peligro. Al igual que en el caso de Jonatán, su desafío puede traer conflictos y batallas reales. Ciertamente, la guerra espiritual se desata cuando uno atrapa un momento divino. Esto era el precio que Jonatán estaba dispuesto a pagar, no por la gloria de su propio nombre, sino por la gloria del Señor y de su pueblo. Su sacrificio creó el contexto que traería la grandeza de otros a la luz. Encontramos que en el momento más álgido de la batalla, hay al menos cuatro escenarios en los que la elección personal de Jonatán dio como resultado la transformación de otras personas.

DÉ RIENDA SUELTA A LOS FIELES

Hemos hablado mucho acerca de Jonatán, pero casi hemos ignorado a su armero. Desde el comienzo, sin embargo, este armero estuvo con Jonatán, manteniéndose fiel desde el primer momento. Si evaluamos con sinceridad a este anónimo compañero, diremos que tenía poco que contribuir a la causa. Muy probablemente haya sido muy joven, inexperto y sin habilidades especiales. Hay una razón por la que su papel era el de cuidar la armadura, no el de llevarla puesta. No era ni un general ni un guerrero. Su trabajo consistía en acarrear el equipo. Si la lista tuviera mil nombres, el suyo estaría al final.

Con todo, fue el único voluntario, por lo que era el segundo en rango. De cierto modo, tenía más coraje que Jonatán. Este último tenía una espada, y se supone que era él quien la llevaba, sin embargo, el armero no tenía nada con qué defenderse ni con qué luchar en la batalla. No obstante el relato nos dice que en el primer ataque Jonatan y su armero mataron a unos veinte hombres en un área de medio acre. Es notable que se destaque al armero. No se escondía detrás de Jonatán, ni se quedaba mirando cómo luchaba. Sin armas, en clara desventaja, este joven aprendiz fue promovido a guerrero. En ese momento cambió de ser quien tenía potencial a quien es potente, y sin duda, sobrepasó sus propias expectativas.

El armero nos recuerda que la mitad de la batalla de atrapar nuestro momento divino consiste en simplemente estar allí. «Fe» es una palabra muy grande, excitante, magnética, valiente. Pero «fiel» es una palabra común, un tanto rutinaria, aburrida y sin mayor excitación. Estoy convencido de que a la mayoría de nosotros nos gustaría que nos conocieran por nuestra fe, pero nos resistiríamos al aburrido viaje de ser fieles.

También estoy convencido de que ha habido muchas ocasiones en mi vida en las que experimenté la bendición de Dios y me convertí en instrumento suyo, no a causa de mi talento o capacidad, sino a causa de mi disposición para estar allí. Hay algo catalítico en esto de moverse con Dios. Uno puede sentir sorpresa ante la cantidad de personas que estarían dispuestas a acompañarnos sin tan solo nos encargamos de ser los líderes. Muévase con Dios, invite a quienes le han invitado a invertir en sus vidas, y vea qué es lo que Dios hace con ellos.

Era un domingo por la mañana, y Kim me dijo que debía recoger a una joven de la iglesia y traerla a casa conmigo. Era una inmigrante mejicana que no tenía dónde quedarse. La familia que le había ofrecido un lugar la había echado porque había llegado a conocer a Jesucristo. Al negarse a mantener silencio acerca de su nueva fe, perdió el único refugio que tenía. Éramos una solución temporaria. Se quedaría con nosotros por unos días, y luego veríamos qué hacer. No sabíamos que lo que Dios tenía planificado para nosotros, unos veinteañeros, era que nos convirtiéramos en los padres de una adolescente.

Durante los siguientes diez años, Paty vivió e nuestra casa, como hija nuestra en el Señor. No hablaba ni una palabra de inglés cuando comenzó a ir a la escuela. Al ir a una escuela privada cristiana, pudo avanzar desde el jardín de niños hasta el noveno grado en un año, cursar décimo y undécimo grados en su segundo año, y terminar la secundaria al tercer año. Se graduó de *Cal State Los Ángeles* con un título en educación, y ahora, con su esposo Steve y su hijito, están preparándose para mudarse a Indonesia y trabajar allí con el pueblo de Madura.

No criamos a nuestra hija con el propósito y la intención de enviarla a trabajar al mundo islámico. La criamos mientras estábamos en misión. Servimos a Paty en el nombre de Cristo, y a su vez, ella se unió a nosotros para servir a otros en su nombre. Cuando Paty se convirtió en nuestra hija, se convirtió en misionera. El ser parte de nuestra familia le daba seguridad y estabilidad. También fue el contexto para que tomara riesgos y viviera en las primeras filas del movimiento del reino de Dios.

Cuando uno crece en medio de la batalla, no teme a la guerra. Una persona que podría describirse como sin educación alguna, una inmigrante ilegal, era en realidad un tesoro de potencial divino que esperaba salir a la luz. Ella era una armera que por medio de su fidelidad se convirtió en una mujer de fe.

Jonatán llevó a su armero consigo porque lo necesitaba. No fue un acto de benevolencia, y por cierto, no estaba intentando buscar tan solo un compañero para no estar solo. La fidelidad de su armero aumentó su capacidad para cumplir la tarea que tenía por delante. Ser fiel a esta tarea habría sido todo lo que se esperaba del armero; y sin embargo, encontramos que el desafío le exigió mucho más. Siguió a Jonatán hacia la batalla como armero, pero salió de ella como guerrero. Y aunque su contribución podría considerarse pequeña, la dimensión de coraje y fe que demostró fue inmensa. Es en el contexto de esta demostración de fidelidad que el armero aparece como la mano derecha de Jonatán.

> **Cuando elegimos atrapar nuestros momentos divinos, creamos un ambiente en el que otros tienen el espacio para cumplir su potencial divino.**

Cuando elegimos atrapar nuestros momentos divinos, creamos un ambiente en el que otros tienen el espacio para cumplir su potencial divino. Estoy seguro de que muchos de nosotros hemos experimentado este fenómeno desde el otro lado. Hemos sido armeros siguiendo a Jonatán, yendo a lugares a los que no habríamos ido solos. Tomamos la decisión de servir a alguien más, y al servir tuvimos lo mejor de Dios en nosotros.

Hacía aproximadamente un año que me había convertido cuando, estando en la Universidad de Carolina del Norte en Chapel Hill, un amigo de la universidad me invitó a visitar una pequeña iglesia en el campo. Distaba mucho de lo que había conocido en mi infancia en Miami, en la congregación de la Iglesia Bautista Monte Moriah. En lugar de calles, pavimento y edificios, había granjas y caballos. Pero había algo maravillosamente atractivo en la genuina calidez de las personas. Como sabía poco acerca del funcionamiento de una iglesia, me acerqué al pastor y le dije que iría a casa durante el verano, pero que volvería para el otoño. Luego le pregunté si la iglesia necesitaba un empleado de limpieza voluntario. No se me ocurrió que se le pagara a alguien por este tipo de trabajo en un contexto religioso, por lo que imaginé que se necesitaba un voluntario que lo hiciera.

Me sorprendió recibir dos meses más tarde una carta del pastor invitándome a predicar un domingo a la mañana cuando volviera a la universidad. En nuestras breves conversaciones, le había hablado de mi vocación de predicar el evangelio, pero jamás había esperado que me confiara este tipo de responsabilidad. Ni siquiera me conocía. Yo jamás había hablado en un ambiente formal o público. Solo había preguntado si necesitaban a alguien para que limpiara el lugar. Fue Bob Weatherly quien, como Jonatán, me obligó a enfrentar desafíos para los que yo no me creía preparado.

Me sentí igual al armero que no tenía armas, y ni siquiera hubiera sabido qué hacer si las hubiese tenido. Tenía tanto miedo de que mi mensaje no fuera bíblico que utilicé más de ciento cincuenta versículos en esa única oportunidad. Más que darme la oportunidad de hablar, el pastor Bob me enseñó acerca del liderazgo del servicio. Me mostró que uno busca una persona que esté dispuesta a encargarse de las tareas más simples, y le hace desarrollar su potencial divino.

Cuando trabajé como director de evangelismo en la Asociación Bautista de Dallas, inicié un programa de pasantías en el que los jóvenes líderes tuvieran la oportunidad de desarrollar sus dones y habilidades. Este proyecto, llamado «Prioridad uno», fue una de mis experiencias favoritas, y también una de las que más disfruté. Inevitablemente, los más entusiastas y ambiciosos, claro, preguntaban siempre lo mismo: «¿Cómo puedo llegar a obtener el puesto que usted tiene?». La pregunta siempre conllevaba la sutil creencia de que la mayoría de las cosas son políticas. Debo confesar que si he sentido algo de desilusión en mi viaje cristiano, ha sido debido a la naturaleza secular de gran parte del trabajo cristiano. Mi respuesta siempre era la misma. Les decía: «No sé cómo podrá ser para otros obtener este empleo, pero en cuanto a mí se refiere, trabajé durante diez años sirviendo a los pobres». Luego les preguntaba: «¿Quieren el resultado sin el viaje que se requiere? Porque si ese es el caso, no sé qué instrucciones darles para que lleguen allí».

Las personas como Jonatán quedan registradas en el libro; los armeros son anónimos. Jamás confundamos el anonimato con la insignificancia. Quizás la imagen real es que muchos de nosotros somos a veces armeros, y otras veces como Jonatán. Una mirada sincera a la vida más exitosa bastaría para reconocer humildemente que hubo muchas personas como Jonatán —los hombres y mujeres que a través de su vida crearon el ambiente para que otro fuese llamado a la grandeza— que estuvieron presentes en esa vida. Al mismo tiempo cada uno de nosotros, por medio de nuestro propio sacrificio, podemos no solo inspirar, sino también dar poder a otros para que logren grandes cosas para Dios.

ACERQUE LA LLAMA A LOS APÁTICOS

El pasaje nos dice que el armero se convirtió en guerrero, y también nos informa que Saúl y todos sus hombres se reunieron para ir a la batalla. Las personas como Jonatán no solo crean el ambiente en el que los fieles tienen espacio para actuar, sino que a través de su iniciativa, movilizan a quienes estaban paralizados. Desde un punto de vista, sería fácil concluir que Jonatán se movía demasiado rápido, pero en verdad, todo nivel de velocidad se ve como demasiado rápido cuando todas las demás personas están quietas.

Saúl no estaba pronto a atacar. No iba a llamar a su ejército para que se moviera y enfrentara al enemigo. Saúl y sus hombres habían perdido el entusiasmo. Estaban apáticos. Habían perdido la pasión.

> **Las personas como Jonatán no solo crean el ambiente en el que los fieles tienen espacio para actuar, sino que a través de su iniciativa, movilizan a quienes estaban paralizados.**

En Romanos 10:2, el apóstol Pablo nos recuerda acerca del peligro del celo sin conocimiento; el Rey Saúl nos recuerda lo trágico del conocimiento sin celo. Solo la conmoción del conflicto logró sacudir a Saúl para que dejara su apatía. En realidad, el hecho de que quien estaba ausente era su hijo, le hizo pensar diferente.

Saúl no se preocupaba demasiado por nada más que por sí mismo, pero amaba a Jonatán. Me pregunto: Si el soldado que faltaba hubiera sido otro, ¿se habría movido Saúl? Pero ahora era algo personal. Su hijo Jonatán estaba dando la batalla. El hijo del rey estaba haciendo lo que le correspondía hacer al rey. Todas las excusas eran inútiles. Solo tenía una espada. Era todo lo que su hijo tenía. Él tenía un ejército de unos pocos cientos de soldados. Pero su hijo tenía un solo hombre.

El momento en que Saúl decidió avanzar no muestra cambios con relación a su dilema anterior. No estaban en mejor situación. No tenían más armas. No había refuerzos. Si acaso, sus municiones se habían reducido en un cincuenta por ciento. Había perdido a su mejor guerrero. Su liderazgo estaba fraccionado y los filisteos sabían de su llegaba. La situación no había mejorado, pero la apuesta sí era otra. Había alguien involucrado, que a Saúl le importaba mucho. Por su hijo, estaba dispuesto a arriesgar su vida y la de sus hombres. Por su hijo, estaba dispuesto a ir a la guerra. Si lo racional era evitar el conflicto con los filisteos, luchar contra ellos en ese momento era una locura.

Es fácil tomar decisiones objetivas y racionales cuando uno no está personalmente involucrado. Cuando uno se conecta a nivel del corazón, la base de datos cambia. Es el poder de la pasión, de amar a alguien o algo. La acción de Jonatán encendió lo que Saúl tenía apagado. Del mismo modo, cuando atrapamos los momentos divinos, encendemos un contexto en el que los apáticos encuentran la pasión.

Hace poco tiempo estaba en una reunión de líderes de diversos ministerios paraeclesiásticos. Nos habían invitado a trabajar en con junto con el propósito de crear un evento que sirviera a pastores de todo el país.

El segundo día, mantuvimos un interesante diálogo acerca de la relación entre la iglesia local y lo que se describía con cierta incomodidad como lo paraeclesiástico. Mirando a mi alrededor, hice la observación de que las organizaciones representadas en la mesa redonda reflejaban la apatía de la iglesia local. Lo paraeclesiástico surgía en respuesta a la parálisis de la iglesia local. La pasión que enciende a estas organizaciones que defienden diversas causas es la sentencia de apatía que condena a muchas de nuestras congregaciones.

El Dr. Keith Philips, fundador de World Impact [Impacto Mundial], se hallaba en el grupo. Sus respuestas a mis comentarios han quedado prendidas en mí desde entonces. Explicó que según su experiencia al haber crecido en Los Ángeles, podría decirse que yo estaba en lo correcto. Su resumen era que World Impact había sido creado para iniciar iglesias entre la gente pobre a causa de que a las iglesias no les importaba hacerlo. Tenemos muchas asambleas importantes que llamamos iglesias, y a pesar de que la palabra iglesia significa «llamado a salir», esto no se cumplía. No hay equipo de fútbol que haya ganado la Super Copa solo por la fuerza de sus seguidores. Es lo que sucede después del «preparados, listos...» lo que trae la victoria. Saúl y sus hombres se reunieron y salieron a dar batalla. Al igual que con el ejército de Israel, no podemos ganar una guerra si no dejamos la reunión y nos dedicamos a luchar. No es suficiente reunirse; también hay que salir a pelear.

Solemos inclinarnos hacia las reuniones por nuestro propio bien, sin la intención de servir al bien de otros. Las personas como Jonatán rompen este ciclo de autoindulgencia. Salen a dar sus vidas con pasión, y a través del magnetismo de sus propias vidas, conmueven a los corazones que han permanecido quietos durante mucho tiempo.

RECLAME A LOS REBELDES

El pasaje luego nos dice que «aquellos hebreos que anteriormente habían estado con los filisteos y habían subido a su campamento, volvieron con los israelitas que se hallaban con Saúl y Jonatán». Si no era ya suficiente difícil para Jonatán luchar contra la apatía de su padre y su ejército, la realidad de que muchos de los suyos se habían vuelto en contra hacía todo mucho peor. Eran los traidores. Habían sopesado las posibilidades de ambos bandos, y habían elegido al pueblo que no seguía a Dios.

Para algunas personas, estar del lado correcto tiene que ver con lo que está bien, pero para otros, estar en el lado correcto significa asegurarse de que se obtendrá la victoria. Por cierto, vivimos en una cultura que ensalza a quien gana, sin importar su carácter. Usted puede ser un criminal y vivir como tal una vida notoria, pero si gana la Super Copa, será un héroe. Nos hemos convencido de que el contenido del carácter de una persona no tiene nada que ver con su efectividad o su mérito.

Había israelitas que estaban dispuestos a ir a la guerra, en contra del propósito de Dios, para asegurar su propio éxito y supervivencia. Dejaron lo que sabían que estaba bien para ser enemigos del bien. Pero en aquel momento, todo cambió. Cuando vieron a Jonatán y a Saúl luchando contra los filisteos, enfrentándose a lo peor sin dar un paso atrás, algo sucedió. Recordaron quiénes eran. Este es quizás uno de los beneficios más satisfactorios de atrapar un momento divino, una oportunidad divina. No solo movilizamos a quienes están paralizados y liberamos a los fieles, sino que a menudo, para nuestro deleite y para complacencia de Dios, también los pródigos vuelven.

Hace dos años una joven pareja entró en nuestra iglesia un domingo por la mañana. Sobresalían por diversas razones, pero una de ellas era que se habían acercado al frente solo para saludarme. Ambos se veían brillantes, con energías y muy entusiastas por estar allí ese día. Colin Johnson y Shiho Inoue vivían juntos y al mismo tiempo buscaban a Dios. Eran una contradicción, porque Colin había sido criado en un hogar cristiano, y despreciaba tremendamente a la iglesia, mientras Shiho había crecido en un hogar japonés, sin conocer a Dios, pero sentía una inexplicable atracción hacia Jesús.

Colin llevaba aros en las orejas, la nariz y en la lengua. Su aspecto no parecía corresponderse con la cultura de un hogar cuyos padres eran profesionales egresados de la Universidad Regents, fundada por Pat Robertson. A primera vista, uno hubiera dicho que Colin era el clásico estudiante universitario sin enseñanza espiritual alguna. Pero la realidad era todo lo contrario. Él había llegado a sentirse muy cómodo con ser identificado con un bando mientras trabajaba para el otro. Aun mientras adoraba a Dios con nosotros en San Gabriel, vendía drogas en el lado oeste. Era uno entre quizás millones de personas en nuestra cultura occidental que había aprendido a vivir dentro de la religión sin experimentar la transformación. En cierto modo, podía decirse que Colin era un cristiano que no conocía a Cristo. Y sin embargo, al final, su búsqueda de Dios demostró ser genuina. Si había un Dios para conocer, querían conocerle.

Pronto, tanto Colin como Shiho se convirtieron en seguidores de Cristo, pero el momento de definición de Colin debe haberle llegado en medio de una conversación en particular. Aun después de llegar a la fe, Colin era un tipo extremadamente listo, que siempre estaba buscando evasivas. Una cierta cantidad de temas, como el de cambiar para vivir una vida de pureza moral, le creaban verdaderas crisis. Colin podía conocer la Biblia, pero hacer que fuera incomprensible para su propio propósito. Todos los argumentos del mundo no tenían siquiera significado o impacto en él, hasta aquel día en que conversó son su mentor Mike Tafoya. Mientras salía, Mike le detuvo, diciéndole una última cosa: «Colin, eres radical en todo. ¿Por qué no eres radical en lo que se refiere a Jesús?». Colin dijo que ese fue el momento en que todo cambió.

Esa única idea fue la que le aclaró todo. La razón que le impulsaría a vivir una vida diferente estaba ante sus ojos. La religión no era suficiente para Colin. El temor a las consecuencias o a la opinión ajena no eran motivaciones lo suficientemente poderosas como para que cambiara sus prioridades. El llamado a ser una buena persona tampoco le convencía. Colin era anti-institucional, y se resistía a cumplir con las expectativas de los demás. Fue el movimiento lo que lo capturó... algo importante sucedía en el mundo, este Dios, por medio de su Hijo Jesucristo, había iniciado una revolución y le estaba invitando a él para que se le uniera. Los observadores no estaban invitados, no eran necesarios los espectadores, solo los revolucionarios, solo los radicales estaban llamados a participar.

Este es el poder que atrae a los pródigos de vuelta a casa. Cuando alguien ha elegido apartarse de Dios o de su pueblo, la religión educada no será suficiente como para atraerle de vuelta. Hay miles de miles de personas que jamás volverán a entrar por las puertas de una institución religiosa, y que abiertamente explican: «Ya lo he probado».

La persona que ha rechazado la religión y vive como en un infierno no volverá a menos que le atraigan aquellos que viven como en el cielo.

A menudo oigo críticas acerca de que las grandes iglesias están llenas de cristianos que son llevados desde las iglesias más pequeñas. Esto es una acusación a su integridad y su genuina espiritualidad. Quizás tenga su origen en la suposición de por qué algunas personas dejan una iglesia y van a otra. Si uno abandona una iglesia para obtener las ventajas de otra más grande, entonces la motivación inadecuada puede ser el consumismo. Pero creo que muchos han elegido hacerlo por otras razones. Las personas necesitan desesperadamente sentirse parte de algo verdaderamente importante. Todos, de algún modo, queremos ser parte de la revolución que cambie al mundo. Me pregunto entonces: ¿Cuántas de estas personas que se han unido a una congregación que crece rápido no lo han hecho a causa de que se sintieron atraídas por el apremiante movimiento de Cristo? Si las personas necesitan dejar Mosaic para conectarse más profundamente con Dios, entonces debo contribuir para que Mosaic cambie. Me ha llevado un tiempo, pero finalmente he descubierto que una de las evidencias de la vida de nuestra comunidad es que quienes la han dejado siempre han vuelto a causa de lo que Dios hace con nosotros. Dios se alegra cada vez que un hijo pródigo vuelve a casa. Las personas como Jonatán crean ambientes que ganan el corazón de quienes se han ido, y los traen de regreso.

Todos, de algún modo, queremos ser parte de la revolución que cambie al mundo.

Samuel nos ofrece una descripción final de quienes se vieron movidos a actuar a causa de lo que hacía Jonatán. «Cuando todos los israelitas que se habían escondido en las colinas de la tierra de Efraín oyeron que los filisteos estaban escapando, se unieron a la batalla para perseguirles». El armero de Jonatán lo siguió cuando no parecía haber esperanza alguna de alcanzar el éxito. Saúl se unió a la batalla solo cuando se enteró de que Jonatán estaba luchando en ella. Quienes se habían ido del pueblo de Dios volvieron solo después de ver que Jonatán, Saúl y el ejército atacaban a los filisteos.

SANE A LOS QUE ESTÁN QUEBRANTADOS

Hubo otro grupo que se unió a la batalla. Si todo el resto había llegado tarde, este grupo iba en la retaguardia. Una colonia entera de israelitas se había escondido en las colinas. Vivían aterrorizados de los filisteos, y habían elegido vivir en las cuevas, como en madrigueras. El relato nos dice que solo después de que los filisteos comenzaran a escapar, fue que este grupo asomó la cabeza y se unió a la batalla. Si el primer grupo se describe como fiel, el segundo como paralizado, y el tercero como pródigos, se podría decir que este último grupo era el disfuncional. Representan bien a quienes están emocionalmente y espiritualmente quebrados, incapaces de vivir una vida de libertad y aventura. En esta situación en particular, vivían escondidos en las colinas, como animales, paralizados por el miedo. Hoy se les describiría como fóbicos. Fobia es solo una palabra contemporánea utilizada para decir «miedo». Cuando uno está bajo el control de una fobia, está controlado por un miedo específico. La claustrofobia es el miedo a los lugares cerrados; la xenofobia, el miedo a los extranjeros; la aracnofobia, el miedo a las arañas... esa es la idea.

Ahora, todos nosotros tenemos que lidiar con el miedo. No hay nada patológico en la emoción del miedo. Si estamos en verdadero peligro, sería disfuncional no sentir temor alguno. Pero cuando el miedo controla nuestras vidas, se puede decir que somos disfuncionales. Esos israelitas vivían esclavos del temor. Eran cautivos de este. Se habían vuelto inútiles, sin significado alguno para la causa. Habían puesto su propia seguridad por encima del bien común. No querían enfrentar los problemas; estaban dispuestos a hacer cualquier sacrificio con tal de resolver los problemas; estaban dispuestos a escapar, a esconderse y dejar el futuro en manos de otros. Si los filisteos ganaban, ellos morirían en el exilio, ejecutados por sus enemigos, o en el mejor de los casos, serían prisioneros. Si los israelitas ganaban, uno pensaría que su desenlace sería bueno, pero en realidad esto era poco probable. Si retornaban a la tierra conquistada por los israelitas, si bajaban de las colinas cuando ya hubiera pasado el peligro de los filisteos, aun entonces deberían enfrentarse a su enemigo más grande.

Lo que existiera dentro de ellos para hacerles vivir una vida dominaba por el miedo, continuaría estando allí. Lo que les faltaba en el núcleo, seguiría marcando el centro de una cáscara hueca. Si volvían a una vida de prosperidad sin haber tomado el camino del sacrificio, de todos modos serían los nuevos enemigos de Israel. Dios podría haber echado a los filisteos fácilmente sin la participación de Israel, pero él no podría hacer de Israel el pueblo que necesitaba si no peleaban en nombre de Dios.

Dios utiliza los desafíos que enfrentamos para dar forma al carácter que mora en nosotros. El poder sin la humildad es una mala combinación. La riqueza sin generosidad es igualmente peligrosa. La libertad sin fe y fidelidad solo llevará a la corrupción y la muerte. Dios no estaba libertando a su tierra; Dios estaba moldeando a su pueblo. Somos nuestros peores enemigos cuando no atendemos las necesidades de nuestro corazón. No participar de la batalla es perder la capacidad de disfrutar plenamente de la victoria. No se trata simplemente de ganar la batalla, sino de conquistar el miedo. Los momentos divinos nos llevan a vivir de manera diferente, y esta vida diferente que se nos llama a vivir requiere de nosotros un cambio.

En los últimos veinte años, he caminado en la tierra de las colinas de Efraín varias veces. He conocido hombres, mujeres y niños que se esconden allí. La fragmentación en la población común ha llegado al punto de la devastación. La creencia de que las personas pueden vivir vidas plenas y saludables ya casi ha perdido su mérito. Hasta las iglesias se ven sobrecogidas por el dolor y el quebranto que ven en sus comunidades.

Desde el clérigo hasta los psicoterapeutas, somos una sociedad que lucha por descubrir cómo sanar a las personas. Hay una ventana de esperanza en este pasaje de las Escrituras. No salieron a luchar al comienzo, y les llevó un tiempo responder; fue solo después de que los filisteos comenzaran a huir. Pero aún así, al final, quienes vivían como animales escondiéndose de la realidad del mundo que les rodeaba, quienes estaban atrapados por el miedo más que por la amenaza, se unieron a la batalla. Samuel parece disfrutar de esta descripción, diciéndonos que se unieron a la lucha en ardiente persecución.

Entregarnos en pos de algo más alto es muy poderoso. Hay una naturaleza sanadora en esto de unirse por el bien común. Los estudios recientes demuestran que las personas que creen en Dios, en realidad, viven vidas más saludables. Este hecho no debiera sorprendernos. Si bien es importante cuidarnos a nosotros mismos, es extremadamente peligroso hacer de nosotros aquello por lo que más nos preocupamos. Sí importa que los israelitas escondidos salieran a dar batalla. Su capacidad para disfrutar de los beneficios de la paz que eventualmente llegaría está directamente relacionada con su participación. Traducido a un lenguaje sencillo, nos mejoramos cuando nos entregamos.

Esto forma parte del poder y la bendición de la iglesia, al traer salud personal y comunitaria. Cuando la iglesia avanza con Dios, los quebrantados se sienten atraídos a él y encuentran la sanidad mientras avanzan. Cuando nosotros, como Cristo, comenzamos servir a otros en su nombre, descubrimos que en el camino, nuestras necesidades también se ven cubiertas. Cuando el pueblo de Dios abandona el propósito de Dios, cuando no hay movimiento, perdemos el poder que cambia vidas.

> **Cuando la iglesia avanza con Dios, los quebrantados se sienten atraídos a él y encuentran la sanidad mientras avanzan.**

Cada uno de nosotros puede crear entornos en los que los quebrantados puedan sanar. Los momentos divinos no son regalos de Dios para que nos sirvamos a nosotros mismos; son invitaciones de Dios para que nos entreguemos en servicio. Quienes eligen este camino encuentran el mayor gozo cuando sacan a la luz la grandeza que hay en otros. El ministerio de Jesús le fue afirmado a Juan el Bautista. Por medio de esas señales los ciegos volvían a ver, los paralíticos volvían a caminar, los leprosos eran sanados, los sordos volvían a oír, los muertos se levantaban y la buena nueva les era predicada a los pobres. Dondequiera que fuese Jesús, con cada persona que le siguiera, había gente que sanaba. No debiera sorprendernos que este también sea el resultado final cuando elegimos atrapar nuestros momentos divinos.

RESUCITE A LOS MUERTOS

Sería fácil llegar a la conclusión de que el mundo sería un lugar mejor si no fuese por la gente, y que la iglesia sería un lugar mejor si no fuera por los cristianos. Uno podría cometer el error de pensar que su viaje con Dios encontraría su mayor plenitud si uno pudiera quitar de en medio el obstáculo humano... las personas. Pero el viaje se vive en el contexto de las relaciones, y gran parte de la aventura consiste en el modo en que Dios elige utilizarnos en las vidas de otros. Si alguna vez se ha atrevido a amar profundamente, entonces, ha sufrido una desilusión también profunda. Todos somos cántaros quebrados con capacidad divina. Parte del desafío consiste en nunca claudicar a causa de las personas.

Jesús se negó a claudicar a causa de nosotros. Fue muy claro en lo referente a nuestra condición. Él sabía que no estábamos solamente enfermos; podía ver que estábamos muertos. Y sin embargo, su muerte y resurrección son la declaración divina de que nosotros también podemos vivir. Dios vino a resucitar a los muertos. ¿Cree usted que Dios podría hacer lo mismo a través de usted? Solo Jesús podía morir por los pecados del mundo. Pero de manera maravillosa, Dios utiliza a quienes quieren luchar en su nombre para insuflar vida en los muertos.

Fue este el tipo de visión que Dios le dio a Ezequiel. En el capítulo 37 de su diario, Ezequiel escribe lo siguiente:

El Señor puso su mano sobre mí, y me hizo salir lleno de su poder, y me colocó en un valle que estaba lleno de huesos. El Señor me hizo recorrerlo en todas direcciones; los huesos cubrían el valle, eran muchísimos y estaban completamente secos. Entonces me dijo: «¿Crees tú que estos huesos pueden volver a tener vida?» Yo le respondí: «Señor, solo tú lo sabes». Entonces el Señor me dijo: «Habla en mi nombre a estos huesos. Diles: "Huesos secos, escuchen este mensaje del Señor. El Señor les dice: Voy a hacer entrar en ustedes aliento de vida para que revivan. Les pondré tendones, los rellenaré de carne, los cubriré de piel y les daré aliento de vida para que revivan. Entonces reconocerán ustedes que yo

soy el Señor"». Yo les hablé como él me lo había ordenado,
y mientras les hablaba, oí un ruido: era un terremoto, y los
huesos comenzaron a juntarse unos con otros. Y vi que
sobre ellos aparecían tendones y carne, y que se cubrían de
piel. Pero no tenían aliento de vida.

Entonces el Señor me dijo: «Habla en mi nombre al
aliento de vida, y dile: "Así dice el Señor: Aliento de vida,
ven de los cuatro puntos cardinales y da vida a estos cuerpos muertos"». Yo hablé en nombre del Señor como él me
lo ordenó, y el aliento de vida vino y entró en ellos, y ellos
revivieron y se pusieron de pie. Eran tantos que formaban
un ejército inmenso (vv. 1-10).

Un valle de huesos secos, transformado en un inmenso ejército
de Dios. Esta es la visión que desafía a nuestra fe. Esta es la promesa que Dios nos trae, y la trae a través de nosotros. Lo que puede ser
inimaginable —que un cementerio se convierta en un pabellón de
recién nacidos— es la recompensa más grande del Factor Jonatán.
Dios anhela utilizarle a usted para traer esperanza a quienes esencialmente ya se han ido a una tumba prematura. Cuando uno avanza
con Dios, comienza a resucitar a los muertos. Los símbolos princi-
pales de la fe cristiana —la cruz, el bautismo y la Cena del Señor—
son todas declaraciones de que la vida llega por medio del sacrificio.

Luego de mostrarle esta visión, Dios le explicó a Ezequiel:

El pueblo de Israel es como estos huesos. Andan diciendo:
Nuestros huesos están secos; no tenemos ninguna esperanza, estamos perdidos. Pues bien, háblales en mi nombre, y
diles: Esto dice el Señor: Pueblo mío, voy a abrir las tumbas de ustedes; voy a sacarlos de ellas y a hacerlos volver a
la tierra de Israel. Y cuando yo abra sus tumbas y los saque
de ellas, reconocerán ustedes, pueblo mío, que yo soy el
Señor. Yo pondré en ustedes mi aliento de vida, y ustedes
revivirán; y los instalaré en su propia tierra. Entonces
sabrán que yo, el Señor, lo he dicho y lo he hecho. Yo, el
Señor, lo afirmo (Ezequiel 37:11-14).

Dios es siempre la Fuente de vida. Dondequiera que él esté, siempre hay futuro y esperanza. Él nos levanta de entre los muertos, y nunca con la intención de que pasemos nuestras vidas apoyados en nuestras lápidas. Muchos de nosotros hemos levantado nuestras tiendas de campaña en el cementerio junto a la iglesia. Él infunde vida a nuestros huesos secos para que nos transformemos en el inmenso ejército de Dios. Conocer la vida de Dios es seguirle hacia esta nueva frontera. Conocer su poder es caminar por este valle de muerte, y con cada paso sentir que los cuatro vientos llegan e infunden vida en las multitudes. Como hizo con Jonatán, Dios nos utiliza para dar rienda suelta a un ejército.

AVANCE

El pasaje concluye con este último pensamiento: «Así que el señor rescató a Israel aquel día, y la batalla avanzó hasta más allá de Bet Avén», lo cual nos recuerda que no importa cuán dramático o profundo pueda ser un momento divino, no importa cuál sea su importancia, su espectro de impacto, aun si al final del día podemos mirar hacia atrás y reflexionar sobre la sorprendente experiencia vivida, debemos recordar que la batalla continúa. Con el final de cada día viene la promesa de la llegada de un nuevo día. Y con ese nuevo día vendrán nuevas batallas, nuevas oportunidades, nuevos desafíos, nuevas aventuras. Aún mientras celebramos la victoria del último momento, comenzamos el viaje de un momento nuevo. Debemos comprometernos con nueva energía, con anticipación.

Usted sabe dónde comenzar: tome la iniciativa. Sabe quién es Dios, así que reciba con gozo la incertidumbre de la vida. Recuerde que la persona en quien se está convirtiendo usted en el nombre de Jesucristo es el mayor regalo que puede hacerle a los demás. Por lo tanto, utilice su influencia. Cada gran aventura

Usted sabe dónde comenzar: tome la iniciativa. Sabe quién es Dios, así que reciba con gozo la incertidumbre de la vida.

está llena de peligro y de riesgo, pero el riesgo siempre valdrá la pena. Ya ha sido autorizado a avanzar. Así que avance. Ejerza un impacto en su mundo peleando las batallas que Dios tiene en su corazón.

Muévase con una urgencia que dé lugar al movimiento. Comprométase con una aventura tan atractiva que cause el despertar de los muertos en espíritu. En este momento, cada uno de nosotros tendrá que elegir. ¿Atrapará usted su momento divino o lo dejará escapar? ¿Elegirá ir hacia la izquierda o hacia la derecha?

Le veo en unos momentos.

Quiero decirles, hermanos, que lo puramente material no puede tener parte en el reino de Dios, y que lo corruptible no puede tener parte en lo incorruptible.

Pero quiero que conozcan el designio secreto de Dios: No todos moriremos, pero todos seremos transformados *en un momento*, en un abrir y cerrar de ojos, cuando suene el último toque de trompeta. Porque sonará la trompeta, y los muertos serán resucitados para no volver a morir. Y nosotros seremos transformados. Pues nuestra naturaleza corruptible se revestirá de lo incorruptible, y nuestro cuerpo mortal se revestirá de inmortalidad. Y cuando nuestra naturaleza corruptible se haya revestido de lo incorruptible, y cuando nuestro cuerpo mortal se haya revestido de inmortalidad, se cumplirá lo que dice la Escritura: «*La muerte ha sido devorada por la victoria. ¿Dónde está, oh muerte, tu victoria? ¿Dónde está, oh muerte, tu aguijón?*» El aguijón de la muerte es el pecado, y el pecado ejerce su poder por la ley. ¡Pero gracias a Dios, que nos da la victoria por medio de nuestro Señor Jesucristo! Por lo tanto, mis queridos hermanos, sigan firmes y constantes, trabajando siempre más y más en la obra del Señor; porque ustedes saben que no es en vano el trabajo que hacen en unión con el Señor. (1 Corintios 15:50-58, énfasis del autor).

Λcercλ dƐl ΛUtor

ERWIN RAPHAEL MCMANUS ES PASTOR PRINCIPAL Y ARQUITECTO Cultural de Mosaic, una congregación singularmente innovadora e internacional de Los Ángeles. Es un estratega y disertante nacional e internacional en temas referidos a la cultura, el cambio, la creatividad y el liderazgo. McManus actualmente participa como Profesor Distinguido y Futurista en el Seminario Betel, y es colaborador del *Leadership Journal* y autor de *An Unstoppable Force* [Una Fuerza Imparable]. A través de sus compromisos como disertante, que incluyen los eventos *Promise Keepers* y *Pasaje*, así como por medio de sus apariciones en radio y televisión, McManus llega a decenas de miles de personas cada año. Él y su esposa Kim tienen dos hijos, Aaron y Mariah, y una hija en el Señor, Paty.

Erwin es el catalizador de Awaken [Despertar], una organización comprometida hacia la creación de entornos que expandan la imaginación y liberen la creatividad. Convencidos de que el mundo es transformado por los soñadores y los visionarios, los miembros de Awaken sirven a la humanidad por medio de su compromiso hacia la maximización del potencial creativo de cada persona y organización. Para encontrar más información sobre Awaken, sus recursos y cómo puede servirle a usted, contáctese con www.awakeninternational.com.

Mosaic es una congregación creativa, singular e internacional de Los Ángeles. Mosaic es ampliamente conocida por su diversidad étnica extraordinaria, su innovación radical y su convicción acerca de que la creatividad es el resultado natural de la espiritualidad. Para saber más acerca de Mosaic, su conferencia sobre Orígenes y otros recursos, visite www.mosaic.org.